目次

「では今回のガールズトークですが、幽霊船団との戦闘から、三年前にあった同種の事件と、私ミトツダイラの立志を思い出し、語ってますの。皆のツッコミなど多用の仕様ですが、お付き合い下さいましね?」

GENESISシリーズ 境界線上のホライゾン

ガールズトーク 狼と魂

川上 稔

イラスト・さとやす(TENKY)

デザイン・渡邊宏一(2725 Inc.)

●世界の説明●

「姉ちゃん！　姉ちゃん！　とりあえずコレから読む人もいそうだから、俺らの住んでる世界ってどんな感じかファンタジーっぽく紹介してくんね？」

「フフフ愚弟、じゃあ簡単に要点ね」

「ここは凄く未来の世界。人類は宇宙でヒャッハーしてたんだけど、戦争で滅び掛かってね？　流石にメゲたから、地球に戻ってきたの。住まう土地としては、環境の安定した極東（日本）があるから、そこでやり直そう、ってね」

↓

「でも人類ったら、外の環境がキツいからって、狭い極東上で土地争いの戦争しちゃってね。また滅亡ヤバイってんで、もう好き勝手にやるんじゃなく、自分達のロードマップを別に設けることにしたのよ。
　それが"聖譜"という、かつての地球時代の歴史書。つまり無事な極東（日本）上にて、皆が理解できる文明復活ロードマップである人類の歴史をやり直すことで、戦争とか政治を外から管理しつつ復興しよう、って感じになったの」

↓

「それで上手くいったの？」

「ううん。それがまあ極東勢がタコミスして、他国の土地を没シュートしたもんだから、多国がキレて極東を上から支配。彼らが極東を"教導する"ことになったのね」

↓

「おかげで今、極東上は、戦国時代の日本と、十七世紀の世界各国が重なる世界になってね。
　"教導"ゆえ、世界の主力は学生達。極東勢は肩身狭いけど、私達がいる航空都市艦"武蔵"は、極東の独立都市として、そんな極東の上をうろうろ貿易してるって訳。
　――愚弟？　何か補足ある？」

「あー、俺達武蔵は松平（徳川）勢だけど中立的。世界各国は、織田勢であるP.A.Odaと争い中かな。んで、今回の話は三年前と今を行ったり来たり、って感じで宜しくー」

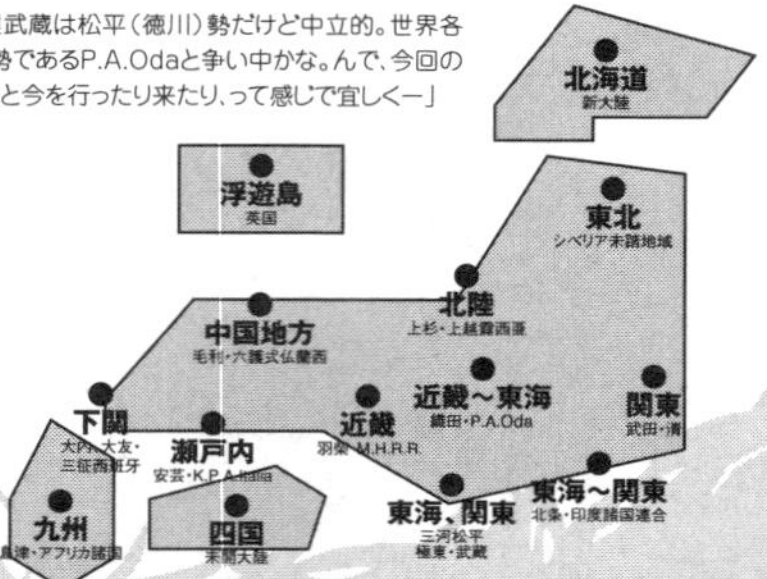

「極東（日本）は今、こんな感じで各地が各国に占領されてるのね。私達の乗る武蔵はそれらの国境線上を巡回してるのよ」

words

【歴史再現】

「歴史をやりなおしてる世界なので、各国は事業としてその再現をしなければならないのね。戦争、政治、発明やらなにやらいろいろよ」

【襲名者】

「歴史再現を行うために必要な歴史的偉人。優秀な人財が襲名して国を動かすわ」

【総長連合、生徒会】

「総長連合は国の軍事組織のこと。生徒会は国の政治組織のことね。総長、生徒会長が番長やガッコのお偉いさんとして始めてるわ」

【教譜】

「つまり宗教のことね。極東は神道が主体で、各国はそのインフラ上で次のようなものを神奏してるわ。
・Tsirhc旧派=カトリックのこと
・Tsirhc改派=プロテスタントのこと
・ムラサイ =イスラムのこと
他、魔術とかいろいろあるけど、それはまた別ね」

【今回の舞台】

「今回の舞台は遠江。静岡と呼ばれるあたりね」

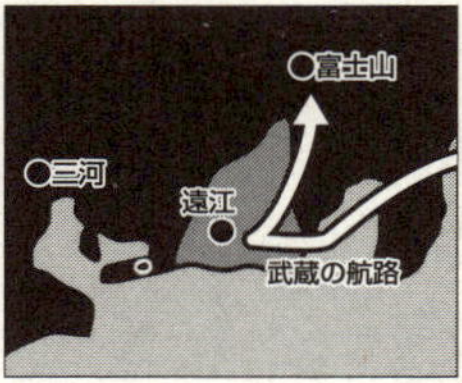

【地脈、流体】

「んー、地脈ってのはファンタジーなアレな。世界を巡るパワーライン。で、流体ってのは、地脈から抽出できるMPや燃料だと思ってれば間違いないんじゃね?」

【武蔵】

「俺達のいる航空艦な。八艦構成で、各艦こんな名前がついてるの」

左舷二番艦 品川
右舷二番艦 多摩
右舷三番艦 高尾
中央前艦 武蔵野
中央後艦 奥多摩
左舷一番艦 浅草
左舷三番艦 村山
左舷三番艦 青梅

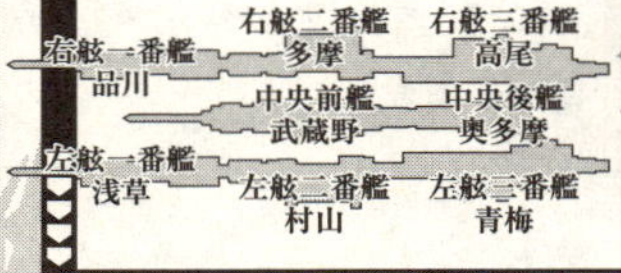

character

葵《あおい》・喜美《きみ》（賢姉様）
トーリの姉でエロとダンスの神を信仰する。基本的に高圧で応用的に身勝手。

葵《あおい》・トーリ（俺）
主人公。武蔵アリアダスト学院の総長兼生徒会長。“不可能男”。

浅間《あさま》・智《とも》（あさま）
武蔵の主社である浅間神社の娘。トーリや喜美の幼馴染み兼人生の被害者。

アデーレ・バルフェット（貧従士）
仏蘭西から流れてきた従士家系。眼鏡娘。

伊藤《いとう》・健児《けんじ》（いんび）
快活なインキュバス。全裸で禿のマッスル系。通称イトケン。

御広敷《おひろしき》・銀二《ぎんじ》（礼賛者）
ハート様系体格の食通でオタク。

キヨナリ・ウルキアガ（ウキー）
第二特務。航空系半竜で異端審問官志望。通称ウッキー。

シロジロ・ベルトーニ（守銭奴）
会計。武蔵の商工会の若手幹部。

点蔵《てんぞう》・クロスユナイト（十ZO）
第一特務。いつも帽子などで顔を隠す忍者で使いっ走り。

トゥーサン・ネシンバラ（未熟者）
書記。歴史好きの作家志望者で同人作家。

直政《なおまさ》（煙草女）
第六特務。機関部で働く姉御。煙草はふかすわデカい声で笑うわで。

ネイト・ミトツダイラ（銀狼）
第五特務。水戸松平の襲名者で騎士家系。人狼ハーフ。

ネンジ（粘着王）
HP3くらいのスライム。男らしい。

ノリキ（労働者）
家族を支える勤労少年。不器用型格闘家。無口で無愛想。

ハイディ・オーゲザヴァラー（○べ屋）
会計補佐。シロジロのパートナーで白狐エリマキつき。

ハッサン・フルブシ（83）
カルピスマーク系インド人。カレーだけ食って飲んで生きてる。

ペルソナ君（ばけつ）
バケツヘルムの超マッチョ。無口で怪力で心優しい。

ホライゾン・アリアダスト（ホラ子）
トーリの幼馴染みで現三河君主。現在自動人形中。感情が大罪武装の部品として奪われている。

本多《ほんだ》・二代《ふたよ》（蜻蛉切）
元三河の学生。本多・忠勝の息女。自称拙者、御座る語尾の濃い目。

本多《ほんだ》・正純《まさずみ》（副会長）
副会長。昨年度の三河からの真面目転入生。いろいろ家庭の事情あり。

マルガ・ナルゼ（●画）
第四特務。黒髪六枚翼の白魔術師。漫研所属。

マルゴット・ナイト（金マル）
第三特務。金髪六枚翼の黒魔術師。笑い顔の方。

向井《むかい》・鈴《すず》（ベル）
目が見えないけど頑張る少女。皆のストッパー。

立花《たちばな》・宗茂《むねしげ》（立花夫）
元三征西班牙第一特務。アモーレ。現在は襲名解除で再起願い中。

立花《たちばな》・誾《ぎん》（立花嫁）
元三征西班牙第三特務。宗茂の嫁で砲撃系義腕少女。五十回。

メアリ・スチュアート（傷有り）
英国女王エリザベスの異母姉。金髪巨乳。点蔵の未来嫁として同居中。王賜剣一型のオーナー。

里見《さとみ》・義康《よしやす》（義）
里見教導院生徒会長の少女。小さくても泣かない。武神“義”を操る。

伊達《だて》・成実《しげざね(なるみ)》（不退転）
政宗の従弟役。伊達家の副長で、機動殻“不転百足”を使用。余裕あり気味おねーさん風。

酒井《さかい》・忠次《ただつぐ》（左遷男）
武蔵アリアダスト学院学長。昔はかなり出来る人でしたが左遷。

“武蔵《むさし》”（武蔵）
武蔵を統括する自動人形で総艦長。辛辣口調がたまりません。

「今回、三年前の回想が中心なんで、当時いないのは★マークつけてるわ。()内は実況通神での名前ね」

character

序章

『夜空と来訪者』

さては今
先の位置
振り向ける余裕
配点（意外とハデ）

夜の空を行く船がある。

高い位置。南に海を置いた沿岸《えんがん》をゆっくりと移動するのは、月の光に照らされた白い巨影《きょえい》だった。

八艦《かん》からなる複合艦。全体は、前後に並んだ中央二艦の左右に、長い双胴《そうどう》を置いた構成《こうせい》。

現《げん》全長八キロ超となる各艦《かくかん》の上には、街が載《の》っていた。

航空都市艦《こうくうとし》。双胴の艦首《かんしゅ》には黒の文字で〝武蔵《むさし》〟という刻印《こくいん》がある。

武蔵の巨影は、今、左舷《さげん》側から沖《おき》に横滑りしつつあった。

月光によって出来る広大な影が、沿岸の大地《だいち》から青黒い海へと掛かる。

すると、応じるように、空に光が生じた。

遙か沖の上。武蔵が横滑りする方角の空にあるのは、人工の明かりではない。

流体光《りゅうたいこう》。術式《じゅつしき》や精霊《せいれい》が顕現《けんげん》した時に生じる流体の青白い光だった。それが今、漁《いさ》り火《び》のように武蔵の行く手を阻《はば》み、幾《いく》つも並びつつあった。

しかし巨影は構わず近付く。

反応したのは、生じていく流体光の群の内、中央に集まっていたもの達だった。それらは巨影の接近を迎えるように弧《こ》を描きながら、自分達の形を明確にし始めたのだ。

船だ。

三十メートル程のものもあれば、百メートルを超えるものもある。だが、形状を確かにしていくそれらには、ある要素が必ず付随《ふずい》していた。

朽《く》ちているのだ。

流体で出来た、幽霊船《ゆうれいせん》といえる存在。それらの船団《せんだん》だった。

無数の量で、遠巻きに武蔵を半囲いする流体光の船群。そんな存在に対し、武蔵は横付けするような動きで接近する。

武蔵の左舷側、甲板縁《かんぱんべり》にはやはり幾つもの姿《すがた》があった。

対霊仕様《たいれいしよう》で、薄い流体光を纏《まと》った武装《ぶそう》を構えた学生達や、巫女《みこ》、そして仏道《ぶつどう》関係者や、他いろいろだ。

彼らの中央、前に出る者がいる。

黒の長髪《ちょうはつ》。男子用の夏服シャツに、女子用のタイツ姿の少女だった。彼女は、〝副会長《ふく》　本《ほん》多《だ》・正純《まさずみ》〟という腕章《わんしょう》を肩近くにまで持ち上げ直し、

「――Jud.《ジャッジ》、では総員、地上側にある奥州《おうしゅう》諸家居留地《しょかきょりゅうち》の依頼に応じ、我々、武蔵アリアダスト教導院《きょうどういん》は、この海域《かいいき》の大規模《だいきぼ》な禊祓《みそぎ》事業を行う。

相手となる怪異《かいい》は既《すで》に現出《げんしゅつ》を始めている。場合によっては交戦《こうせん》が起きる可能性も否定出来ない。ゆえに――」

右手をまず、軽く横に振った。

「――総員、装備の最終チェックを行え。号令《ごうれい》を掛けたら、一気に行くぞ」

……一気にか――。

我ながら勇ましい、と思いつつ、副《ふく》会長、本多《ほんだ》・正純《まさずみ》は、内心《ないしん》で鈍い汗《あせ》を掻《か》いていた。

何しろ、

……私、コレの指揮《しき》を執《と》るの初めてだけど、大丈夫《だいじょうぶ》かなあ。

沿岸、空域《くういき》型定置霊《れい》の浄化《じょうか》は、極東《きょくとう》側居留地《きょりゅうち》からの依頼としてメジャーな仕事だ。

何しろ、世界各国《かっこく》に極東全域が暫定《ざんてい》支配されている現在、極東居留地は独自に明確な戦力を持つ事が出来ない。広域の怪異《かいい》を祓《はら》う力が無いのだ。

だが、この戦国《せんごく》の時代、暫定支配教導院《きょうどういん》も、各《かく》居留地に万全《ばんぜん》の保安や警備《けいび》戦力を置いていられる訳《わけ》もない。結局、代わりとして極東代表の武蔵《むさし》がそれを行う事になるのだが、

・あさま：『大体、一回祓うと、五、六年は出て来なくなるんですけどね。やっぱり末世《まっせ》の影《えい》響《きょう》か、ここなんか二年で結構《けっこう》溜《た》まっちゃいましたね』

横。浅間《あさま》神社《じんじゃ》代表として来ている巫女服姿《みこふくすがた》の浅間が、吐息《といき》をしながら表示枠《サインフレーム》を宙《ちゅう》に出していた。人前《ひとまえ》の公共事業だ。筆談《ひつだん》、という手段で彼女が表示枠の鍵盤《けんばん》に手指《てゆび》を走らせていく。

それを正純は見て、自分も手元に表示枠を出した。

肩上の走狗《マウス》、オオアリクイのツキノワが掲《かか》げる表示枠に、

・**副会長**：『……何かいきなり招集《しょうしゅう》されてコレなんだが、私、禊祓《みそぎ》指揮やるの初めてだぞ？　大体、去年とか、こんなんやってたか？　奥州諸家《おうしゅうしょか》、特に南部《なんぶ》や九戸《くのへ》の辺りとは、水戸《みと》で個別の貿易《ぼうえき》も済ませてた筈《はず》だったけど』

・**あさま**：『あー、ほら、さっき言った通り、空域《くういき》の禊祓は一回やると次に淀《よど》み蓄積《ちくせき》するまで数年掛かるんで、逆に〝やる〟年はその年に各地で集中してやるんですよ。でも、ホントならその周期は二、三年後くらいなんですが、このところで地脈《ちみゃく》がちょっと乱れてるせいもあって、偏《かたよ》りが出てしまっているって事ですね』

それに、

・**あさま**：『小規模《しょうきぼ》なものなら、実際は、いつもやってるんですよ？』

・**副会長**：『いつも？』

・**あさま**：『ええ、武蔵が有してる周辺環境《かんきょう》への緩衝《かんしょう》術式《じゅつしき》は、当然、対霊用の結界《けっかい》も含んでます。だから軽微《けいび》な幽霊船団《ゆうれいせんだん》なんかだと、その航路《こうろ》自体を武蔵が通過しながら禊祓システムで禊祓しちゃうんですね。ただ――』

ただ、

・**あさま**：『ただ今回は、この空域、前回の祓いが深かったようで、外洋側に押し出された残《ざん》

滓《し》がそっちで出現しちゃってるんです。だから武蔵《むさし》も、いつもの〝通過で禊祓《みそぎ》〟が出来ないので、外洋側にちょっと出る事態《じたい》になりまして』

ああ、と正純《まさずみ》は頷《うなず》いた。

暫定《ざんてい》支配されている極東《きよくとう》の上。武蔵は各国《かつこく》の暫定国境《こつきょう》を行き来するのが基本だ。それが公《こう》務《む》といえ外洋側に出るならば、それなりの気遣《きづか》いは必要となる。

「それで私が出てくる事になった訳《わけ》か。——奥州諸家《おうしゆうしよか》も、今のうちの実力見ておきたいってのがあると思うし、いろいろ面倒《めんどう》だな」

確かに面倒ね、と呟《つぶや》いたのは、浅間《あさま》の横に立つ白魔女《ヴァイスヘクセン》服の有翼《ゆうよく》だ。

「二、三年後くらいにするべき禊祓を今やる必要があるなんてね。——やっぱり末世《まつせ》とか、そこら辺面倒な影響《えいきよう》出てるのかしら。——ほら、一年前の時とか」

「一年前は、ナルゼもナイトも結構頑張《けつこうがんば》りましたよねえ。いきなりでしたから。あの時は喜美《きみ》が、幽霊苦手《ゆうれいにがて》だからきゃあきゃあ騒《さわ》いで皆の胸揉《も》んで」

浅間の言葉に、白魔女姿《すがた》のナルゼと、隣《となり》にいる黒魔女《シユヴァルツヘクセン》のナイトが頷く。ナイトが、黒魔女装備《そうび》の機殻箒《シヤーレベーゼン》〝黒嬢《シユヴァルツフローレン》〟を掲《かか》げ、

「大体のオッパイサイズリスト作られたよね。ナイちゃん結構上位《じようい》。それで——」

ほら、とナイトが後ろを顎《あご》で示す。釣《つ》られて振り返ってみれば、既《すで》に背後の皆は、手持ちの装備などを身構《みがま》えている。更《さら》に向こうからは、

・**煙草女**：『――今回は砲撃系《ほうげきけい》も準備いいさね。そろそろ行くさ？』
・**副会長**：『一気に行っていいもんなのか？』
・**あさま**：『あー、一応、今回くらい濃いめの相手だと〝核《かく》〟が出ると思うので、その対応あると憶《おぼ》えておいて下さい』
知っているが、この場合は知らない単語《たんご》が出て来た。
何か間違いがあるといけないので、正純は一応問うておく。
・**副会長**：『〝核〟？』
・**煙草女**：『――見てれば解《わか》るさ』
答えをくれよー、と思うが、まあうちの連中《れんちゅう》らしいとも言える。
気にせず任せておけと、そういう事だ。
見ていれば、何が起きるかは解る事だろう。だから、
・**煙草女**：『浄化《じょうか》を正しく行うというか、より深く行う方法。三年前にやってみて、上手《うま》く行ったから、って、そんなまだ試験的なネタだけどさ』
・**あさま**：『ここでは二年前にそれをやってないので、今回は多分出来ると思いますよ』
言っている意味が相変わらず解らないが、他の皆には解っているのだろう。
ゆえに正純は、とりあえず自分の仕事に専念《せんねん》する事にした。
遠巻きに存在する流体光《りゅうたいこう》と漁《いさ》り火《び》。そして船殻《せんかく》の形に視線を向け、

・**副会長**：『……じゃあ進めるか。えーと、まずは形式的に、投降《とうこう》を呼び掛けるのか？』
間抜《まぬ》けな前振りねえ、とナルゼは機殻箒《シャーレベーゼン》を調整《ちょうせい》しながら応じた。

「一応、この空域《くういき》の使用権と目的を明確にするものでもあるから、言っておいた方が良いわ。他国が介入《かいにゅう》してくる可能性は万《まん》が一《いち》にも否定出来ないし、地竜《ちりゅう》とかが空中散歩で飛び込んで来た場合も対処《たいしょ》が面倒《めんどう》だものね。

　下の奥州諸家《おうしゅうしょか》の連中《れんちゅう》だって、こんな依頼をわざわざやってくるって事は、私達を値踏《ねぶ》みしてるようなものだもの。付け込まれないよう、手順《てじゅん》はしっかり踏んだ方がいいわね」
・**あさま**：『うちが管理している結界《けっかい》があるから、三キロ以内には容易《たやす》く入って来られないと思います。ただ、攻撃《こうげき》など、集束《しゅうそく》したものについては減衰《げんすい》しながらでも届くと思いますから、注意して下さい』
・**●画**：『毎度の事ね。――三年前の時は、武蔵《むさし》を追走したりで面倒だったけど』
「そんな事あったのか？」

「Ｊｕｄ《ジャッジ》．、ミトツダイラに聞いてみるといいわ。――今夜の主役だし」

　言って、ナルゼはペン型デバイスでトンボ枠型魔術陣《わくがたマギノフィグーア》を描いた。更《さら》にその手を走らせ、その枠内に遠くの流体船団《りゅうたいせんだん》を拡大描写《びょうしゃ》する。倍率《ばいりつ》は、……一隻単位《いっせきたんい》で流体の船が確認《かくにん》出来る程でいいわね。

画像《がぞう》を拡大。光量が月光基準《きじゅん》で調整されているのを、相手の船を作る流体光に合わせる。

すると見えるのは、

「……やっぱり増えてるわ。これ、下手《へた》すると交戦《こうせん》来るわよ」

「おいおい、空域の怪異《かいい》を掃除《そうじ》って聞いてたんだが、交戦か？」

「戦争好きにはたまらないイベントでしょ？」

言っている間に、相手側から不意《ふい》の動きが来た。

光だ。一《いっ》直線の光条《こうじょう》が、十数本。その正体は、

「砲撃《ほうげき》よ……！」

●

いきなりだった。

沖《おき》の空。半弧《はんこ》を描いて展開していく船団の内、形の明確な十数艦《かん》が流体光の砲を放った。

まだ、対する武蔵《むさし》側は何もしていない段階だ。

一瞬《いっしゅん》で突き込まれた光の群。だがそれらに対し、巨艦《きょかん》は確かな反応をした。

鳥居型《とりいがた》の防護《ぼうご》障壁《しょうへき》を多重に展開し、防御に入ったのだ。

十数メートル四方《しほう》の障壁が武蔵左舷《さげん》に射出《しゃしゅつ》。その表面に光の直線は着弾《ちゃくだん》し、

「防御《ぼうぎょ》――！」

障壁《しょうへき》を構成《こうせい》する流体光《りゅうたいこう》が砕《くだ》け、光が散る。

舞い降る光の破片《はへん》には重さも硬さも熱も無い。だが、戦士団《せんしだん》の皆は手を翳《かざ》して光を避け、

「くっそ、思った以上にハッキリした砲撃《ほうげき》だな！」

叫んだ先、遠くに存在する敵船団《せんだん》の上で動きが起きた。

望遠術式《ぼうえんじゅつしき》で確認《かくにん》出来る船の甲板上《かんぱんじょう》、霊体《れいたい》が手を組み、その身体《からだ》で、

『Y・E・S』

「あ、畜生《ちくしょう》！　ナメたコメントしてやがる！」

言っている間に、二波、三波が来た。

快音が空に響《ひび》き、光が散った。

防護《ぼうご》障壁は追加で連続射出《しゃしゅつ》される。だが、応じるように敵の砲撃もまた増えて行く。

砲の狙《ねら》いなどは甘く、戦術《せんじゅつ》と言える程の動きはない。ただただこちらに向けて撃《う》ち込んでくるだけだ。だが、

「止まねえ……!?」

流体砲の砲撃が、止まらない。

一艦《かん》ごとには散発とも言える程度のものだ。だがそれは定期的な発射《はっしゃ》を止めず、更《さら》には、

「おいおい、数が増えてるぞ……！」

既《すで》に七百隻《せき》。そして今もまた増えて行く船団は、大型艦から順次の砲撃を放ってくる。

その数は増すばかりだ。狙いの定まらない着弾《ちゃくだん》の重なりは、しかしだからこそ武蔵《むさし》側の防御隊《たい》にその身構《みがま》えを固めさせない。防護行為は障壁頼りになり、

「ちょっと待て……」

空。武蔵の防護障壁の展開位置が、当初より下がっている。

「押されてんのか……!?」

●

武蔵の中央前艦、武蔵野《むさしの》の主艦橋《かんきょう》内で、統合指揮《しき》を執《と》っていた自動《じどう》人形の〝武蔵野〟は、現場から聞こえて来た声に言葉を作った。

「──押されている訳《わけ》ではありません。対応として、障壁密度《みつど》を高くするために射出位置を下げただけです。──以上」

「……お、怒ってる？　〝武蔵野〟さん」

「いえ、怒っていませんとも。ええ。何処《どこ》が怒っているように見えますか鈴《すず》様。──以上」

「いや、全体的に」

二秒程、〝武蔵野〟が動きを止めた。直後、彼女は身体を一度震わせ、

「全体、各領域《りょういき》アジャストいたしました。もはや不可知《ふかち》の怒りも消失《しょうしつ》です。如何《いかが》ですか鈴様。

――以上」

「う、うん、それでいいなら、いいんじゃない、かな……」

と、艦橋《かんきょう》前部で武蔵《むさし》の挙動《きょどう》管理を行っていた鈴《すず》は呟《つぶや》いた。

彼女は、流体《りゅうたい》で作られた武蔵の模造《もぞう》を手で押し、沖《おき》に対して左舷《さげん》を向けながら、

「……でも、どうして、……砲撃《ほうげき》、や、やまないの？」

●

・**あさま**：『――向こうの砲撃が連続しているのは、彼らの内、土地精霊化《せいれいか》している船団《せんだん》が、地脈《ちみゃく》から直接流体を取り込んで燃料《ねんりょう》のようにしているからですね』

・**煙草女**：『どーいう事さソレ』

・**あさま**：『この空域《くういき》というか、彼らの縄張《なわば》り分の地脈を、そのまま彼らは燃料源《げん》に出来るという事です。正直、地脈が荒れるので長く続けて欲しくないですね』

浅間《あさま》は、そう応じながら、表示枠《サインフレーム》の操作《そうさ》を行っていた。数枚を同時展開して手《て》捌《さば》きを向けるのは、武蔵に供給《きょうきゅう》設定している結界術式《けつかいじゅつしき》の設定だ。

変更調整《へんこうちょうせい》は、結界の強度や範囲といったもの。

……流体干渉《かんしょう》用の結界を強くすれば、向こうの砲撃を減衰《げんすい》させる事が出来ますけど……。

それを行えば、面倒《めんどう》な事になる。武蔵のインフラや加護類《かごるい》などにも大きく影響《えいきょう》を与えるし、

自分達の側から行う攻撃《こうげき》も、流体系《けい》はやはり減衰される事になるのだ。

だから、手順《てじゅん》としては、性質の違う結界を多重に張り、調整する。

外縁《がいえん》の主なるものは、怪異《かいい》などを選別して祓《はら》うための外殻《がいかく》結界だ。だが、

「……基本、武蔵は都市基準《きじゅん》を超えたレベルで外殻結界を張って、対怪異、対妖物《ようぶつ》に備えてますが、これもまた出力を強くすれば危険なんですよね」

「どう、危険なの？」

ナルゼの問い掛けに、浅間は一つ頷《うなず》いた。

「異族《いぞく》が引っかかったり、外からのインフラが阻害《そがい》されたり、物理《ぶつり》干渉が始まって輸送艦《ゆそうかん》がポケットに落ちたりとか、です」

「ああ、私達が輸送業で警告《けいこく》されてる事とか、そういうのね」

ええ、と言っている間に、空で散る着弾《ちゃくだん》光が連続した。随分《ずいぶん》と頭上《ずじょう》に近くなったが、

……下がり切った感じですね？

思うなり、正純《まさずみ》が顎《あご》に手を当てて自分の表示枠を見据《みす》えた。

「ナイト、ナルゼ、――今回のような集中砲撃、以前のここでの禊祓《みそぎ》にはあったのか？」

「ある訳《わけ》ないじゃない、ねえ、マルゴット」

「Ｊｕｄ．《ジャッジ》、前は結構《けっこう》、大人《おとな》しかったと思うけど、やっぱ関東《かんとう》でドンパチやった影響かなあ」

そうか、と正純が頷いた。そして彼女はこちらに視線を向け、

「浅間《あさま》、奥州《おうしゅう》諸家《しょか》は、この空域《くういき》の霊体《れいたい》がこれ程に強力なのを知っていたと思うか？」

「知っていたと思います」

上空、砲撃《ほうげき》に散る防護《ぼうご》障壁《しょうへき》の塵《ちり》を浴びながら、浅間ははっきりと応じる。

「武蔵《むさし》を外海側へと誘導《ゆうどう》する指示《しじ》など、全て居留地《きょりゅうち》側から来ていますから、恐らく奥州諸家はこの相手と小規模《しょうきぼ》交戦《こうせん》した経験があると思います」

「だとしたら、この部分は政治的解決が望めるな」
・**金マル**：『お？　セージュンやる気出た？』
・**副会長**：『ようやく〝役目〟が見つかったという事だ。まさかこれに乗じて戦争吹っ掛けて来る事もないと思うが、ここで私達がどう出るかという事と、その結果を見て、奥州諸家は私達に対する態度を決めると言う事だろう』
・**あさま**：『じゃあ、どうするんです？』
・**副会長**：『意地《いじ》でも一気に解決してくれ』
浅間は、正純が言葉を作るのを見た。
・**副会長**：『いいか？　武蔵は、あらゆる国に対して平等と均等《きんとう》な扱いをする方針だ。そして私達に対して既《すで》に協力的な周辺国家《こっか》の事を鑑《かんが》みても、ここで他国に上から目線《めせん》をされるような事があってはならない。私達は、上でも下でもない。同じ極東勢《きょくとうぜい》だしな。だから――』
だから、

・**副会長**：『この程度、何でも無いと、いつも通りに片付けてくれ。それも完全に、これ以上は無いという位に、だ』

●

正純の言葉に、ナイトは首を下に振った。

「総長連合《そうちょうれんごう》としては、生徒会の政治的決断に逆らえないよねー」

「まあ、大体決まっていたようなもんだけどね」

と、ナルゼの言葉にナイトが頷《うなず》くなり、通神《つうしん》が来た。
・**村　山**：『皆様、失礼《しつれい》致します。左舷《さげん》二番艦艦長《かんかんちょう》〝村山《むらやま》〟です。現状、防護術式《じゅつしき》の展開パターンを組み、出力安定を図っている最中《さいちゅう》です。百十七秒後に終了《しゅうりょう》致しますが、定置防御《ぼうぎょ》を戦士《せんし》団《だん》の皆様にお任せ致します。表示枠《サインフレーム》にて指定の位置に移動を。――以上』
・**貧従士**：『あ、じゃあ、自分ら動きま――す！』
背後、戦士団の内、防御役として出場していた者達が、青と白の野太《のぶと》い機《き》動殻《どうかく》の先導を受けて移動を開始した。手元の魔術陣《マギノフィグーア》では、機動殻内部、眼鏡《めがね》の女従士《じゅうし》がこちらを見て、
・**貧従士**：『一分ちょっとで移動出来ますから、そうしたら反撃《はんげき》と禊祓《みそぎ》御《お》願《ねが》いします！』
「アデーレ大丈夫《だいじょうぶ》？　空とか正面、凄《すご》い事になってるけど」

正面。見れば叩《たた》きつけてくる雨のように、敵の砲撃が来ている。

……ケッコー派手《はで》だなあ。

それらの光と着弾《ちゃくだん》の破砕音《はさいおん》は、最前線のこの位置だと瀑布《ばくふ》を前にしたようなものだ。

実戦として考えると、中規模艦隊《ちゅうきぼかんたい》を相手にしている程度は充分にある。こちらは今のところ余裕《よゆう》を保っているが、

「浅間《あさま》の結界《けっかい》で接近戦をされないのと、防護障壁《ぼうごしょうへき》の集中展開の御陰《おかげ》ね」

「ガっちゃん的に現状どう思う？」

そうね、とナルゼが言葉を生んだ。

「面倒《めんどう》な事に、直接の応撃《おうげき》がしにくくなっているわ」

●

ナルゼは、吐息《といき》をつけてコメントを続ける。

「現状、敵の弾幕《だんまく》が正面から来ているため、応撃や接近には迂回《うかい》をするしかないわね。だから一度戦士団《せんしだん》を左右に分けるか、空中なんだし、輸送艦《ゆそうかん》を出して上下展開する必要があるけど、政治的判断《はんだん》としては、どうなのかしら」

ナルゼは、正純《まさずみ》に視線を向けた。

対する正純が、正面を見たまま言う。

「迂回とか何かやってると、時間掛かるし、圧倒《あっとう》的じゃないなあ……」

「……あの、正純？　何か派手な結果を望む方針になってません？」

よくある。だが、時間は常に問題だ。

防護障壁は現状、降り注《そそ》ぐ威力《いりょく》を弾《はじ》き切っているが、
・**武蔵野**：『皆様、とりあえず左舷《さげん》側、計算処理《しょり》を進ませております。ただ正純様、一つ、御《ご》確認《かくにん》を御願《おねが》いいたします。――以上』
何だ？　という正純に皆が視線を向ける。すると、
・**武蔵野**：『――Jud《ジャッジ》.、計算処理と対応を行っていても、不備が生じる可能性は常にあります。解決の方、仰《おっしゃ》られます通り、早期の動きを御願いいたします。――以上』
確かにね、とナルゼは思った。

時間が掛かれば不備も出るし、外から見ている者達には不手際《ふてぎわ》を感じさせる。

じゃあ、とナイトが言った。

「さっきのパターン作りとか待たずに、こっちは警告《けいこく》発した方がいいんじゃないかな」
・**煙草女**：『つーか、正面、空《あ》けて欲しいんさね？』
・**副会長**：『出来るのか？』
・**煙草女**：『いつものパターンを利用した武装《ぶそう》は用意してるさ。ちょっと力技だけど、ネタにはなるだろうから、とっとと状況進行頼むさね』
「Jud.、だったらそうしよう」

正純《まさずみ》が首を下に振り、右の手を軽く上げた。

そして彼女は、砲撃《ほうげき》の連射《れんしゃ》と破砕《はさい》の散らばりを前に、口を開いた。

『あー』

武蔵《むさし》の外部拡声器《かくせいき》で、声が大きく、遠くへと放たれる。

『――外洋にて当艦《とうかん》に攻撃《こうげき》行為を働いている諸君《しょくん》。武蔵アリアダスト教導院《きょうどういん》代表、本多《ほんだ》・正純が警告《けいこく》する』

正純が、一息《ひといき》を入れた。

『当艦は当空域《くういき》の禊祓《みそぎ》、浄化《じょうか》を地上側居留地《きょりゅうち》から依頼されたものである』

だから、

『――文句《もんく》があれば、私達じゃなくて地上側を攻撃したらどうだ』

敵の砲撃が止んだ。

●

浅間《あさま》は、敵の砲撃が止み、夜空が見えたのを知った。

……あ、月が綺麗《きれい》ですね……。

周囲。皆が静かに動きを止めている。その原因をあまり追及《ついきゅう》しないようにしようと思いながら、浅間は砲撃を止めた相手を望遠術式《ぼうえんじゅつしき》で確認《かくにん》した。

見れば、敵の大船団《だいせんだん》上、霊体達《れいたい》がスクラムを組んで何か相談を始めている。
・●画：『根本的解決？』
・**武蔵野**：『あの、私共のパターン構築《こうちく》が……。──以上』
・**金マル**：『大丈夫《だいじょうぶ》大丈夫、上手《うま》くいかないって』
・**副会長**：『行く方に祈れよ……！』
・**あさま**：『──というか、あの、正純？　下、奥州諸家《おうしゅうしょか》から抗議《こうぎ》の通神文《メール》来てますけど』
・**副会長**：『あー、大久保《おおくぼ》に回しておいてくれるか』
また愚痴《ぐち》られそうですね、と思いつつ、浅間は対応の手配《てはい》をしておく。すると、

……あ。

向こうの幽霊《ゆうれい》船団の甲板上《かんぱんじょう》で、霊体が手を挙げている。

何事だろうと皆で視線を向けると、

『ＭＵ・ＲＩ』

いきなり砲撃が再開された。

高速で飛来《ひらい》する光条《こうじょう》に防護《ぼうご》障壁《しょうへき》が慌《あわ》てて再展開。破砕《はさい》と光の飛沫《しぶき》が連打される。それらの音と光彩《こうさい》の下、ナイトが魔女帽《テクノヘクセンぼう》の先に両手を翳《かざ》して、
・**金マル**：『あはは、ほーら、言った通り言った通り』
・●**画**：『そうねマルゴット、──大体、責任転嫁《てんか》で戦争回避《かいひ》出来るなら世の中平和よね』

・**副会長**：『悪かったな！　悪かったな！　というか、何でいきなりMU・RIなんだ？』
・**あさま**：『えーと、MU・RIなのは、まあさっき言ってた〝核《かく》〟の部分の問題があるからですね。面倒《めんどう》なので詳細《しょうさい》省きますけど、とりあえず正純《まさずみ》？　警告《けいこく》の続きを』
あ、と正純が慌《あわ》てて前を見た。再びの砲撃《ほうげき》を眼前に浴びながら彼女は、

『えー』

正純が、視線の先に投降《とうこう》文章を書いた表示枠《サインフレーム》を掲《かか》げる。その内容は、最後通告として、

『いいか君ら。――これより当艦《とうかん》は該当空域《がいとうくういき》の禊祓《みそぎ》と浄化《じょうか》に入る。諸君《しょくん》達は各々《おのおの》、自己判断《はんだん》で対応をして欲しい。

だが、禊祓と浄化の前に何か言っておく事や、欲しいものはあるか？　浄化や禊祓を円滑《えんかつ》に進ませるために必要なものがあるならば、応じたい』

言った。すると、砲撃を続ける中で、向こうが反応をした。それは、顔を見合わせた上での霊体《れいたい》人文字による、

『HI・SHA・KU』

柄杓《ひしやく》。

船幽霊《ふなゆうれい》だなあ、と正純が言った瞬間《しゅんかん》だ。
・**煙草女**：『今さね……！』
背後。武蔵野艦尾《むさしのかんび》側から、空高くに向けて跳ねるような射出音《しゃしゅつおん》が響《ひび》いた。

浅間《あさま》は、何が起きるか知っている。今、機関部《きかんぶ》が射出したのは先年からの仕込みなのだ。

だがそれを知らない正純の、

「は？」

という声と、空を反射的に見上げる動きが微笑《ほほえ》ましい。

ゆえに浅間は、

「正純。もう向こうの方に行ってますよ。――ほら」

と指さすのは霊体の大船団《だいせんだん》の方だ。

自分が指さしている先。幽霊船団の中央にあった三百メートル級の大型幽霊船が、いきなり真《ま》っ二《ぷた》つに破断《はだん》した。

「は!?」

正純の疑問詞《し》への答えは、直上《ちょくじょう》からの打撃《だげき》だ。

こちらの視界《しかい》の中。敵の大型幽霊船が真っ二つになっていく中央。空から降って敵船を撃《う》ち砕《くだ》いた物が見えている。それは、全長三十メートル超の、

「――柄杓!?」

戦士団《せんしだん》と共に、外交港《がいこうこう》の外縁防御《がいえんぼうぎょ》に回っていたアデーレは、機動殻《きどうかく》〝奔獣《ほんじゅう》〟の中からその光景《こうけい》を見ていた。


空。夜の中を、大気を裂《さ》くか細い音と共に、打撃《だげき》物が敵船団《せんだん》に降り注《そそ》ぐ。

流体《りゅうたい》の艦船《かんせん》を打ち砕《くだ》いていくのは、

「――まさか柄杓《ひしゃく》くれって言ったら、ホントに柄杓が降ってくるとは思わないですよねー」
・**煙草女**：『発注《はっちゅう》する時にサイズと配送方法の指定が無いのは駄目《だめ》だろうさ。
――対船舶系怪異用射出槌《せんぱくけいかいいようしゃしゅつつち》〝底抜け〟。要求側の指示《しじ》通りだから、回避《かいひ》しようとしても言霊《ことだま》加護《かご》で至難《しなん》となりやすい。禊祓術式《みそぎじゅつしき》によって打撃力は数倍。材質は硬化竹《こうかちく》だから、海に落下《らっか》した後は分解しながら魚礁《ぎょしょう》になるって寸法《すんぽう》さ。更《さら》に――』

空を落ちていく打撃が、追加で幽霊《ゆうれい》船団の主力を破砕《はさい》する。
・**●画**：『――機関部《きかんぶ》の射出機《き》から打ち出すから、幽霊船団の砲撃《ほうげき》の上から打撃。こちらとしては、それによって敵の砲撃に穴が開くのを待つ形ね』
奔獣のコンソールで、それは確認《かくにん》出来る。敵の射線《しゃせん》の隙間《すきま》。そこを奔獣の視覚素子《そし》で確定し、皆に情報を送る。すると、
・**金マル**：『――よっし、じゃあ行くよ！』

武蔵《むさし》の有する航空迎撃部《こうくうげいげきぶ》隊《たい》。魔女《テクノヘクセン》達の飛翔《ひしょう》が始まった。

飛び立つ鳥の群のように、夜の中、黒魔女《シュヴァルツヘクセン》隊を中心とした機殻箒《シャーレベーゼン》の集団が前に出る。

甲板《かんぱん》を蹴《け》り、宙《ちゅう》に身を飛ばし、

・**●画**：『こちらも行くわよ！　――基本、空中防御と離脱《りだつ》！』

白魔女《ヴァイスヘクセン》隊も続く動きを取るのを、アデーレは確認。ならば自分達は、

「防御隊、左右に展開します！　魔女隊の行く道、その左右の砲撃を自分達で引き受けるようにして下さい。適時、射撃《しゃげき》を行って傾注《けいちゅう》させるつもりで！」

●

目の前で展開していくのが、乱戦か、強襲《きょうしゅう》戦か、正純《まさずみ》にはよく解《わか》らない。

だが、幽霊船団の方では迎撃の声をあげ、自分達は打撃を応酬《おうしゅう》する。見ている限りでは、

「いつものうちのやり方だな」

・**煙草女**：『――ちょっと待ってりゃ、うちが全部射出弾《だん》で片付けるってのに、何で前に出るんさねえ』
・**銀　狼**：『あら、向こうとて元は戦士団や、何らかの矜持《きょうじ》を持っていた者達ですわ。それに応じた戦闘《せんとう》を経ての禊祓や浄化《じょうか》こそが至上《しじょう》と、そう考えるべきではありませんの？』
・**副会長**：『――ミトツダイラか。何処《どこ》にいるんだ？』

こういう現場だと必ずいる筈《はず》の、武蔵《むさし》の騎士《きし》筆頭《ひっとう》。彼女の姿《すがた》が今、見えない。

「馬鹿《ばか》もいないな……」

「二人とも、〝核《かく》〟の浄化《じょうか》の方で出てますよ」
・**●画**：『ハア!?　まだちょっと出て来ないでよ!?　相手の前線潰《つぶ》してからじゃないと、危険なんだから！』
・**俺**　：『あぁ～ん。行っちゃうよ～ん。行くでしゅよ～？』
・**金マル**：『……ガっちゃん、ガっちゃん、後ろに狙《ねら》い向けない。向けない。当てても大して面白くないし』
どういう会話だ、と思うが、こちらの眼下《がんか》、甲板《かんぱん》下から一つの艦《かん》が出航《しゅっこう》した。

装甲《そうこう》や防護《ぼうご》術式《じゅつしき》を多重展開《てんかい》出来るようにした防護艦だ。全長三百メートル程。元は輸《ゆ》送艦《そうかん》であったため、積載《せきさい》用のスペースもあるが、そこには、

……大型木箱《コンテナ》？

何を積んでいるのか解《わか》らないが、作戦《さくせん》というものがあるのだろう。

見れば艦首《かんしゅ》側には、銀《ぎん》の髪《かみ》を大きく夜風に流した少女の姿がある。

ミトツダイラだ。

横に立つ浅間《あさま》が一つ頷《うなず》き、

「やっぱりこの仕事は、ミトに任せるのが一番ですね」

「ミトツダイラが担当なのか？」

「ええ、三年前に、ちょっといろいろありまして」

たびたび話の出る三年前となると、自分が武蔵にまだ来ていなかった頃《ころ》だ。

……まあ、聞けば教えてくれるか。

自分達からは多くを語らないが、聞けばネタとして話してくれる。そういう連中《れんちゅう》だ。

己《おのれ》もまあ、昔を聞かれればそうだろうな、と思いつつ、正純《まさずみ》は告げた。

・副会長：『ミトツダイラ。――では、タイミングを見て解決の手順《てじゅん》を頼む』

・銀　狼：『Ｊｕｄ．《ジャッジ》、どちらかというと、私よりも我が王が正解だとは思うのですけど……』

しかし彼女は通神《つうしん》で、さて、と言う。

正面の空、砲撃《ほうげき》は続き、魔女《テクノヘクセン》達が道を広げて行くのが見える。その中へと防御艦《ぼうぎょかん》は行き、

・銀　狼：『――武蔵の騎士、総長《そうちょう》を王とします第一の騎士。ミトツダイラ・〝銀狼《ぎんろう》〟・ネイトが、貴方《あなた》達の望む答えを可能な限り掲《かか》げに来ましたわ』

さあ。

・銀　狼：『空の戦場《せんじょう》。存分《ぞんぶん》を得た者から、こちらに来なさいな』

——今夜の主役だし。

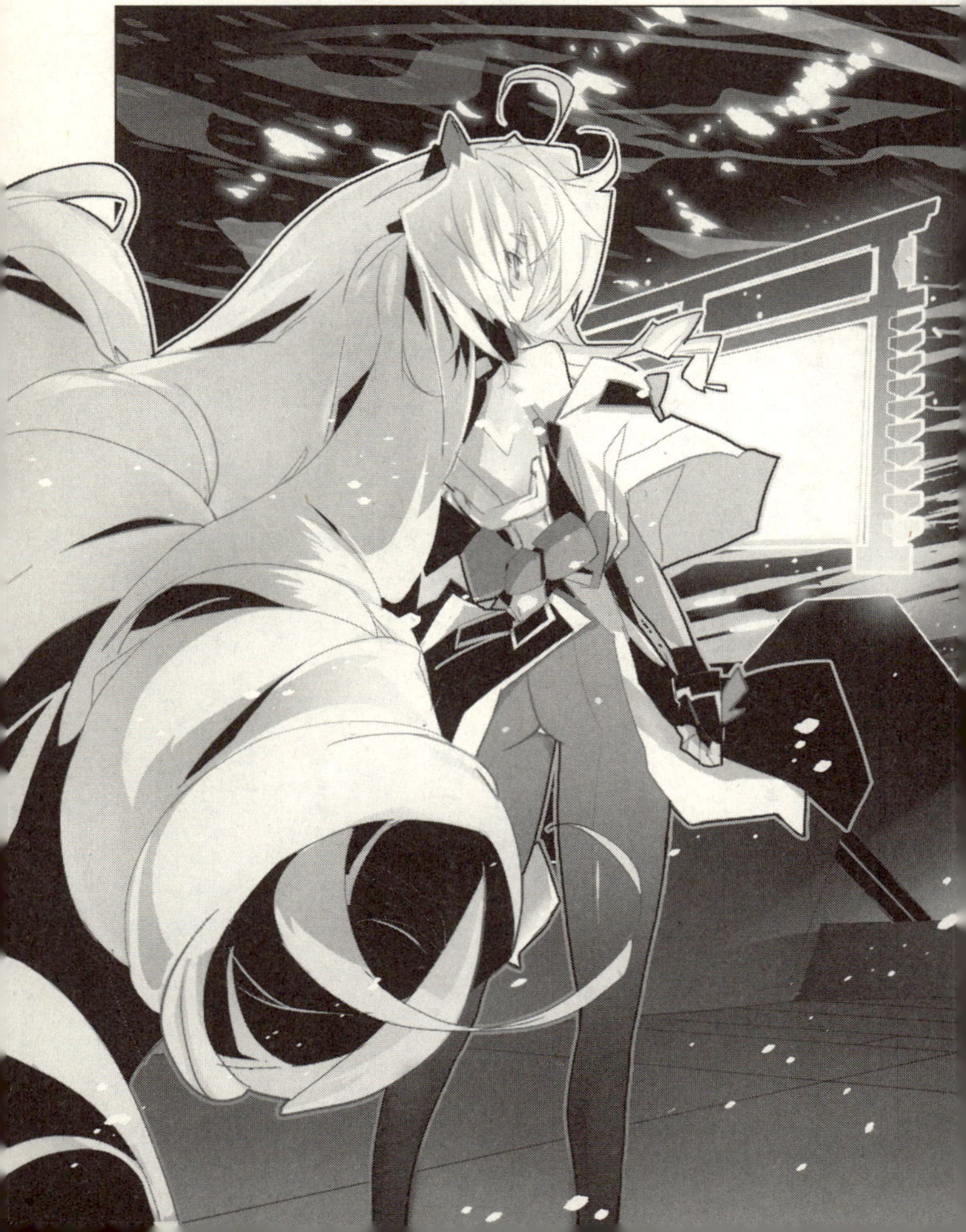

結局、事態《じたい》の収拾《しゅうしゅう》が成ったのは、午前二時を回っていた。

武蔵《むさし》上は何処《どこ》も門が閉じている。ゆえに正純《まさずみ》達、生徒会や総長連合《そうちょうれんごう》を中心とした要人《ようじん》達は、トーリの提案《ていあん》によって、生徒会室で打ち上げ兼一泊《けんいっぱく》となったのであった。

トーリの姉である喜美《きみ》や、ホライゾン達が食料と共に合流《ごうりゅう》した後、それぞれは緊張《きんちょう》と高揚《こうよう》が抜けるまで、いつもの他愛《たわい》ない遣《や》り取《と》りを始めたのだが、

「なあ、ミトツダイラ。——三年前の禊祓《みそぎ》の時って、何があったんだ？」

正純の問い掛けに、鶏肉《とりにく》を口にしてたミトツダイラは、その手を止める。

「——三年前の禊祓って、三河東《みかわひがし》、遠江《とおとうみ》のアレですの？　大部分非公式《ひこうしき》のアレ」

問い掛けに頷《うなず》くのは、トーリとホライゾンに重箱《じゅうばこ》の中身《なかみ》を箸《はし》で取り分けている浅間《あさま》だった。

彼女の首肯《しゅこう》による促《うなが》しを受け、ミトツダイラは自分の王たる彼に視線を向けた。すると、

「おお、いいんじゃね？　——俺《おれ》達の秘密《ひみつ》で流せるところは流しつつ、記録《ログ》にする感じで」

ナルゼがワインの瓶《びん》を手にブーイングを飛ばすが、狼《おおかみ》は構わない。王の許可と、二人の秘密の保持は約束されたのだ。だから彼女は、そうですわねえ、と呟《つぶや》きながら、表示枠《サインフレーム》を出し、

「昔々の事ですのよ？　——私が、総長連合に入ろうとか、銀鎖《ぎんさ》や銀狼《ぎんろう》の名を得るよりも少し昔の事。荒れていたのを修正してから、ちょっと後。——中等部《ちゅうとうぶ》三年の時の事ですの」

第一章

『過去と狼』

差とは
つくものだろうか
つけてしまうものだろうか
配点（自爆気味）

巨影《きょえい》の船が行くのは、春の空だった。

青の色が濃い四月の午後の天上《てんじょう》。雲は風に伸ばされ切れていく。そんな空を行く航空《こうくう》都市艦《かん》・武蔵《むさし》の季節は、艦上《かんじょう》の桜《さくら》が漸《ようや》く蕾《つぼみ》を付けた頃《ころ》だった。

地上より三キロから十キロ程の高度を移動する船だ。そのままの気温が適用される訳《わけ》ではないが、春先は北方から下る航路《こうろ》を通る事が多い。艦上気温は低い時期から一気に暖かくなるのが通例だった。ゆえに、

「今年は、北方で雪に止められましたし、明《みん》の方で政変あってステルス航行《こうこう》の時期が長かったですから、桜が遅れそうですわね。ステルスを切れる時は率先《そっせん》して切ってるようですけど、まだまだ武蔵には冬場の冷えが残ってるように思いますわ」

「――ええ、うちの桜も順当に遅れてますね。武蔵上は緩衝術式《かんしょうじゅつしき》効果と大気調整《ちょうせい》で気温的には春先になってるみたいですが、やっぱり植物は自然のリズムで動いてますよね」

声が生まれたのは教室内。武蔵野《むさしの》の表層部《ひょうそうぶ》にある中等部《ちゅうとうぶ》校舎だ。

校舎と言っても、階層《かいそう》仕立ての大型校舎や校庭《こうてい》がある訳ではない。学生区画《くかく》と呼ばれる高等《こうとう》部《ぶ》学生寮《りょう》や学生企業《きぎょう》組合の建物が並ぶ中、長屋《ながや》を改造した平屋《ひらや》の校舎があるのだ。

建物は、学年ごとに、武蔵野を上下に貫《つらぬ》く吹き抜け公園の縁《へり》に並ぶ。

窓の外には、階下《かいか》の公園に降りる階段やテラスがあった。

今は丁度《ちょうど》、日当たり良く緑《みどり》の色が映えている時間帯《たい》だ。

薄暗《うすぐら》く、細長い校舎内と教室。その中にいる、先程《さきほど》の声の持ち主達は、

「――ちょっと外出ます？　ミト？　今だと下の公園に菓子《かし》の屋台《やたい》も出てますよ」

「いえ、いいですわ浅間《あさま》。私、我が王を待ってますし」

だったら、と窓際《まどぎわ》に身を寄せている黒髪《くろかみ》の少女、浅間が、近くの椅子《いす》に座っている銀《ぎん》の髪の少女、ミトツダイラから視線を外す。

浅間が次に視線を向けた先、教室内の時計は午後四時を差す。

ふーん……、と浅間は、経過時刻《じこく》を感心したように見ながら、

「――私も、トーリ君待ちなので、一緒《いっしょ》に待っててていいですか」

「浅間もですの？」

「ええ、トーリ君の加護《かご》関係、晩春《ばんしゅん》用の組み替えが必要なので。トーリ君と喜美《きみ》は、ほら、うちの提携《ていけい》下や私との術式共同開発の協力者になってたりするじゃないですか。仕様変更時《しようへんこうじ》は私と同じ準備が要《い》るんです」

だからその話を、と言いつつ、浅間が表示枠《サインフレーム》を開き、幾《いく》つかの操作《そうさ》を開始する。

今は午後四時。その時間は、浅間にとって、

「すみません。ちょっと武蔵の流体経路《りゅうたいけいろ》など、夜用に調整しないと……」

「浅間《あさま》神社《じんじゃ》の代表見習いは、やる事多いですわね。毎日定時にそれでしょう?」

ミトツダイラが、浅間に問い掛ける。

「……最近、そういう操作系《そうさけい》をしてる事が、多くありませんの?」

●

ミトツダイラは、浅間の手元に四つ程表示《ひょうじ》されている表示枠《サインフレーム》を見た。

夏服を下から照らす内容は、裏面からは非透過《ひとうか》で見えない。ただ、手捌《てさば》きからするに、文字をタイピングしている訳《わけ》ではなく、コンソールの操作だ。ミトツダイラは、下から光に照らされる浅間を見て、ふとこう思った。

……あら? 浅間。な、何だか照明《しょうめい》のせいか胸、凄《すご》く大きく見えませんの?

○

・**あさま**:『ハイッ! ハイッ! ツッコミタイムですよ! 今回は過去の非公式《ひこうしき》事件について、改めての記録取ってるんですから不穏《ふおん》なコメントはなるべく無し! 無しで!』
・**銀　狼**:『というか、自分こそ他人の回想《かいそう》シーンに介入《かいにゅう》してくるとは何事ですの……!』
・**金マル**:『いや、今、ミトっつあんが釣《つ》った側だから。うん』
・**副会長**:『あれ? これ、ツッコミOKか。事件の記録《ログ》としては、●の節《せつ》が誰《だれ》かの過去回想。

○が現在の我々の実況通神《チャット》によるツッコミという事かな？』
・●　画：『しかしまあ、浅間だったら小等部《しょうとうぶ》の時からデカい判定《はんてい》だったわよねえ』
・貧従士：『…………』
・あさま：『ア、アデーレ⁉　まだミトの回想に出てないですからリアクションまだですよーう？　フライングは駄目《だめ》ですよーう？』
・金マル：『というかアサマチも現場にいたなら、当時の事補完《ほかん》したらどうかな？』
・あさま：『え？　わ、私もですか？』

●

浅間は、表示枠でコンソールを操作している最中《さなか》、ミトツダイラの視線に気付いた。
人狼《ルウガルウ》の血を引く彼女の瞳《ひとみ》は獣眼《じゅうがん》で、暗がりの中では光るように見える。そして、
……あれ？　ミトの視線……。
何だかこちらの胸を、下から煽《あお》っているように見える。だが、
……え？　あの、どうして胸を？
大きいという自覚はあるが、いつもこうなので忘れる事はある。遙か昔から、人生で足下《あしもと》が見えた記憶《きおく》などあっただろうか。いや、無……、ありますって。小等部四年くらいまでは。ええ。だが下が見えない分。逆に靴《くつ》などのファッションに気を遣《つか》うようになっていたりもあって、

これはまた難しい問題です。

……どうしたものでしょう。ミトの視線、勘違《かんちが》いかも知れませんし。一応は巫女《みこ》として、

「ええと、ミト？　何か気になる事があるなら、応《こた》えますよ？」

浅間《あさま》は、首の辺りに表示枠《サインフレーム》を一枚持って来て、自分とミトツダイラの視線の間、上下の壁を作るように置く。そして浅間は自分もミトツダイラの胸部立体を確認《かくにん》。すると見えるのは、

……無い、……いや、ありま……、せん、というのも嘘《うそ》のような。ですけど、ある、というのもまた難しいような……。

観測《かんそく》によって変わる。不確定胸、というべきだろうか。

……でも、何でそんなミトが、こっちの胸を凝視《ぎょうし》してるんですか？

●

ミトツダイラは、浅間の胸に気をとられている自分に気付いた。

とりあえず、見ていても自分がパワーアップする訳《わけ》ではない。寧《むし》ろ吸われるのではないか、と、そんな事を思ったりもする。

……というか、思わず凝視してしまいましたが、大事《だいじ》なのはそれ以前の話ですのよ？

先程《さきほど》問おうとしたのは、浅間が手元で行っている表示枠での操作《そうさ》についてだ。こちらから告げた通り、以前よりも、その枚数も、機会《きかい》も増えているようだが、

……浅間も、浅間神社《じんじゃ》の仕事を多く任されるようになっているんですのよね。

だが、鍵盤《けんばん》上や画面を操作する手捌《てさば》きは、淀《よど》みない。

一体いつの間にそんな技術を、とミトツダイラ今更《いまさら》ながらには思う。

今の自分達は中等部《ちゅうとうぶ》三年。将来を決める時期だ。自分は、思い出したくもないが、私的な理由で皆から外れて荒れていた時期があり、正直、その辺りのスタートが摑《つか》めていない。

一種の出戻りだ。

荒れて、戻った。そのズレが自分なりにまだ回復出来ておらず、ただ学生をやって、皆や周囲に気遣《きづか》いをさせないように、地味《じみ》に行こうと思っている。そんな学生生活だ。

浅間は、自分の術式《じゅつしき》などの管理担当であり、以前からの付き合いがあるため、まだ話せる。

だから、身近《みぢか》感覚を持っていたのだが、表示枠を操《あやつ》る手捌きを見るからに、

「いつの間に……」

自分が知らないような技術と役目を持って、彼女は学生を超えた仕事を始めている。

これは嫉妬《しっと》ですのよね、と思いながら、ミトツダイラは問うて見た。

「──一体、どうやったらそんな風《ふう》に？」

浅間は、ミトツダイラが問い掛ける意味が、一瞬《いっしゅん》解《わか》らなかった。

……そんな風《ふう》？

どんな風だろうか。否《いな》、それよりも、自分が〝どうやった〟ような要素が、今の自分にあるだろうか。いや、まさか――。

……オッパイの事ですか……⁉

先程《さきほど》の凝視《ぎょうし》は、そういう意味だったのか。

ミトツダイラが、そんな事を言い出す程に自分の胸を気にしていたとは。

「――――」

思わず言葉を失った浅間《あさま》は、しかし今更《いまさら》ながらに気付く。

先程、こちらの胸を凝視していたのは、やはり大きさを捉《とら》えられていたのだろう。何となく気恥《きは》ずかしいものだが、荒れていた時期があったミトツダイラにとって、自分の胸は、久し振りに見るものだったのかもしれない。

荒れ始めたのが小等部《しょうとうぶ》四年だったか、約四、五年振りに漸《よう》くこちらの成長を認識《にんしき》したとなれば、胸の大きさの変遷《へんせん》は、

……確かに〝いつの間に〟と言うべきものでしょうね。

だが、悪い事ではない。ミトツダイラが、何かの契機《けいき》か、頭がおかしくなったか、その辺りよく解《わか》らないが、こちらの事を数年ぶりにしっかり認識してくれたという事だ。

友人と、そう言っていいのかもしれない。

そしてミトツダイラは、こう問うた。
「——一体、どうやったらそんな風に、と」
どうやって。つまりそれは、
……一体どうやったら大きくなるか、という事ですね？
その疑問の意味を考え、浅間は戦慄《せんりつ》した。つまり、胸の大きくなったノウハウだが、
……どうやったのか解りませんよ!?
しまった。へーイ、問われたって巫女《みこ》にも解らない事はありますよ。でもマズい。先程、迂《う》
闊《かつ》にも「何か気になるなら」と、答える素振《そぶ》りをしてしまったのだ。ゆえに、
「ちょっ、ちょっと待って下さいね？」
浅間は急いで表示枠《サインフレーム》の一枚に別枠《べつわく》を重ね、検索《けんさく》した。
《検索語：胸　大きくする　巨《おお》きくする　おっきくする　神道《しんとう》：検索》
二秒で答えが来た。
《MURIです：by神》
……早っ。しかも神様直接……！
やはり神にとってもよくある重大疑問という事だろう。矛盾《むじゅん》してる気もするが気にしない。
よくある。
しかし、視線をちらりと向けた先、ミトツダイラはこちらを見ている。

期待と、微妙《びみょう》な緊張《きんちょう》の混じった視線に、浅間《あさま》は鈍い汗《あせ》を掻《か》いた。

どうしたものか。

ミトツダイラの胸の現状は、こちらも先程認識《さきほどにんしき》してよく解《わか》っている。遠回しに言うなら不毛《ふもう》の大……、否《いな》、毛が生《は》えたらそれはそれでいけませんよね。女の子にそんな表現、めっ自分。だとしたら焼《や》き畑《はた》農……、いや焼く元がないからこれも間違い。

「智《とも》？」

ひ、と意識《いしき》で引く間に、浅間は条件反射《はんしゃ》の巫女《みこ》笑《え》みで応じていた。

「何です？　何でも任せて下さいな」

じゃあ、とミトツダイラは、こちらの胸、表示枠《サインフレーム》の辺りを指さしてこう言った。

「Ｊｕｄ《ジャッジ》．、――それについて、一体、どうやったらそんな風《ふう》に、と」

そう言われましても。

●

ミトツダイラは、浅間の表示枠が胸辺りに展開しているのを指さし、言葉を作る。

「そういう風に出来るには、どれ程頑張《がんば》りましたの？」

「え!?」

浅間が、疑問詞《し》と共に首を前に傾《かし》げた。

「いや、あの、えーと。あのですね？　……こ、これは、頑張るとか、そういうもんじゃないんですよ」

「そうなんですの!?」

頑張る事なく、今の役目や仕事をこなしているというのは、やはり実力だという事か。

だとしたら尚更《なおさら》、

「いつの間に、そんな実力を」

「いや、その、実力というか、ええと」

浅間が、右の人差《ひとさ》し指《ゆび》を立てて言う。

「強いて言うならですね？」

ええ、と浅間が一つ頷《うなず》き、こう言った。

「——これはですね？　信じられないかも知れませんが、自然にこうなったんですよ」

ミトツダイラは愕然《がくぜん》とした。

……自然に!?

環境《かんきょう》が人を育てると言うが、やはり浅間神社《じんじゃ》の跡取《あとと》り娘《むすめ》としては、日々、自然なものとしてこのような技術を習得《しゅうとく》するようになっているのだろうか。

それに比べて、自分は、

……騎士《きし》連盟《れんめい》などあり、身分は未《いま》だに第一位だというのに……。

騎士連盟《きしれんめい》は放置《ほうち》状態だ。無論《むろん》、武蔵《むさし》の中で形骸化《けいがいか》しているところも強い騎士の立場だが、自分に与えられた環境《かんきょう》というものに背を向けてしまっているのは確かだろう。

忸怩《じくじ》、という思いが、ふと言葉を作っていた。ミトツダイラは自嘲気味《じちょうぎみ》の笑《え》みと共に、

「私、駄目《だめ》ですわね。浅間《あさま》に比べて……」

●

しまった！　と浅間は内心《ないしん》で焦《あせ》りを得た。

オッパイ強化の不可能性をどう説明しようか迷っている間に、比較論《ひかくろん》でミトツダイラにダメージを与えてしまったらしい。

何とかフォローしなければ、この手のモノは一生の傷になりやすい。アデーレとか。

ゆえに浅間は、慌《あわ》てて言葉を作った。

「だ、大丈夫《だいじょうぶ》ですよミト！　ミトもまだまだ可能性がありますって！」

「可能性って……」

ミトツダイラが、困ったような眉《まゆ》で、問うてきた。

「どうすればいいと、言うんですの？」

「ぐ、具体的にですか？」

「――浅間が、解《わか》っている範囲でいいですわよ？」

成程《なるほど》！　と浅間は思った。自分の理解の範囲ならば、何とかなる。たとえば、

「そうですね……」

浅間は、顎《あご》に手を当て、よく言われる方法を言った。

「——牛乳を多く飲むといいそうですよ」

●

「牛乳……!?」

ミトツダイラは、再度愕然《がくぜん》とした。

仕事や役目、そして技術やその習熟《しゅうじゅく》など、それを叶《かな》えるのに、

「牛乳が大事《だいじ》ですの!?」

「え、ええ、そうです。だってほら、アデーレの事を思い出して下さい。毎日のように牛乳をガブ飲みしてるじゃないですか」

言われて見れば確かにそうだ。

……アデーレも、従士《じゅうし》としての道を歩み始めてますものね。

アデーレは昔から従士志望だが、言われる通り、中等部《ちゅうとうぶ》三年になってからは、従士免許《めんきょ》などの勉強に励んでいる。だが、

「い、幾《いく》ら何でも牛乳でどうにか出来るものなんですの？」

「あ、あれ？　世間《せけん》の常識《じょうしき》ですよーう？」

……常識……!?

ミトツダイラは三度愕然《がくぜん》とした。一体いつの間に、社会は牛乳主体の文化となっていたのか。

まあ自分も飲めるので文句《もんく》はないが、

「でも、意外《いがい》ですわね。……浅間《あさま》も牛乳をガブ飲みしてましたのね」

「いえ私そんな飲んでないですけど」

「前言撤回《ぜんげんてっかい》早過ぎませんの!?」

「い、いえ、だって私のはナチュラルですから！　自前はセーフ！　人工だったら牛乳、そういう事ですよ！」

言われて見ると、確かにそう言うものかも知れない。

それに、浅間の場合は確かにちょっと違うだろう。

「……私の記憶《きおく》や、今見ている限りでも、浅間がいつもガブガブ飲むのは牛乳じゃなくて清酒《せいしゅ》ですものね」

「あれあれ？　私そんな飲んでませんよ？　前に先生に止められてから、お昼以外はなるべく家で飲むようにしてますし」

「あの、ひょっとしていつもお昼に出す竹ボトルは、清酒ですの？」

「いえいえ、——今日《きょう》のは昨年《さくねん》漬けた梅酒《うめしゅ》です」

酒飲みの言動はよく解《わか》らない。だが、ふと付け加えるように浅間が言った。

「で、さっきの話ですが、ええと、方法、もう一つあります」

「え？」

役目や技術。そう言ったものを獲得《かくとく》し、習熟《しゅうじゅく》するのには、何が必要か。

浅間は、頬《ほお》を赤くして、しかし眉《まゆ》を立てた顔でこう言った。真剣な、諭《さと》す口調《くちょう》で、

「男の人に揉《も》んで貰《もら》うといいそうです」

●

「揉んで……!?」

ミトツダイラは、浅間の言っている意味が解らなかった。素直な感想として、

「浅間！　言葉を選んでソフトに言いますけど、キチガイですの!?」

「あれあれ？　ソフトの基準《きじゅん》が外野《がいや》にまで吹っ飛んでません、か？」

ともあれ、と浅間が両の手の平を立ててこちらに示す。落ち着けと、そういう事だ。彼女自身も、赤面《せきめん》のままで、

「いいですか？　これは、一般《いっぱん》的に言われてる事ですよ？　特に既婚者《きこんしゃ》の多くが、そう言っています」

「既婚者が……！」

既婚《きこん》である意味は解《わか》らないが、年齢上目《ねんれいうわめ》の人々である事は確かだろう。

……大体、社会経験の多い人達ですわよね。

と、そこまで考えて、ミトツダイラは浅間《あさま》の言っている意味に気付いた。

男に揉《も》まれるとは、どういう事か。

「成程《なるほど》……」

……男社会の荒波に揉まれてこいと、そういう事ですのね⁉

術式《じゅつしき》、加護《かご》、社会的な整備や保障《ほしょう》もあるので、歴史再現《さいげん》以外の部分において、武蔵《むさし》上は男女同権《どうけん》だ。

だが、女性は出産や育児で多忙《たぼう》になるし、貿易輸送《ぼうえきゆそう》を行う艦《かん》である武蔵では力仕事が多い。

ゆえに武蔵の労働力は、比率《ひりつ》として見れば男性主体の傾向だ。

やはり現場とは、そういうものなのかもしれない。

ならば、そういった社会に飛び込んで揉まれてこいと、そういう事なのだろう。

……理解しましたわ！

「浅間！　キチガイだなんて言ってすみませんわね。よく考えたら浅間がキチガイだった場合、まともにこんな会話出来てない筈《はず》ですもの」

「……ミト、この会話、まともじゃない気が……」

まあまあ、とミトツダイラは手を前に振る。そして聞いてみたいのは、

「じゃあ、……浅間は男の人達にたくさん揉んで貰《もら》って、そうなったんですの？」

浅間は、一瞬《いっしゅん》絵を想像《そうぞう》した。とはいえ、モブ集団の顔が思い浮かばなくて、
……ああ、ナルゼがよく言ってるモブのネタが尽きたってヤツですよね。
現実感がないですねー、と苦笑《くしょう》する。大体、自分はそういうのではない。だって、
「もう、違いますよミト、私は自前ですから。そういう必要ありませんって。大体、誰《だれ》に揉んで貰うって言うんですか」
「――我が王とか」
浅間は、一瞬絵を想像した。何気なく、モブ集団の顔を彼にしたら、
……う、わ……！
何か一気に生々《なまなま》しくなった。でもよく考えたら一人が多重化出来る訳《わけ》が……。
《検索語《けんさくご》：個人　分裂《ぶんれつ》　多重　分身　神道《しんとう》：開始》
《何となくあるよ：By神》
いけません。これはいけません。ネタとして神様のお墨《すみ》付きが何となく出てしまいました。
神道けしからん。というか、
……うわあ……。

「浅間《あさま》！　浅間！　さっきから何を赤面《せきめん》してくねくねしてますの⁉」

「い、いや、予想外のボールが来たので直撃《ちょくげき》しまして」

浅間は、己《おのれ》の頭を軽く叩《たた》いて邪念《じゃねん》を外に出す。一回くらいでは出ないので、二度、三度、ええと、念を入れて四度——、

「浅間！　浅間！　何か掌底《しょうてい》使ったハードヒットになっていってますのよ⁉」

「あ、だ、大丈夫《だいじょうぶ》、大丈夫です！　今出ました！」

今、大事《だいじ》なのは脳内《のうない》同人誌《し》の主人公《こう》？　になる事ではなく、友人の悩み相談だ。

そしてその悩みは、今ので解《かい》を得たらしい。ミトツダイラの、晴れやかな顔がその証《あかし》だ。

ただ、浅間としては、ミトツダイラの言動《げんどう》に不安なところもある。

ゆえに浅間は、念のためとして、聞いてみた。

「あの、ミト？　……一体、誰《だれ》に揉《も》んで貰《もら》うつもりですか？」

「え？」

何を今更《いまさら》？　という顔でミトツダイラが首を傾《かし》げる。

「Ｊｕｄ《ジャッジ》．、そうですわね。——男の人達の多い現場、出来れば社会経験の得られるところで、しっかり揉んで貰いたいですわね」

浅間は一瞬《いっしゅん》、絵を想像《そうぞう》した。そして浅間はミトツダイラの両肩に手を置き、

「やめましょう！　こ、このプランは危険です！」

　ミトツダイラは、浅間の言っている意味が解《わか》らなかった。

　まあソフトに言ってキチガイの気がある彼女だ。ノーマルに言って訳《わけ》が解らなくて当然。なのでミトツダイラは、落ち着いて、

「な、何ですの？　私が男性主体の現場で揉まれたり、しごかれたりするのが駄目《だめ》ですの？」

「お、落ち着きましょう！　揉まれるならまだしも、しごかれたら減少《げんしょう》しますよ……！」

　言われている意味が相変わらず解らないが、こちらの体調を心配してくれているというのは何となく解る。

「大丈夫ですのよ？　私、これでも結構《けっこう》タフですもの」

「いいから、いいから落ち着きましょう。現実は厳《きび》しくてエロいものなんですから」

　巫女《みこ》は、こちらの肩を叩き、己の顎《あご》に手を当てた。そして、ややあってから、

「と、とりあえず練習から始めませんか？」

「そうは言っても、誰か相手の男性がいますの？」

「うーん……」

　浅間がややあってから、その名を呟《つぶや》いた。

「やっぱり、トーリ君でしょうか……」

「わ、我が王に、あまりそんな迷惑《めいわく》を掛けられませんわ？

それに、……我が王、私を揉《も》んだりしごいたりする力量《りきりょう》や、そういう現場、ありますの？」

「ト、トーリ君が、ミトを揉んだりしごいたり、ですか⁉」

Ｊｕｄ．《ジャッジ》、とミトツダイラは頷《うなず》いた。実際、仕事の現場となると、厳《きび》しいものだと聞いている。

……お給金《きゅうきん》の搾取《さくしゅ》や、吸い上げなどもあると聞きましたわ！

ならば、

「我が王には、厳しくして頂《いただ》いて、――搾《しぼ》り取ったり、吸い上げて貰《もら》う覚悟《かくご》ですわ」

「――――」

浅間《あさま》が、一瞬《いっしゅん》ふらつく。目を回したらしい。

一歩、窓際《まどぎわ》に倒れかけた浅間を、ミトツダイラは慌《あわ》てて支える。

「だ、大丈夫《だいじょうぶ》ですの浅間！」

「あ、すみません、鼻血《はなぢ》出ました。――ああ、ハナミ、血圧調整《ちょうせい》ですね」

浅間神社《じんじゃ》の跡取《あとと》りが鼻にハンカチ突っ込んで振り向くのを、ミトツダイラは初めて見た。

だが彼女は、こちらの両肩を何度も叩《たた》き、

「ミ、ミトがそこまで真剣だとは思いませんでした！　アデーレの頑張《がんば》りとか、超越《ちょうえつ》する覚悟かも知れませんね！」

「え、ええ、何だかよく解《わか》りませんが、頑張りますわ！」

それに、とミトツダイラは一息《ひといき》を入れた。

先程《さきほど》思ったように、浅間と話していたら、心の中にあった問題が解けていった。

「――このところ、ずっと心の奥に隠《かく》していたようなものが、解決出来た気がしますわ」

「いやあ、解決出来るかどうかはまだまだ……」

だとしても、とミトツダイラは言った。何だか緊張《きんちょう》が抜けましたわ、と。

「全く、何が思いや悩みの解決になるか、解らないものですわね」

ですけど、

「感謝しますわ、――浅間」

昔のように、名前で呼びそうになって、ミトツダイラは言葉を選ぶ。

まだ早い、と、そう思えるのは自分の成長なのか、単なる気分なのか。

ただ、浅間がこちらに頷き、目を細めてこう応じた。

「大丈夫ですよ、ミト。――思いや悩みを解決するのが浅間神社の役目ですから」

○

・**あさま**：『…………』
・**銀　狼**：『…………』
・**あさま**：『……何か、私とミトで、お互いの意見が不一致《ふいっち》していたように思いますね』

・**副会長**：『何で会話出来てるんだよお前ら』
・**銀　狼**：『というか当時の私の感情、全部御破算《ごはさん》ですのよ――!?』
・**金マル**：『よくあるよくある』
・**ベ　ル**：『――で、ど、どうなる、の？』

●

浅間《あさま》は、どうしようかを考えた。

……ミトの胸を大きくする事が、可能なんでしょうか……。

これは至難《しなん》の課題だ。神道《しんとう》ではもはやどうにも出来ないのは解《わか》っている。神道術式《じゅつしき》リストの更新《こうしん》は毎月行われているが、今後チェックをハナミに頼んでおくべきだろうか。

ともあれ、これから自分がするのは、協力者の賛同《さんどう》を得られるかどうかだ。

「トーリ君は……」

まだでしょうか、と心に言葉を続けた時だ。不意《ふい》に後ろから声がした。

「あ？　待った？」

窓。春の光の方から、彼の声がした。

トーリだ。

第二章

『行く道と列なり』

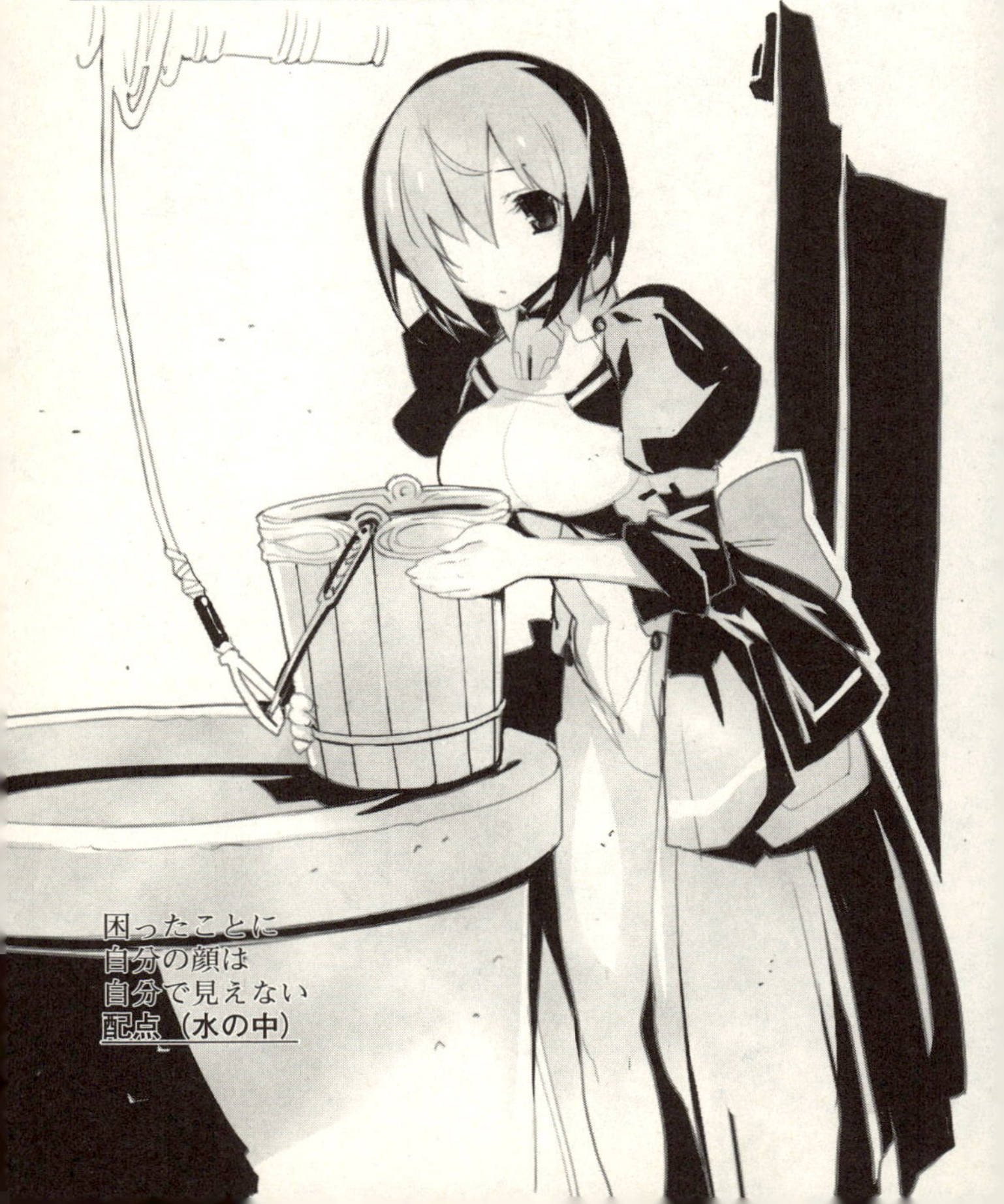
困ったことに
自分の顔は
自分で見えない
配点（水の中）

●

ミトツダイラは椅子《いす》を跳ね上げて立ち上がった。

自分の王が、そこにいる。

「我が王……！」

たった一時間程離れていただけだったが、鼻の奥に届いてくる彼の匂《にお》いは久し振りで。狼《おおかみ》の特性として、懐《なつ》かしい安堵《あんど》の香りに身体《からだ》が跳ねそうになる。

大体、今まで座っていた座席《ざせき》も、自分のものではなく、彼の場所なのだ。何しろ先程《さきほど》、

「ちょっと待っててくれっか？」

と言われたが、それは彼の居《い》場所で待っていろと言う事。そんな風《ふう》に自分に言い訳《わけ》して、彼の椅子と机《つくえ》に身を寄せて「あひん……」と声を内心《ないしん》であげたりもして。

浅間《あさま》もそれが解《わか》っているのだろう。椅子と机に座っているだけでくねくね盛り上がる狼を前にして、自分も――。

○

・**賢姉様**：『えーと、自分も――、どうしたものかしらコレ、フフ』
・**銀　狼**：『ひ、人の回想勝手《かいそうかって》に「あひん……」とかデッチ上げないで下さいませんの――⁉』

・あさま：『というか私も巻き込まれてますよコレ！』
・●　画：『あ、そっか。隙《すき》を見せたら介入《かいにゅう》していいのね、この回想記録』
・副会長：『お前ら、これ、場合によってはうちの正式記録に残るんだからさ――』
・賢姉様：『フフ、そうね。でもミトツダイラ、座ってなかったの？』
・銀　狼：『き、騎士《きし》が王の許可なく王の席に座れませんわ！』
・金マル：『でもソーチョー窓から来たって事は、そこにいるの知ってたんだよね』
・銀　狼：『う……』
・ホラ子：『さあ、段々と追い詰まって参《まい》りましたミトツダイラ様』
・銀　狼：『な、何だか公開裁判《さいばん》になってますのよ――!?』

●

浅間は、冬服の上着《うわぎ》を肩に掛けた彼に問う。

「暑いなら上着預《あず》かります。――で、先生から呼び出しって、一体何だったんですかトーリ君」

すると、彼が上着を差し出しながら言葉を作った。

「ああ、呼び出しってアレな。うちの事と、それと前にやった抜け道がバレてさあ」

「抜け道？」

Ｊｕｄ．《ジャッジ》、と彼が応じた。

「男子厠《かわや》から中央の露天天文台《ろてんてんもんだい》に直通出来る通路を屋根裏《やねうら》に作ったんだよ。昼とか表示枠《サインフレーム》で本読んだり作曲してて気持ちいいから」

「ああ、時たま、私達が化粧室《けしょうしつ》に行くのに合わせてそっち行ってたのは、それですか」

「ですわねえ。……でも我が王、ソレ使われたら、私、護衛《ごえい》出来ませんのよ？」

「ああ、うん、大丈夫《だいじょうぶ》。女子厠の上を中継《ちゅうけい》するように作ったから。そっちから来いって言うつもりだったんだよなー」

成程《なるほど》ー、とミトツダイラと頷《うなず》いた浅間《あさま》は、数秒、違和感《いわかん》に身を止めた。

……あれ？

ややあってから、

「ちょ、ちょっとトーリ君！　女子厠の上通るって、その通路使ってないですよね⁉　私達と一緒《いっしょ》に行った時とか！　まだ未完成ですよね⁉」

問うた先。彼が、数秒考え、そして呆然《ぼうぜん》としてから、

「そういう用途《ようと》があったか……」

「そういう意味じゃありませんのよ我が王‼」

とりあえず赤面《せきめん》の熱は止めようがないが、諭《さと》してはおく。

「いいですかトーリ君。トーリ君が学校内で番屋《ばんや》の世話《せわ》になるのと、その後処理《あとしより》には慣れてますけど、私達に関しそうな場合は先に言って貰《もら》えると有り難《あがた》いです」

「ああ、うん、それで――」

「何かまだあるんですの？」

「Ｊｕｄ《ジャッジ》．、――あと、近い内に何か偉《えら》い人が来るから悪さするなって」

「偉い人？」

「〝学長先生《グランヘッド》〟」

と、トーリが歯を見せて艦尾《かんび》の方を親指《おやゆび》で示す。

そちらには武蔵野《むさしの》の町並と、橋状艦橋《きょうじょうかんきょう》が見えるが、彼が指すのはそれではあるまい。もっと向こう、奥多摩《おくたま》の艦尾にある、

……武蔵《むさし》アリアダスト教導院《きょうどういん》。

極東《きょくとう》の独立領土《りょうど》となっている武蔵。学生主体の世の中である今、極東の中枢《ちゅうすう》となっているのは、その教導院だ。〝学長先生〟は、教導院を治める教員の長《ちょう》で、学生としての権限《けんげん》は持たないが、学生達の人事《じんじ》や採決《さいけつ》など、多くの力を有している。

浅間《あさま》は、武蔵の神道《しんとう》を治める浅間神社《じんじゃ》の跡取《あとと》りとして、〝学長先生〟とは面識《めんしき》がある。だけど、

「…………」

見ると、ミトツダイラが少し視線を俯《うつむ》き気味《ぎみ》にしている。

何か困ったような、その仕草《しぐさ》は、

「……ほら、トーリ君、トーリ君の匂《にお》いにミトが困ってますよ」

「ち、違いますわよ浅間《あさま》……！」

解《わか》ってる。

〝学長先生《グランヘッド》〟という存在。武蔵《むさし》の要職者《ようしょくしゃ》なら面識《めんしき》のある人物だ。たとえば、武蔵の騎士《きし》連盟《れんめい》第一位の存在ならば。だが、

……ミト、ちょっとそっちが疎《おろそ》かですもんね……。

こういう時、役に立てない。そんな思いが、今の彼女の俯《うつむ》きだろう。

ゆえに、ちょっとはぐらかしてみたが、見れば彼が教員室の方を見て、

「そろそろ行くか。入口で落ち合おうぜ。靴取《くつと》ってこねえと。ソッコ。浅間も。あ、ネイト、俺《おれ》の荷物――」

「も、持っていきますわ！」

「いや、俺、教室置きっぱなし派《は》だから気にしなくていいから」

う、とミトツダイラが身動きを止める。

すると、そんな彼女に、彼が言う。

「いいから身軽に早く来いって事だよ。浅間んトコ、俺、寄っていくけど、その前にちょっと夕飯《ゆうめし》の食材とか買っていかねえと。――ついて来るだろ？」

騎士が素直に頷《うなず》くのを見て、浅間は小さく笑う。

・副会長：『――結構昔《けっこう》から、色々あるんだな、お前ら』
・●　画：『しかしやっぱりアレかしら、最近になって浅間が総長《そうちょう》の表示枠《サインフレーム》管理とかしてたら、当時の隠《かく》し通路での収　録《しゅうろく》情報とか見つけちゃって、どうしたらいいかくねくねするとか』
・あさま：『いやいやいやいやいや、無い、無いですよ』
・貧従士：『確かめたんですか？』
・あさま：『トーリ君はそういう事では嘘《うそ》を吐きません。ねえホライゾン』
・ホラ子：『フ、トーリ様に嘘を吐かせるなど、ありませんとも』
・煙草女：『……何か言い回しが変じゃないさね？』
・貧従士：『恐怖政《きょうふ》……、あ、いや、何でも無いです。お互い納得《なっとく》の上のプレイでしょうし』
・銀　狼：『何か変な方に話が行ってますのよ？』
・金マル：『じゃあ話を戻すけど、――リアルタイムで見聞きしてしまった可能性はあるんじゃないかな』
・女　衆：『ゴクリ……』
・ホラ子：『――音！　やはりスタートは音からですな。一応、この不肖《ふしょう》ホライゾン、集団の中でシリスメルをバーストした時は〝失敬《しっけい》！〟と言うようにしています。――失敬！』

・**賢姉様**：『早速《さっそく》！　早速実践《じっせん》ねホライゾン！　何だかハードルがぐんぐん下がった気がするわ！　ほら、アデーレ！　アンタもやってみなさい！　お腹揉《なかも》んであげるわよ！』
・**貧従士**：『誰《だれ》かあ――！　腹肉レイプされてまあ――す!!　あひゃひゃひゃひゃひゃ！』
・**金マル**：『……その叫びで誰か助けに来るのかな？』
・**あさま**：『ミト！　ミト！　アデーレが犠牲《ぎせい》になっている間に回想《かいそう》を！』

●

武蔵野《むさしの》から奥多摩《おくたま》の浅間神社《あさまじんじゃ》へは、艦間《かんかん》の太縄《ふとなわ》通路を通過していくだけの直線経路《けいろ》だ。

村山《むらやま》住まいのミトツダイラにとっても、浅間神社行きは慣れた道だった。

町と町を繋《つな》ぐ門を過ぎ、番屋《ばんや》を通り過ぎる時に彼が番屋に手を振って、続く浅間が頭を下げるのはいつもの流れと言えるだろう。

道中《どうちゅう》。王も浅間も、歩いているだけで注目《ちゅうもく》を受ける。浅間は、浅間神社の跡取《あとと》りで、インフラや加護《かご》の管理などを行っているのだから当然だろう。道行けば、通り過ぎる人々が、

「ああ、浅間さん、うちの野菜《やさい》の方、社《やしろ》に納《おさ》めておいたから！　お母《かあ》さんに供《そな》えてね……！」

「――おう、浅間神社代表、今度、郵便《ゆうびん》の担当が変わるから禊祓《みそぎ》と加護の用意を頼むよ！」

「あら、浅間様、そろそろまた梅酒《うめしゅ》の季節ですねえ」

と、久し振りの人も、いつもの人も、声を掛けてくる。それに対し、頭を下げ、必要なら言

葉を掛けていく浅間を見ていると、

……しっかりしてますわね……。

そして王の方も、道を行けば、通り過ぎる人々が、

「うあああ！　ト、トーリだ！　中等部《ちゅうとうぶ》のくせに小等部《しょうとうぶ》に入ってくんな！　くんな！」

「お、お前、うちの店で鰻《うなぎ》を股間《こかん》に巻いた後でスタッフが美味《おい》しくとか、歌にすんな！」

「あら、トーリ君！　黒髪翼《くろかみつばさ》の新刊《しんかん》、何とかして手に入らない!?　続き気になるのよ！」

と、久し振りの人も、いつもの人も、声を掛けたり牽制《けんせい》して逃げていく。それに対し、ポーズをキメたりガニ股《また》で追いかけていく王を見ると、

……自由っていいですわね……。

ふふ。

……我が王の、こういう処《ところ》に、私、救われたのかもしれませんわ。

○

・**あさま**：『美化！　美化してないで現実見ましょうよミト！　私の記憶《きおく》だとここでミト、ちょっと引いてた筈《はず》ですよ！　ほら、ミト、こっち向いて！』
・**ホラ子**：『というかトーリ様、当時から迷惑者《めいわくもの》でしたようで』
・**金マル**：『うーん……、もし当時ホライゾンいたら、どんな感じかなあ』

・●　画：『フ、だったら私の出番ね。ＩＦものとしてやってあげるわ。――ハイスタート』

●

武蔵野《むさしの》から奥多摩《おくたま》の浅間《あさま》神社《じんじゃ》へは、艦間《かんかん》の太縄《ふとなわ》通路を通過していくだけの直線経路《けいろ》だ。

村山《むらやま》住まいのミトツダイラにとっても、浅間神社行きは慣れた道だった。

すると前から、こちらに来る人影《ひとかげ》があった。

ホライゾンだ。彼女はこちらに会釈《えしゃく》し、馬鹿《ばか》を見て、

「おや、御機嫌《ごきげん》よう糞虫《くそむし》。これから何処《どこ》へ――」

○

・●　画：『ちょ、ちょっとミトツダイラ、今挿画《そうが》描いてるんだから止めないでよ！』
・銀　狼：『あの、ナルゼ？　幾《いく》らホライゾンでも出合い頭《がしら》に糞虫言いませんわよ……！』
・ホラ子：『…………』
・あさま：『あの、ホライゾン？　〝それがあったか〟みたいな顔してないで。ちょっとこっち、こっちで御茶飲んで一息《ひといき》つきましょうね？　ね？』

ともあれ奥多摩《おくたま》に到着《とうちゃく》すれば、浅間神社《あさまじんじゃ》はすぐそこだ。自然区画《くかく》と呼ばれる自然公園兼鎮守《けんちんじゅ》の森の吹き抜け。そんな立地に浅間神社はある。

今は夕刻《ゆうこく》。春らしくまだ黄色《きいろ》の気配《けはい》が強い空は、ステルス障壁《しょうへき》を切っているからこそ見えるものだ。

仰《あお》げば、ゆっくりと空が回っている。そして、

「高度も下がってますわね」

「ええ、今夜中に、遠江《とおとうみ》の元今川領地《いまがわりょうち》に降りますから」

元今川領地。実際は西に隣接《りんせつ》する駿河《するが》や三河《みかわ》にも至る土地だが、

「――今はP.A.Odaの管理地。だから今年はここから天山回廊《てんざんかいろう》に北上する筈《はず》ですのよね」

え？　と声を作ったのは彼だ。

「あれ？　そのまま三河行きなんじゃねえの？　今年から北回り？」

「ええ、今川家を滅したP.A.Odaが、今年になってようやく聖連《せいれん》側と話し合って、この元今川の土地をどうするか、お互いの処遇《しょぐう》を決めたんですの」

・**副会長**：『あ、これは解《わか》る。――P.A.Oda と繋《つな》がる松平《まつだいら》の三河が中立地《ちゅうりつち》だから、聖連は、隣接する今川の土地を松平に与えて中立地を広げようとしたんだよな。だけど、外洋に出る港を南に持ちたい P.A.Oda が反対して、折衝《せっしょう》していたんだ』

・**銀　狼**：『Jud.《ジャッジ》、――結局、印度諸国連合《インドしよこくれんごう》と P.A.Oda の同盟《どうめい》が改めて広範《こうはん》に結ばれる事となり、港の問題は解決しましたわ。その権利故《けんりゆえ》、P.A.Oda は今川領地に率先《そっせん》して乗込《のりこ》まず、“管理地”として保留《ほりゅう》。しかし聖連も、P.A.Oda との火種《ひだね》を持つ愚《ぐ》を避け、今川領地は不可侵《ふかしん》。

――武蔵《むさし》は以後、今川領地を通過すると何か言われそうなので、だったら貿易《ぼうえき》相手のいる天山方面へのルートを選ぶと、そういう事になりましたの』

・**副会長**：『ああそうそう……、そうだったそうだった。だから一時期、東の方、三河湾の向こうがキナ臭《くさ》かったんだよなあ……』

・**蜻蛉切**：『一時、三征葡萄牙《トレス・ポルトガル》や西班牙《スペイン》の船が三河湾の東で P.A.Oda の船と睨《にら》み合ってたで御《ご》座《ざ》るなあ。拙者《せつしゃ》、とうとう三河も戦争に巻き込まれるか、と思って御座ったが、父上《ちちうえ》などは“なんねえなんねえ、そこまで美味《うま》くねえよ”って笑って御座った』

・**立花嫁**：『私も、それは憶《おぼ》えていますね。――もしも三河東の領地が中立地になったならば、三征西班牙《トレス・エスパニア》や葡萄牙《ポルトガル》、阿蘭陀《オランダ》や英国といった聖連の東行《とうこう》可能な国が、そこの警備に就《つ》かねばなりません。私達が、そちらの警備として住み込む可能性もあった訳《わけ》です』

●

春の夕の空の下。闇《ぎん》は水を汲《く》んでいた。

井戸《いど》だ。屋敷《やしき》は裏に畑《はたけ》も有る通り、水源《すいげん》の豊かな場所にある。井戸は桶《おけ》を投げればすぐに水に当たり、覗《のぞ》けば自分の顔が黒い水面に映り込む。

無論《むろん》、下を向けば、顔は影の面となる。自分の顔色はよく見えず、

「全く……」

揺れる水面に目を閉じ、慣れた手癖《てくせ》で桶を手繰《たぐ》り、水を汲む。

すると、表示枠《カデナフィルマ》が来た。父だ。流石《さすが》に映像《えいぞう》や音声設定ではなく、文字設定。父は今、高等《こうとう》部《ぶ》の方で若手達に稽古《けいこ》をつけている筈《はず》だが何事だろう。

早く自分を跡取《あとと》りとして明確にして欲しいと、闇はそんな事を思いつつ、

……そのためには高等部に入ってから、でしょうか。

『どうしました、父上《ちちうえ》』

『――三征西班牙《トレス・エスパニア》の予定が、今後、どうやら確定したとの事で、な』

『予定と言いますと何でしょう』

桶を手繰り上げながら、闇は問うた。すると、

『――三征西班牙は〝門〟からの新大陸《しんたいりく》事業に集中するとの事かと』

他人事《ひとごと》のように言うのは、父なりの処世術《しょせいじゅつ》だろうか。自分はそれに関わる気は無いと、そんな雰囲気《ふんいき》の物言いは、しかし言葉を繋《つな》げた。

『三河《みかわ》方面。武蔵《むさし》が北上するのに合わせ、武田《たけだ》や浅井《あざい》、カザン地域など中央諸国《しょこく》が歓迎《かんげい》を示したかと。聖連《せいれん》はそれを認める事で、P.A.Odaに同盟《どうめい》する彼らの貸しとし――』

『つまり、三河の東は放置《ほうち》となりますね。東の事はあまり詳しくありませんが、武田が南下をするのでは』

『そこまでは我らの与《あずか》り知らぬ事かと』

『Tes《テスタメント》.、――三征西班牙は?』

『総長連合《そうちょうれんごう》、生徒会の人員に、今後はキャリアとして新大陸行きを命じるものかと。今、大罪《ロイズモイ》武装《オプロ》の一つが予備状態となっているがゆえ、使用者を見出す意味もあろうか。ならば――』

『私に今から新大陸の料理に慣れておけと、そういう事です』

『闇よ』

そこから先、言われる事は解《わか》っている。

その意気《いき》だ、と言った上で、父はいつもこう繋げるのだ。

……〝あまり無理《むり》をするものではないかと〟、と。

父なりの気遣《きづか》いか。それとも他人事なのか。はたまた照れ隠《かく》しなのか、解らない。

ただ、女は仕事で三征西班牙弁《トレス・エスパニアべん》への変換をしていたのだろう。

送られてくるいつもの台詞《せりふ》が、

『あまりMURIをするものではないかTO』

とか、そんな風《ふう》に送られて来て、誾《ぎん》は父をお茶目《ちゃめ》だと思う事にしている。わざとではないと信じたい。というか最後のTOは何ですか一体。ダメ押しですか。

「――と」

気付くと、桶《おけ》を手繰《たぐ》る手が止まっていた。

動かす。すると桶が来る。

一息《ひといき》。

「全く」

桶を井戸《いど》の縁《ふち》に載《の》せて、誾はふと屋敷《やしき》の方に視線を向ける。

見えるのは屋敷の裏側だ。だがその向こう。庭ではぶっ倒れている若者が一人いる。

桶の水は、彼の目を醒《さ》まさせるためのものだ。

修練《しゅうれん》として、父に言われたがゆえに稽古《けいこ》をつけている。

「出来れば跡取《あとと》りにしたいなどと」

自分がいれば充分だろうに。

何しろ、ろくに剣を振る事も出来ない男だ。木刀《ぼくとう》も一本で相手が足りる。最近ちょっと粘るようになってきたが、訓練《くんれん》終了が大の字である事に変わりは無い。

自分としては乗り気ではないので、流石《さすが》に介抱《かいほう》するサービスはない。水をぶっかけて目を醒ませたら、屋敷の入口まで送って終了《しゅうりょう》だ。閂《かんぬき》を掛けるまでが一ターン。

冷たいようだが、それだけやってもまた来る。

「全く」

手元にある水面は、下に広がっているものよりも近い。

映る顔に、赤の色が一瞬《いっしゅん》見え、

「────」

夕日だった。だから、はっとして闇は桶の水で顔を洗う。

二度、三度。水の滴《しずく》を大きく桶に落とし、乱れた水面を見れば、

「よし」

顔色は影の色。しっかり見えている。だが、その桶を手に取り、

「く」

自分の顔を洗った水を、あの男に掛けるのは避けたい。

闇は水を野に撒《ま》き、もう一度、下に広がる水面に桶を投じた。

西の夕日に顔を向けると熱を得る。いけない。だから東を見れば、夜が見える。

日の沈んだ後。衰退《すいたい》を歴史再現《さいげん》に約束される三征西班牙としては、不吉《ふきつ》な色だ。そんな空の

向こうにおいて、今、大国《たいこく》が動いている。だが、

「……新大陸《しんたいりく》に行くとなると、私の今後において、東は無縁《むえん》かもしれませんね」

○

・**立花嫁**：『大体、こんな時期だったかと思います』
・**女　衆**：『…………』
・**立花嫁**：『……何ですか一体、その視線は』
・**金マル**：『……恋だよね』
・**●　画**：『いや、愛よ、そこまで行ってるわ。間違いないわね』
・**立花嫁**：『いや、ですから、どうしてそっちに振る脳《のう》なんです……！』
・**あさま**：『いやあ、私達の当時の暢気振《のんきぶ》りが引き立ちますねえ……』

●

浅間《あさま》は、回って行く東の空を見ていた。

先程《さきほど》、表示枠《サインフレーム》で調整《ちょうせい》していたのは、着港《ちゃっこう》シークエンスにおける武蔵《むさし》の結界《けっかい》だ。武蔵の結界は、対怪異《かいい》や対攻性《こうせい》情報など多重のものとなっているが、それは他との干渉《かんしょう》が無い航行時《こうこうじ》において最も出力を上げて、逆に着港時《ちゃっこうじ》には出力を落とし気味《ぎみ》とする。

これは、自動人形達《じどう》が扱う武蔵側の運航《うんこう》や、緩衝系《かんしょうけい》なども密接《みっせつ》なため、自動化が難しい部分だ。今もまた、武蔵野艦橋《むさしのかんきょう》から緩衝系や出力系《しゅつりょく》のレポートがグラフで来ており、浅間は結界などの範囲や出力を、そのグラフに合わせて変化させていく。

「また、操作《そうさ》してますの？　浅間」

「あ、はい。まあいつもの事ですから」

「いつもって……、昨年など、そうでしたかしら？」

いやいや、と浅間は苦笑《くしょう》で左右に手を振る。

「去年は、父《とう》さんからこれ任されたばかりで全く自動化とかされてなかったんで、着港時は帰宅《たく》して浅間神社《じんじゃ》の情報庫《データバンク》をベースにやってたんですよ。年始のピーク超えた辺りで大体の上限が見えたので、ハナミになるべく任せるつもりで一部自動化始めたんですね」

「凄《すご》いですわね……」

「いやいや、凄くないから自動化して楽したい訳《わけ》で」

実際、まだまだ簡略化《かんりやくか》出来るところはある。それに、

「今年はここのルートが変更《へんこう》になるので、昨年までの情報があまり使えませんで。ちょっと面《めん》倒《どう》ですね」

「ま、その御陰《おかげ》で武蔵が安心してられる、って訳だな」

「ええ、今年はトーリ君や喜美《きみ》の術式《じゅつしき》や昇位《しょうい》の話もしっかり出来ますよ。そして、ミトの方

も、術式《じゅつしき》とか加護《かご》とか、ちゃんと出来ますから安心して下さいね」

　特に、と浅間《あさま》はミトツダイラに言う。

「ミト、まだ神奏《しんそう》する主神《しゅしん》や系列《けいれつ》なんか決めてないですよね。〝浅間神社《じんじゃ》〟、っていう、お試しに近い広範設定で」

「え、ええ、Ｊｕｄ．《ジャッジ》、今のところ、それで困ってませんし……」

「ネイトは、騎士家系《きしかけい》のいろいろあっから、ガチ神道《しんとう》になると何か言われるかもしれねえしな。

──気が向いたらでいいんじゃねえの」

　言っている台詞《せりふ》の、始めと終わりが繋《つな》がってないが、それも彼の気遣《きづか》いだろう。

　気が向いたら、という事ならば、こちらも同意だ。

「じゃ、何か思い立ったら話して下さいね。きっちり対応しますから」

「……浅間も、段々と浅間神社の代表らしくなってきましたわねえ」

「おおう、どの辺りがですか？」

　騎士と王が顔を見合わせた。ややあってから彼が、

「飲む射《う》つ買わせる」

「い、いや、別に担当の身内には買わせたりしませんよーう？」

「あの、飲むのと撃《う》つのは否定しませんの？」

「それは必要な事なんで。ええ。ただ、

……何ともまあ。

こんな他愛《たわい》ない遣《や》り取《と》りをしながら、歩きつつの結界調整《けっかいちょうせい》。だが、彼や彼女という、そんな存在がいなければ、自分だって一人で黙々《もくもく》とこの作業をやる事になるのだ。

もっと楽出来るようになりましょう。そうすれば、もっと皆との時間が得られるし、彼らの世話《せわ》に時間が割ける。ええ、たとえば、

「……トーリ君、何か番屋《ばんや》の方から、〝馬鹿《ばか》の件でそっち行っていいですか〟って、何故《なぜ》か私に通神文《メール》来てるんですけど」

「あっれ？　今日《きょう》は小等部《しょうとうぶ》で暗黒邪神教《あんこくじゃしんきょう》のお面被《かぶ》ってガキ共追いかけ回しただけだぜ？」

「それで充分ですのよ！」

不法侵入《しんにゅう》とか、そのくらいならこっちでも対応出来るのでそうしておく。罰《ばつ》は――、

「トーリ君。小等部侵入と不規則言動《ふきそくげんどう》という事で、神罰《しんばつ》と御説教《おせっきょう》どっちがいいですか」

「浅間！　浅間！　後者は甘過ぎますのよ!?」

「つーか神罰だとどうなんの？」

検索《けんさく》してみた。

「ええと、……小等部侵入なので、今後三ヶ月、語尾《ごび》が〝でしゅう〟になるのと、毎日九九《くく》の完唱《かんしょう》を三十回に、尻《しり》に流体《りゅうたい》式の学校給食《きゅうしょく》が叩《たた》き込まれます」

「……我が王、御説教がいいと思いますわ私」

「んー、……じゃあ、後で術式調整《じゅつしきちょうせい》とかしながらくどくど言いますからね。それと公共奉仕《ほうし》もセットでやって貰《もら》うんですが」

「あー、うん、浅間《あさま》神社《じんじゃ》で巫女《みこ》のバイトか」

「我が王、女装《じょそう》ネタは……」

小等部《しょうとうぶ》の時に冗談《じょうだん》で巫女の格好《かっこう》をさせてみたら騙《だま》される人が続出したのだが、その辺りで行けると思ったらしい。中等部《ちゅうとうぶ》に入ってからは変装系《へんそうけい》の加護《かご》や術式も修めているため、一見では自分も解《わか》らない場合がある。

ともあれ、うちでバイトしている分には、外で悪さ出来ない筈《はず》だ。少しは治安《ちあん》もよくなるだろうと、そんな事を思いながら、浅間は結界《けっかい》の調整を詰める。

……ええと、次が新航路《しんこうろ》ですから……。

行き先は北。縁起《えんぎ》の悪い方角でありつつ、地上側における浅間神社の本拠《ほんきょ》たる富士山《ふじさん》がある。大峰《たいほう》サガルマータと合致《がっち》しているその神域《しんいき》は、浅間も数度しか赴《おもむ》いた事が無い場所だ。ひょっとしたら今後は毎年立ち寄れる事になるのかもしれない。ならば、

「浅間神社代表としては、遠江《とおとうみ》から三河《みかわ》まで、どんな結界調整を考えてますの？」

「ええ。――ちょっと、結界の強度を上げていこうかと思ってます。やはり初の航路に向けていく、という事になりますし、富士浅間が近いなら、強度を上げても神様の方からバックアップが得られると思うので」

それに、

「私としても、ちょっといろいろ試してみたい時期でもありますし。外殻《がいかく》結界だけじゃなくて、内部範囲《はんい》結界も短時間定期的に強度上げようと思ってるんですね。一応、乗員に害が無いリミッターは掛けておきますけど」

「浅間、結界強度上げると、何か起きんの？」

んー、と浅間は顎《あご》に手を当てた。

「簡単に説明すると、ほら、蚊取《かと》り線香《せんこう》みたいなものです。その本数を多くする感じで」

ミトツダイラが、ああ、と理解の頷《うなず》きを見せた。

「怪異《かいい》などを、一気に閉め出したり、潰《つぶ》してしまうんですのね」

「強くするとミトみたいな異族《いぞく》関係の人達に効果出てしまうんですけど、ここらちょっと複雑でして。まあ、皆には悪くならない感じで、怪異だけ祓《はら》おうという出力ですね」

「でもそれやったら、何かいきなり出て来たりしねえ？」

「んー。……それはそれで出してしまわないといけないような」

そう言って、浅間は調整の決定ボタンに手を掛けた。

「でもまあ大丈夫《だいじょうぶ》ですよ。何か出てくるには、要因が必要ですけど、この周辺は現在平和ですからね。だから結界強化の実験だと思って下さい」

ボタンを押す。

するると、わずかに空気が変わった。恐らくは、ボタンを押した自分と、彼とミトツダイラという〝解《わか》っている〟者だけが気付くような変わり方だ。

ミトツダイラが身を軽く震わせ、多めの髪《かみ》を揺らしてから、

「……今、ちょっと来たのが、そうですの？」

「ええ、武蔵《むさし》の自然降下《こうか》中に行っているから、出力系《けい》の負荷《ふか》無し。自然だったでしょう？

——これで安全と、そういう事です」

言った瞬間《しゅんかん》。いきなりの警報音《けいほうおん》が宙《ちゅう》を貫《つらぬ》いた。

……え？

音は短期の連続。危険を示すものだ。

全域《ぜんいき》警報。止まず叫び続ける音に動きを止めた浅間《あさま》は、ふと正面の二人を見て、

「あっ、な、何ですその〝解《わか》ってる解ってる〟っていう目つき！　私のせいじゃないですよ⁉

多分ですけど！」

●

アデーレは、バイトに行く前の早めの夕食を摂《と》っていた。

家は村山《むらやま》の地下にある。学生割引、特に中等部《ちゅうとうぶ》割引の利く学生長屋《ながや》の一角だ。両親共に亡《な》くしているアデーレは、トーリの母親が営む多摩《たま》の青雷亭《ブルーサンダー》から今日《きょう》もまたパン耳を貰《もら》っており、

「自宅栽培《さいばい》の野菜《やさい》と、配給《はいきゅう》の卵《たまご》があれば豪勢《ごうせい》ですねー」

野菜は、コンロに仕掛けっぱなしの鍋《なべ》ポトフに追加材料として投下《とうか》。

パン耳は、今日貰った分を笊《ざる》に載《の》せて乾燥《かんそう》に回す。そして以前から乾かしていたものを同じ幅で刻んで、バターを落としたフライパンで炒《いた》めていく。焦《こ》げ目が付いてきたら上から卵を割らずに閉じて塩胡椒《しおこしょう》。そして蓋《ふた》をして二十秒程。

火から上げると、バタークルトンの半熟《はんじゅく》目玉綴《と》じだ。クルトンに卵を落とす時、中央に一度集めた上で、真ん中だけ空《あ》けておくと卵に火が通り易《やす》く、加減《かげん》がいい。

皿《さら》を洗うのが面倒《めんどう》なので、使わない。アデーレは四畳間《よじょうま》のテーブルに鍋敷《なべし》きとフライパンを置く。ポトフは底の方から浚《さら》ってカップに入れ、

「よっし」

仕事前の食事としては、重過ぎず軽過ぎず。いいんじゃないでしょうか。旧派《カトリック》なので、一応は十字《じゅうじ》を切って、

「主《しゅ》よ。父と母と、他周囲の皆……、はあまりろくな事してませんが恵《めぐ》みに感謝します」

というか、父と母だけでいいような気もするが、

「……？」

警報だ。

……これ、確か、艦外《かんがい》に脅威《きょうい》が現れた時の警報ですよね。

表示枠《サインフレーム》を開くと、総長連合《そうちょうれんごう》の方からライブ画像《がぞう》が来ていた。従士志望者《じゅうし》ゆえ、武蔵《むさし》の予備《よび》隊《たい》に登録《とうろく》しているからだ。

解像度《かいぞうど》の低い動画《どうが》で見えるのは、恐らく左舷《さげん》。そこに漁《いさ》り火《び》のような光の並びがある。

「……霊体《れいたい》の船団《せんだん》？」

幽霊船《ゆうれいせん》の集まりだ。

各地域《ちいき》、数年周期で活性化するのに対し、武蔵《むさし》は巨体押《きょたいお》しで禊祓《みそぎ》を掛ける。山側や、特定の空域《くういき》でも似たような禊祓事案《じあん》はあるため、アデーレも見知った案件《あんけん》だ。だが、

……攻撃《こうげき》？

『数が多い！　あと、既《すで》に――』

連合《れんごう》の第一特務《とくむ》隊《たい》だろう。実況《じっきょう》の声と共に、画像《がぞう》が拡大する。そして見えたのは、
霊体船団の方から、光の矢のようなものが大量に撃《う》ち込まれている。無論《むろん》それらは、武蔵の持つ結界《けっかい》によって減衰《げんすい》され、消えて行くが、

『向こう、軽戦艦《けいせんかん》クラスも確認《かくにん》！　今は弓矢《ゆみや》だが、砲撃《ほうげき》に変わる可能性が強い！　出場出来る各員は、左舷、村山《むらやま》の外交港《がいこうこう》に集合。もしくは管区長《かんくちょう》の指示《しじ》を仰《あお》げ！』

アデーレは、その言葉を聞いて、目の前の料理を見た。思わず半目《はんめ》になった後で、

「――走って行きますか」

警報《けいほう》の種類が変わるのを聞きながら、アデーレは料理を急いで口に詰め込んでいく。

第三章

『空と段階』

未熟な空は狭いかしら
未熟ならば充分かしら
配点（あとでよく寝よー）

ミトツダイラは、浅間《あさま》神社《じんじゃ》に急いでいた。

後ろには王と浅間。両者とも、騎士《きし》として守るべき存在だ。

現在、周辺は警報《けいほう》と、慌《あわ》ただしい叫びや移動の音に塗《まみ》れている。左舷《さげん》艦列《かんれつ》の外舷《そとげん》側。南西の方から霊体《れいたい》の船団《せんだん》が武蔵《むさし》に攻撃《こうげき》を仕掛けてきているのだ。

初めは矢などを射掛《いか》けているだけだったが、今は射撃《しゃげき》に切り替え、どうにかしてこちらに攻撃を届かせようとしているらしい。

……幽霊船《ゆうれいせん》でも、戦艦系《せんかんけい》は攻撃的ですけど、ここまで多勢《たぜい》の船団は珍《めずら》しいですわね。

浅間が、表示枠《サインフレーム》で総長連合《そうちょうれんごう》から来る状況報告を確認《かくにん》している。結論は、

「浅間神社に行けば安全ですし、艦内の状況なども把握《はあく》出来ます。皆との連絡《れんらく》も確実になるので、急いで下さい！」

急いで、と言われるのがどうしようもないが、正直、あまり脚《あし》は速くない。

ヒールの高い靴《くつ》で歩いたり走ったりが作法《さほう》として身についているせいもあって、走り方に癖《くせ》がついているのだ。それに、

……人狼系《ルウガルウけい》のせいか、急がないと、と思うと、変に力が入るんですのよね……。

この辺り、純《じゅん》人狼だった母は全然違ったものだが、今思い出すべき事ではない。

浅間神社までは、自然区画《くかく》を抜けていく。一畳単位《いちじょうたんい》で地殻《ちかく》ブロックを組まれた人工の森。そこを走る自分に、これもまた足が遅い筈《はず》の王や、浅間もちゃんとついて来れている。特に浅間は、

……ああ、成程《なるほど》……。

胸があると、腕を縦《たて》に振らない。

更《さら》に言うと、胸がもっとあると、腕を横にもあまり振らない。

「ど、どうしたんですかミト⁉」

「いえ、あの、両腕振った方が速く走れますわよ？」

「――え？　いや、充分振ってますよ⁉」

一体何処《どこ》が。それは振っていると言うより、両腕で挟んで揺れを押さえてるのでは。

見れば自分の王が、浅間の真似《まね》をしてエア胸挟んだ走りをしているが、

「な、何ですかトーリ君！　私、そんな仰《の》け反《ぞ》って変な走り方してませんよ⁉」

本人が見て解《わか》るなら大体正解じゃありませんの。ただ、

「――――」

不意《ふい》の表示枠が、自分達の顔横に来た。鈴《すず》だ。彼女は今、実家の湯屋《ゆや》で仕事中の筈だが、

『あ、あのっ、こっち、大丈夫《だいじょうぶ》、御風呂《おふろ》、喜美《きみ》ちゃん、回って、大丈夫っ？』

成程《なるほど》、と走る浅間が呟《つぶや》いた。

「湯屋《ゆや》で喜美《きみ》がクルクル回っていておかしいんだけど平常運転だから大丈夫《だいじょうぶ》という事ですね」

「何処《どこ》変換したらそうなりますの？」

鈴《すず》の言っている事はよく解《わか》らないが、喜美が来店している。

喜美は同級生。我が王の姉だ。彼女としては、彼と外の状況が気になったのだろう。

そして鈴が、疑問を重ねてきた。

『い、一体、何があったの？』

●

鈴は、武蔵野《むさしの》地下の湯屋〝向こう水〟の脱衣場《だついじょう》にいた。

鈴は、生来目《せいらい》が見えない。そのため、今は砲撃《ほうげき》の震動《しんどう》を堪《こら》えるように喜美が肩を組んでくれている。そんな状態で、鈴は表示枠《サインフレーム》からの声を聞いた。まずはトーリからで、

『うん、あのなベルさん。——浅間《あさま》がボタンを押したら幽霊船《ゆうれいせん》が出たんだよ』

「えっ」

御免《ごめん》なさいトーリ君。意味が良く解らない。というか流石《さすが》、と思ってしまって困る。

あと、横にいた喜美が、不意《ふい》に肩を抱く腕を解き、そのまま床に倒れ込んだ。

「フ、フフ、外部脅威《きょうい》の警報《けいほう》かと思えば、幽霊船とは……、も、もう駄目《だめ》ね」

幽霊嫌《ぎら》いというか、怖《こわ》い物苦手《にがて》な喜美だが、反応が素直過ぎる。

「き、喜美《きみ》ちゃん、落ち着いて。脱衣場《だついじょう》、まだ、拭《ふ》いてない、し」

「いいのよ！　ウエット！　ウエットかつメッシーで私は恐怖《きょうふ》に沈んでいくの……！」

いつもの流石《さすが》だ。だが、通神《つうしん》ではミトツダイラが盛り上がっていた。

『ち、違いますわよ我が王。――浅間《あさま》が我が王の御尻《おしり》を守ってボタンを押したら幽霊船《ゆうれいせん》が出たんですのよ！』

ミトツダイラさん声大きい。外に退避《たいひ》したお客様がこっちに顔向けてる。だけど、

『な、何言ってるんですかミト！　別に私は何もしてないですよ!?　ただトーリ君に御説教《おせっきょう》する約束して、結界調整《けっかいちょうせい》のボタンを押したら、たまたま、偶然《ぐうぜん》、ほら、極小確率《きょくしょうかくりつ》で物事が重なる時ってあるじゃないですか。それで幽霊船が出るタイミングが合ってしまったんですね。いやあ、大変です……』

何が何だか解《わか》らない。ただ、今、言えるのは、

「全員の証言《しょうげん》、食い違って、る……？」

〇

・**賢姉様**：『フフ、名探偵《めいたんてい》ベルサンの推理《すいり》が光るわね！　さあ、ボタン押して幽霊船出したのは一体誰《だれ》なのかしら！　ここは助手《じょしゅ》の私がオッパイ捜査《そうさ》で犯人割り出すわよ！　ハイ、アデーレ！　アンタ、うーん、一抜《いちぬ》けねえ。次は頑張《がんば》るのよ』

・**貧従士**：『な、何でいきなり自分なんですか！　出来ればメインイベントとして一回里見《さとみ》生徒会長を挟むとかしましょうよ！』
・**義**：『こっちを巻き込むな……！　今、仕出《しだ》し弁当《べんとう》食ってる最中《さいちゅう》だぞ！』
・**金マル**：『……というかアデーレ、ラスボス？』
・**●画**：『まあ大体そんなもんでしょ。――でもこの時、私達も上で待機《たいき》しながらコレ聞いてたけど、何言ってるか解らなかったわねえ……』
・**あさま**：『あ、ナルゼ達も出てたんでしたっけ？』
・**●画**：『Ｊｕｄ《ジャッジ》．、ちょっと運が悪かったわね』
・**ベル**：『運？』
・**●画**：『Ｊｕｄ．、実は仕事で出てた訳《わけ》じゃないのよ。上には』

●

　ナルゼは、警報音《けいほうおん》に箒《ほうき》の動きを止めていた。

　羽根《はね》箒型。魔女《テクノヘクセン》の箒としてはブラシ部分が大きいために強い加速性《かそくせい》を持つものだが、空中に停止するとなるとやや面倒《めんどう》だ。何しろ燃費《ねんぴ》が悪くなる。だが、

「とりあえず皆の邪魔《じゃま》にならないよう、停止義務は守っておこうよ、ガっちゃん」

「そうねマルゴット。――あ、停止表示《ひょうじ》は私が出すわ。描けるから」

言って、ナルゼは停《と》まった自分達の頭上《ずじょう》に停止表示《ひょうじ》の赤ラインつき魔術陣《マギノフイグーア》を描いた。手描きだが、市販品《しはんひん》をわざわざ買って携帯《けいたい》するのは魔女《テクノヘクセン》のやり方ではない。

とりあえずこれで、武蔵《むさし》の空を借りる者としての義務は果たしたのだ。後は、

「マルゴット、状況、解《わか》る？」

Ｊｕｄ．《ジャッジ》、とマルゴットが頷《うなず》いた。彼女は下、奥多摩《おくたま》の方を指さし、

「アサマチがトーちゃんの尻《しり》守る説教《せっきょう》ボタン押したら極小確率《きょくしょうかくりつ》で幽霊船《ゆうれいせん》が出たって」

「……ふふ、マルゴットったら、警報《けいほう》の鳴る緊迫《きんぱく》した状況で私を笑わせようと変なギャグ言って。でもちょっと可笑《おか》しかったから私の負けね」

「いや、ホントホントホント、コレ見てよガっちゃん」

言われ、彼女の差し出した魔術陣を見る。

本当だった。

「……あの馬鹿共《ばかども》なにやってんのかしら」

「さあ、……と、おおう」

マルゴットが見上げる空。光のラインが三本程左舷《さげん》から右舷《うげん》方面へと抜けていった。

「え？」

今までの、矢や、射撃《しゃげき》ではない。浅間《あさま》神社《じんじゃ》の結界《けっかい》でも減衰《げんすい》し切れないその三連撃《れんげき》は、

「霊体船団《れいたいせんだん》からの砲撃《ほうげき》!?　――沈めたがりのタイプでも、結構《けっこう》ハデよ？」

叫んだ眼下《がんか》、武蔵各地が薄い明るさを増すのをナルゼは見た。各所に集合している戦士団《せんしだん》や番屋《ばんや》が、今の砲撃を確認《かくにん》するため、表示枠《サインフレーム》を一斉《いっせい》に開いたのだ。

自分達はそれを視認《しにん》出来る位置にいる。そしてさっきの砲撃は、

「南から北へ、だったわね」

ならば砲撃手《しゅ》は南にいる。

見れば、南の空に光の漁《いさ》り火《び》が見えた。船の群。ドラゴン級のものばかりだが、

「何、あれ……」

おかしいわね、とナルゼは首を傾《かし》げた。

「普通、船《ふな》幽霊って言ったら漁船《ぎょせん》でしょ？　よくてクラーケン級。ソレが何でドラゴン級軽戦《けいせん》艦《かん》なんて出て来てるのよ」

●

妙《みょう》をナイトは感じた。

ここは駿河《するが》の西。海岸線は直線に近く、海は穏《おだ》やかな土地だ。海の事故は、魔海流《まかいりゅう》のある遠《えん》洋《よう》でこそ起きるが、そこまで出る船は希《まれ》だ。

霊体化するような遭難《そうなん》事件は少ない。

船幽霊は、海峡《かいきょう》などがある極東《きょくとう》西側、または荒れた海のある阿蘭陀《オランダ》方面などが主であり、

……大体、こんな地域《ちいき》に、こんな攻撃《こうげき》的な船幽霊《ふなゆうれい》出て来た事あったかなー。

疑問には思う。が、調べる気も意味も無いものだ。横のナルゼも、

「末世《まっせ》が近くて怪異《かいい》がたくさん。最近は神啓《レディオ》でもよく言われてるものね」

「ぶっちゃけナイちゃん達世代《せだい》だと、生まれた時からこんなだから、こんなもんかな的に過ごしてるけどね」

と、空で光が散った。直撃軌道《ちょくげききどう》だった流体砲《りゅうたいほう》を防護障壁《ぼうごしょうへき》が守ったのだ。おお、と眼下《がんか》の町から人々の声が上がる。

警報《けいほう》は今や半鐘《はんしょう》型にシフト。緊急《きんきゅう》警報から避難《ひなん》警報に変わっている。

人々が行くべきは地下だ。だとすれば、

『双嬢《ツヴアイフローレン》、俺《おれ》だ』

いきなりの表示枠《サインフレーム》に、ナルゼが吐息《といき》する。

『誰《だれ》よ気持ち悪い名前を名乗らず魔女《テクノヘクセン》に挨拶《あいさつ》とは呪《のろ》い対策それとも無礼《ぶれい》か脳《のう》が子供並なのかどちらなのかしら一体どうしたの〝提督《アルミランテ》〟。配送業の元締《もとじ》めが面倒《めんどう》になった？』

『相変わらず口の減らねえ魔女だ。気に入った。雑用をくれてやる』

『あれ？　何、提督？　現場に行けってんじゃないの？』

『お前らが隠《かく》し持ってる射撃術式《しゃげきじゅつしき》より、俺達が常備してるものの方が上だぜ』

言ってくれる。だが、ナルゼは問うてみた。

『対艦《たいかん》出来んの？』

『だから〝提督〟って言うんだぜ』

下で歓声《かんせい》が上がって、空で光が連続して散った。敵の狙《ねら》いが段々と高度などを合わせ、武蔵《むさし》狙いで正確になってきている気がする。そして、

「マルゴット、左舷《さげん》に輸送艦《ゆそうかん》が出るわ」

武蔵所有の輸送艦。甲板《かんぱん》にいるのは武蔵アリアダスト教導院《きょうどういん》の学生達や、従士隊《じゅうしたい》だ。

武蔵は貿易艦《ぼうえきかん》であり、極東所属《きょくとうしょぞく》であるため、基本、交戦《こうせん》活動は認められていない。

だがどの国にも所属していない怪異《かいい》が相手となれば別だ。

一般人《いっぱんじん》、学生戦士団、そして従士隊や騎士《きし》達が前に出て可能な限りの戦陣《せんじん》を張る。

とは言っても、

「——戦力《せんりょく》外通告受けたら、する事ないわね、マルゴット」

「いやいや、地味《じみ》な仕事来てるよ？」

見れば、〝提督〟から通神文《メール》が来ている。

「……下の長屋《ながや》に、加護《かご》を掛けて回れってね。確かに地味だわ」

「〝青雷亭本舗《せいらいていほんぽ》〟に行ったらトーちゃんも喜美《きみ》ちゃんもどっちもまだ帰宅《きたく》してないし、帰りには船幽霊《ふなゆうれい》だし、何か今日《きょう》はついてないね」

そう言って振り向いた先、ナルゼが、空ではなく、眼下に視線を向けていた。

「どったの？　ガっちゃん」

言うまでもなく、妙《みよう》なものが自分の視界《しかい》にもちらついている。それは、

「自然区画《くかく》……？　否《いな》、どうして浅間《あさま》神社《じんじや》の近くに？」

ナルゼが、頷《うなず》くなり魔術陣《マギノフイグーア》を通信仕様で開いた。

「浅間！　何か、ボワっとした変な流体《りゆうたい》の霧《きり》がそっちに出てるわ！」

●

は？　と浅間は、魔女《テクノヘクセン》からの通神《つうしん》に疑問していた。

「ボ、ボヤっと？」

『え？　違うよアサマチ。もっとこう、ボ、ボワーっと、そんな感じ？』

「いや、ナルゼもナイトも、出来ればもっと新感覚じゃなく解《わか》りやすく……」

『Ｊｕｄ．《ジヤツジ》、浅間、私からちゃんと正しく言うわ。

上から見ると、ええ、――ボワっとした変な流体の霧よ』

浅間は通神を切った。前方、地殻《ちかく》ブロックの段差《だんさ》を跳び越えるミトツダイラが、

「？　――どうしたんですの？」

「八割程天然の嫌《いや》がらせだと思いますけど二割は確かだと思うので気を付けて下さい」

はあ、と頷くミトツダイラと自分の間。彼が不意《ふい》に、歩速を緩めた。

「あれ？」

「――？　どうしたんですかトーリ君。浅間神社の敷地《しきち》に入ってしまえば安全ですから、何かあったらそこで御願《おねが》いしたいんですけど……」

「ああ、そりゃ解ってるんだけどさ。ほら、あれ」

トーリが指で示す方角。左舷《さげん》側の方に、

「何だアレ？　追われてねえか？」

振り向いた視界の中。一つの構図《こうず》が見えていた。

自然区画に沈み込むような白い霧の中、誰《だれ》かが誰かに追われている。

お互いの関係も解らないのに〝追われている〟と解るのは、

……武器《ぶき》？

一人を、武器を持つ複数が追い立てる。それを理解した瞬間《しゅんかん》。彼が言った。

「ネイト」

「――Ｊｕ《ジャ》、Ｊｕｄ．！　何ですの!?」

「何か悪い予感しねえか？　――浅間も」

言われてしまうと、頷くしかない。

「番屋《ばんや》への手配《てはい》はしましたし、父《とう》さんと〝奥多摩《おくたま》〟さんには連絡《れんらく》しました。補足《ほそく》も入ります。私は浅間神社代表で、ミトは騎士《きし》第一位ですけど、トーリ君は一般人《いっぱんじん》なので、あまり無茶《むちゃ》しない事を条件に全てを許可します」

「……怒った？」

いえいえ、と浅間《あさま》は言う。実際、怒っていない。

……トーリ君らしい、と、そう思っただけですから。

ただ、自分達が今すべきはある。それはトーリの言う、

「ネイト、ちとあいつら追ってくれ。何かヤベぇと思った時、どうにか出来ると思ったら、どうにかしていいからよ」

命令だ。

浅間は、ミトツダイラが表情を変えたのを見た。

眉《まゆ》を上げ、目を見開き、驚きの形からすぐに眉を立て直し、

「Ｊｕｄ．《ジャッジ》！」

……わあ凄《すご》くいい返事……。

よく考えるまでもなく、彼から彼女への、初となるような明確な戦闘系《せんとうけい》オーダーだ。これは自分もバックアップをしてやらなければなるまい。ならば、

「ミト、――身体《しんたい》強化など加護《かご》として掛けて、あの集団を追えるようにします。詳細《しょうさい》情報など、来た順に送りますから、……急いで！」

第四章

『威勢と思索』

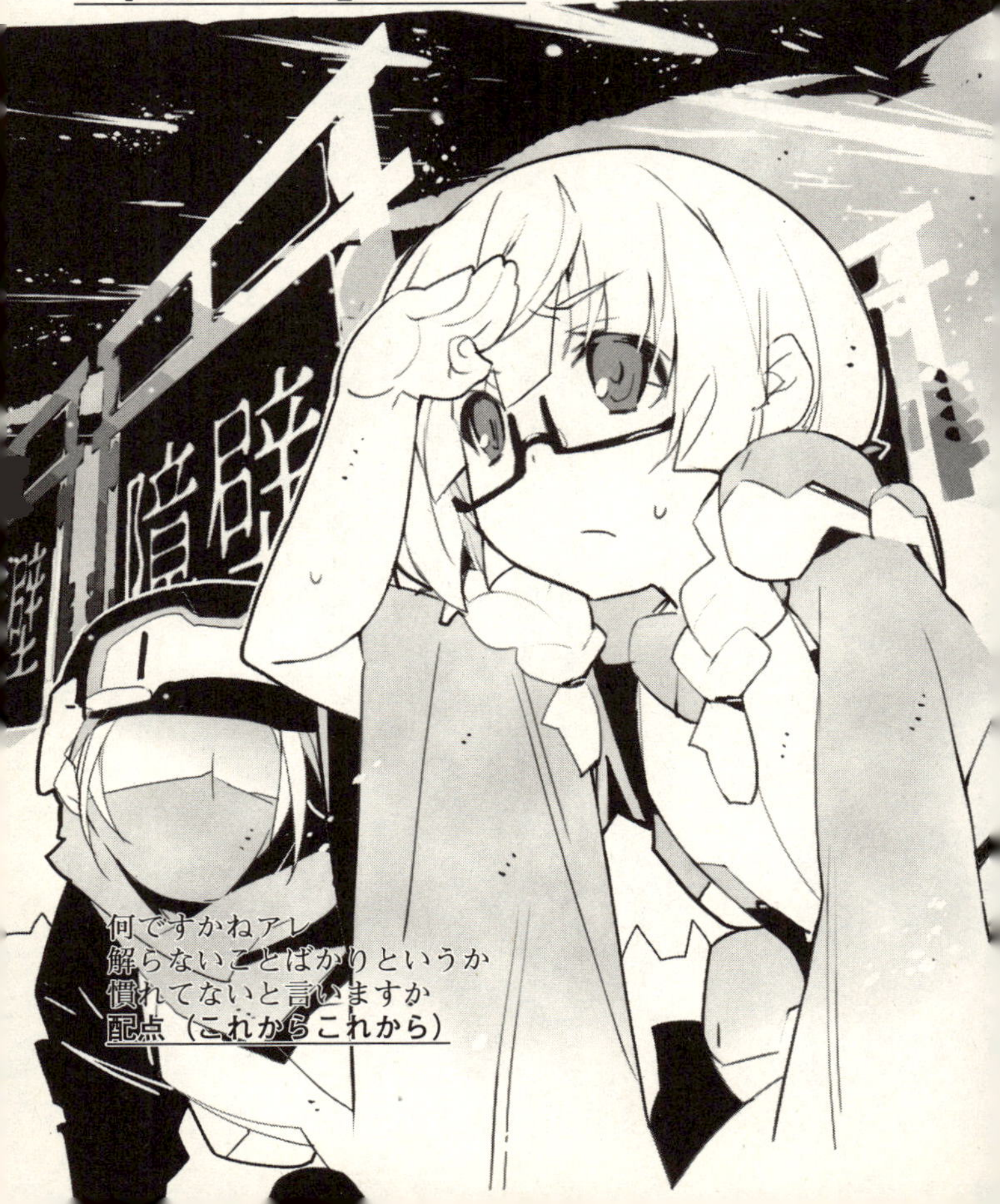

何ですかねアレ
解らないことばかりというか
慣れてないと言いますか
配点（これからこれから）

アデーレは前線に出ていた。

……とは言っても、左舷《さげん》二番艦《かん》。村山《むらやま》の外交港《がいこうこう》ですね。

防御《ぼうぎょ》は武蔵《むさし》側が防護障壁《ぼうごしょうへき》で処理《しょり》をし、敵は浅間神社《あさまじんじゃ》の結界《けっかい》で寄ってくる事が出来ない。

「無敵《むてき》プレイに近いですかね、コレ」

「いや、アデーレ殿《どの》、こちらにも明確な攻撃《こうげき》手段が無いで御座《ござ》るよ」

と、近くで応じるのは、自分と共に出ている点蔵《てんぞう》だ。

自分も彼も、中等部《ちゅうとうぶ》ながら、高等部《こうとうぶ》に付随《ふずい》する予備隊《よびたい》に入っている。

予備隊は、後の総長連合役職者《そうちょうれんごうやくしょくしゃ》や、従士隊《じゅうしたい》、戦士団《せんしだん》など、武蔵の戦闘系要職《せんとうけいようしょく》への近道となる組織《そしき》だ。

自分は将来従士に、点蔵の方は総長連合に参加しようという流れから、同じ班《はん》に所属《しょぞく》して活動を行っている。だが、

「まあ、連絡係補助班《れんらくほじょはん》って事になってますけど、実質、点蔵さんと自分だけですよね」

正直、自分としては防御側に回りたい。何しろ従士志望なのだ。騎士《きし》達の道をつけ、盾《たて》として全体を護《まも》り、陣《じん》を作るのが従士の華《はな》。だから、

「盾持ちの訓練《くんれん》とか、自分、早く始めたいんですけどねー」

「いやまあ、今のアデーレ殿は、部下《ぶか》がいる程の地位で御座ろうし」

言って点蔵が振り向く先。

「……！」

吠《ほ》え声だ。犬の群がいる。

どれも鳥居《とりい》型首輪《くびわ》で連絡用表示枠《サインフレーム》を携《たずさ》えた犬達だ。数は二十を下らず、

「あー、まあ、この子達、ちゃんとした飼い主さんから借り受けてるだけなんで、正直、傷つけちゃったらヤバいなー、とか、そっちの方がプレッシャーなんですよね」

「確かに。貸す方に覚悟《かくご》しろと言っても無理《むり》で御座るしなあ……」

「Jud.《ジャッジ》、だから平和な世の中が一番なんですけど……」

と、結構《けっこう》な近くで流体光《りゅうたいこう》の飛沫《しぶき》が上がった。

おお、と前に出ている学生達が声をあげるような至近弾《しきんだん》だ。

砲撃《ほうげき》は散発。威力《いりょく》は充分にあるが、密度《みつど》がない。ただ、

「……何だか、狙《ねら》いが定まって来ている気がするので御座るが」

「あ、点蔵さんもそう思いますか？」

問うと、点蔵が、ふむ、と頷《うなず》いた。彼の手元、連絡文《れんらくぶん》の表示枠が幾《いく》つか来ている。それを点蔵は束《たば》にして指に挟むと、

「ちと、移動しながら、砲撃の測距《そっきょ》をして、狙いなど確かめてみるで御座るよ」

「あ、御願《おねが》いします。自分の方も、動けるようになったら測距術式《そっきょじゅつしき》で見て見ます」

「そうで御座《ござ》るな。この辺り、ある程度大きく移動出来る自分らの仕事でも御座ろう。先輩方《せんぱい》、既《すで》に気付いている事かも知れぬで御座るが、情報送ってみるで御座る」

言うなり、忍者《にんじゃ》が姿《すがた》を消した。

……流石《さすが》速い……。

あれだけ仕事が出来て気配《きくば》りも出来るのに、どうして彼女も候補《こうほ》もいないのだろうか。

噂《うわさ》によると、金髪巨乳《きんぱつきよにゆう》が好みとの事だが、その辺り高等部《こうとうぶ》になったらハッキリする事になる気もするし、そうなったらそうなったで、

……もはや候補もいなくなりますよねー……。

しみじみそんな事を思う頭上《ずじよう》。また、頭上を白の光が突き抜けていった。その軌道《きどう》、艦尾《かんび》側に振れている流れは、

……あれ？　あっちの方向って……。

浅間《あさま》神社《じんじゃ》がある方じゃなかっただろうか。

○

・**傷有り**：『点蔵様、その頃《ころ》から御仕事で頑張《がんば》っていたんですね……』
・**金マル**：『おおっと、惚《ほ》れ直し！　メーやん惚れ直しだねえ』

・傷有り：『いえ、そうではありませんよ。だって、直すような戻しはありませんから』
・貧従士：『じ、自分、ついうっかり金髪巨乳がどうかとか彼女いないとか言ってしまいましたが、これは見逃《みのが》しですね⁉』
・賢姉様：『というか点蔵は？』
・傷有り：『Jud《ジャッジ》．、向こうでもう眠ってらっしゃいますので、後で膝枕《ひざまくら》を……』
・あさま：『ハイ充分に血糖値《けっとうち》上がったところでミト！　回想《かいそう》ですよ！』
・銀　狼：『あの、私、記録装置《そうち》のデッキか何かと思われてませんの？』

●

ミトツダイラは、森の中を走っていた。地殻《ちかく》ブロックの段差《だんさ》を蹴《け》り、思うのは、

……全く、どういう事ですの⁉

霊体《れいたい》の船団《せんだん》が武蔵《むさし》を襲《おそ》っている。

武蔵の防御《ぼうぎょ》性能は高いが、万《まん》が一《いち》の事態《じたい》もあるし、別の事案《じあん》が発生する事もある。

非常時の〝非常〟とは、武蔵に起きている災《わざわ》いの事だけではない。

「これも、それですわね……！」

右前。人工の森を行く集団が、霧《きり》の中に影として見えている。

誰《だれ》かを追っているらしい。十人程の先頭《せんとう》には、彼らを率《ひき》いるリーダーらしき影も見える。

リーダーの脚《あし》は速い。だが、後続の連中《れんちゅう》は、

……私でも追いつけますわね……！

高揚感《こうようかん》がある。獲物《えもの》を追う、という本能的なものもあるが、

……我が王の、命《めい》によるものですわ！

心が踊《おど》る。夜の森を行くのは久し振りだ。本国、六護式仏蘭西《エグザゴン・フランセーズ》の意向によって武蔵《むさし》に単独移住する前は、実家の裏山でよく遊んだ。たまに遭難《そうなん》もした。

母に連れられて獲物を狩《か》る体験もしたし、夜の森を星見《ほしみ》に歩いた記憶《きおく》もある。

無論《むろん》、森中行動の得手《えて》と言う訳《わけ》ではない。ただ、夜の森に対しての怯《おび》えが無いだけだ。

王の命を得て、ミトツダイラは前に行った。

●

ミトツダイラは、心に決めている事がある。

それは、以前、荒れていた時代の反省から、必要な時以外は力を使わぬと言う事だ。

自分の王は、

「俺《おれ》には使えよ。失礼《しつれい》な事をするからな……！」

などと言って、本当に〝犬扱い〟などしてくるので、そのたびにストレスを……、あ、いえ、いつも暴《あば》れたいと言う訳ではありませんの。これはつまり――。

○

・**賢姉様**：『フフ、王様にじゃれて遊んだりクンクンしたいんだけど、プライドが許さないって感じのストレスかしら？』
・**●　画**：『で、それを王様が〝犬扱い〟って言い訳してくれるからラッキー？』
・**ホラ子**：『ミトツダイラ様、本日追い詰まりまくりですねえ』
・**銀　狼**：『何か勝手《かって》に見解決められてますのよ――!?』
・**あさま**：『というか実際はどうなんですかその辺り』
・**現役娘**：『――ハイ、ネイト！　肉食系《けい》の私の娘《むすめ》として、その辺りハッキリ！　ハッキリしなさいな貴女《あなた》！　大事《だいじ》な人を舐《な》め回したりじゃれついて上になってハフハフキュンキュンするのは狼《おおかみ》の嗜《たしな》みですのよ!?　年齢《ねんれい》関係無し!!　さあ、素直になって、さん、はいっ』
・**銀　狼**：『何か余計《よけい》なのまで来ましたのよ――!?』

●

ミトツダイラは、騎士《きし》だ。
武蔵《むさし》内、騎士連盟《れんめい》の第一位であり、己《おのれ》が信じる王の騎士でもある。
公《こう》と私、二つの騎士として、しかし今は前者が疎《おろそ》かだ。

荒れたがゆえに、公《おおやけ》の騎士《きし》としての立場を取り戻すのは難しいと、そう思っている。

……正直、私の騎士身分を剝奪《はくだつ》して頂《いただ》いても構いませんのに。

だが、思った以上に、自分の名は面倒《めんどう》だった。

ミトツダイラ。つまりは水戸松平《みとまつだいら》の変名だ。

極東《きょくとう》においては、代表者である松平・元信《もとのぶ》が三河《みかわ》にいる。

つまり自分は、松平の分家《ぶんけ》に所属《しょぞく》する存在だ。まだ、歴史再現《さいげん》がそこまで整っていないが、極東の継承者《けいしょうしゃ》としては、嫡子《ちゃくし》のいない松平・元信の次に位置する。

ならば今の己《おのれ》は、本国、六護式仏蘭西《エグザゴン・フランセーズ》が、後の極東の世に干渉《かんしょう》するためにその襲名権《しゅうめいけん》を得て、武蔵《むさし》へと派遣《はけん》した襲名者。

この名と、六護式仏蘭西の意思《いし》ゆえ、やはり騎士の立場は剝奪されないのだろうか。

外から見たら、六護式仏蘭西と襲名の威《い》を借る者だったろうに。

だが、そんな自分も、騎士である事以外を捨て、やり直すと決めた。

王が、拾うでも救うでもなく、ただ必要だと欲してくれたからそう出来た。

王の命《めい》は至上《しじょう》。それは自分の未来の肯定《こうてい》に繫《つな》がる。

そして王はこう言った。

「――何かヤベえと思った時、どうにか出来ると思ったら、どうにかしていいぞ」

ヤバいと思う程、狼《おおかみ》の気質《きしつ》は削《そ》がれていない。

荒れていたのだ。

自分は、抑えているだけであって、弛《たる》んではいない。それを知っているからこその「どうにか出来ると思ったら」だ。

ゆえにミトツダイラは集団の右背から行った。まずは敵の正体を見極《みきわ》めるため、嗅覚《きゅうかく》に頼る分を大きくしながら人工の森を走り、

……これは——。

気付いた事がある。

『この集団、霊体《れいたい》ですわ……！』

●

浅間《あさま》は、ミトツダイラから飛んで来た通神《つうしん》で頷《うなず》いた。

自分達は浅間神社《じんじゃ》の艦尾《かんび》側入口に足を止め、周辺の動きを確認《かくにん》中だ。

左舷《さげん》側から幽霊船団《ゆうれいせんだん》が来ているため、中央後艦《こうかん》の人員は左舷寄りだ。学生達のみならず、番《ばん》屋《や》や青年団なども左舷に集中している。

こちらの状況に対し、人員を割《さ》くのは難しい。

「どーして番屋の連中《れんちゅう》とか、いつも俺《おれ》を捕縛《ほばく》する時みてえに来てくんねえの？　——あ、ひょっとして連中、俺の事がＤＡ・Ｉ・ＪＩ……？」

「非常事態《じたい》なんでネタをスルーで行きますけど、要するに幽霊船団《ゆうれいせんだん》にガチで襲《おそ》われるなんてレアケースなんで、皆、現場から下がって良いかが判断《はんだん》出来ないんだと思います」

よくある事だ。

……だけど、今のミトの報告で、ちょっと応対を変えられますね。

相手は霊体《れいたい》だと言っているミトツダイラの言葉を、浅間《あさま》は信じた。

ミトツダイラは人狼《ルウガルウ》の血を引いている。特性として嗅覚《きゆうかく》は鋭く、生物と流体《りゆうたい》存在を間違える事は無いと言える。

「ミト、――匂《にお》いが無い訳《わけ》ですね？」

『Ｊｕｄ《ジヤツジ》．！　その通りですわ！　武蔵《むさし》上で生活している霊体とも違いますの！』

「どういう事？」

「はい。ミトが走りながらクンクン舐《な》め舐めして判断した結果ですが――」

『してませんのよ……!?』

ミトちょっと割り込まないで下さい。

ともあれ本人から抗議《こうぎ》が来たら仕方ない。表現が悪かったらしい。ならば、

「じゃあ、ミトがスハスハペロペロして判断した結果ですが――」

『だからしてませんのよ!?　単に匂いとして鼻に来ないだけですのよ！』

「ですよね。そう思ってました。ええ」

通神《つうしん》が向こうから切られたが、短気《たんき》はいけないので強制再接続しておく。通神の大家《おおや》をナメてはいけません。ともあれ、

「霊体と言っても、武蔵で生活してたら衣食住《いしょくじゅう》の影響《えいきょう》を受けます。服など着替えたりがありますしね。でもそういうのも無いという事は、衣服や装備なども霊体として一個になってしまっているタイプという事で、これ、霊体としては大体が低級なんです」

恐らく、と浅間は言葉を間に置いた。

「――知能もあまり無いような、怨霊《おんりょう》？　その類《たぐ》いかも知れません」

「つーか、何でそんなのが出てきてんだ？　ここ浅間神社《じんじゃ》の鎮守《ちんじゅ》の森だよな？」

「それを言われると、私としても実はよく解《わか》ってなくてすみません……」

実際、どういう事でしょう、と一番疑問に思っているのが自分だ。

武蔵の結界《けっかい》は充分に働いている。流体砲《ほう》のような密度《みつど》の高いものならばともかく、外部から怨霊などが侵入《しんにゅう》しようとしても、武蔵に辿《たど》り着く前に減衰《げんすい》して消える。

……だとすれば、あの怨霊、武蔵に既住《きじゅう》の存在ですか？

否《いな》。そうであるならば、生活臭《しゅう》ともいえるものにミトツダイラが気付いている筈《はず》だ。

あれは、不意《ふい》に生じたものだと、自分の勘《かん》もそう告げている。

だが、どうやって、浅間神社の鎮守の森に、霊体が出現出来たのだろうか。

理屈《りくつ》が解らないならば納得《なっとく》出来ないというのは、賢《さか》しらな悪い癖《くせ》だとは思う。目の前で起き

ている事実を捉《とら》え、動いて結果を求めればいいだけだからだ。
だから浅間《あさま》は頷《うなず》き、トーリに視線を向けた。すると彼は、
『ネイト、浅間の見立てだと、そいつら怨霊《おんりよう》だって』
だから、
『やっちまえ。動く恨《うら》みってのは、放っておくとろくな事になんねえ』

○

・ホラ子：『浅間様、アレがそんな格好《かつこ》良い事を言ったのですか……』
・あさま：『え？　い、言いましたよ？　ね？　ねえミト？』

●

ミトツダイラは、王からの通神《つうしん》を聞いた。

『ネイト、俺《おれ》から騎士《きし》への命令だ。恨みが高位になるのを見逃《みのが》しちまうとろくな事にならねえ。お前だったらやれる筈《はず》だ。頼むぜ』

○

・あさま：『ミト！　ミト！　何か過去がパワーアップしてますよ！』

・**銀　狼**：『い、いえ、私の記憶《きおく》の中ではこうですわよ？　わよ？』
・**煙草女**：『もはや〝記憶には個人差があります〟の世界さね……』
・**傷有り**：『いえ、大事《だいじ》な事は正確に憶《おぼ》えているものですよ。私だって、点蔵《てんぞう》様が迎えに来てくれた時の事は一字《いちじ》一句《いっく》、お互いの遣《や》り取《と》りも正確に憶えてますし』
・**金マル**：『メーやん、言葉をそのまま受け取るから、正確にイメージ捉えてるよね……』
・**●　画**：『情報端《スレッド》回すわ……』

●

ミトツダイラは、相手を窺《うかが》う事をしなかった。

相手は怨霊。浅間神社《じんじゃ》のお墨付《すみつ》きも得た。

力はあるのだ。速度も、今ならばこちらが上だ。後は走りながら腕を振りかぶり、その動きで長めの袂《たもと》を下腕《かわん》に巻く。動きやすくする事もだが、防御《ぼうぎょ》用でもある。後は前に出て、

「……！」

突き抜ける白の霧《きり》は、冷気と流体《りゅうたい》によるものだ。

その流れはこちらの突撃《とつげき》で歪《ゆが》んで弾《はじ》けるが、足取りを止めるものではない。

叩き込んだ。

武器《ぶき》は無い。

用いるのは手刀《しゅとう》の突き。人狼《ルウガルウ》にとっては基本となる攻撃《こうげき》だ。

当たる。そして、

……良し！

貫《つらぬ》いた。

相手の姿《すがた》は、軽装甲《けいそうこう》を模《も》したもの。流体《りゅうたい》で出来ているが、形が揺らいでおり、全体はあまり定かではない。首横と腰横のハードポイントパーツは見て取れるが、立方体《りっぽうたい》のようだ。極《きょく》東《とう》か英国、M.H.R.R.《神聖ローマ帝国》の者という事だろうか。

その身を、後ろから己《おのれ》の手刀で抜いた。

硬い、と一瞬《いっしゅん》ミトツダイラは思った。弾力《だんりょく》がある、ともミトツダイラは感じた。

強く張った布のような、指先は沈むが、全体はこちらを跳ね返すような硬さだ。

構わなかった。

踵《かかと》で走る脚《あし》をそれでも前に振り、ミトツダイラは攻撃を突き抜いた。

〝布〟が破れた。

断ち切った弾力が、しかし指から腕に纏《まと》わり付いてくる感触《かんしょく》。腕には袂《たもと》が巻かれているが、それを通して冷気が来る。今は春だというのに、酷《ひど》く冷えるが、

「御免《ごめん》あそばせ」

ミトツダイラは言った。

「極東制服《せいふく》、質が高くなれば防護《ぼうご》能力や加護《かご》なども織り込まれてますのよ……！」

相手とて、霊体《れいたい》になる前は己の制服がそうであると理解していただろう。

神代《かみよ》の時代から伝わる平服《へいふく》としてのインナースーツと外装《がいそう》の組み合わせ。本来、天上《てんじょう》の虚空《こくう》や、重力帯《じゅうりょくたい》や異概念下《いがいねんか》などの過酷環境《かこくかんきょう》で活動するためのものだが、現代においては戦闘《せんとう》用を主眼《しゅがん》として作られている。

ミトツダイラのような襲名者《しゅうめいしゃ》となれば、生地《きじ》のみで防護や対霊《たいれい》加護が織り込まれ、

「――――」

突き込んだ腕に纏わり付く流体の身体《からだ》が、解け、波紋《はもん》のように広がった。

巻いた袂。刺繍《ししゅう》された文様《もんよう》が光り、加護の発揮《はっき》を知らせている。

そして相手が散った。

まずは一人、打ち散らしたのだ。

●

ミトツダイラは、手応《てごた》えを感じた。

……いけますわね……！

実戦、といえるものは久し振りだが、身体は動いている。

実体として弱めの霊体が相手だというのが、有《あ》り難《がた》い。霊体でも、形が明確になってくれれば、

そのパーツ類は実際と同じような性能を持ち始めるからだ。

そうなると、人や、武器《ぶき》を相手にするのと変わりが無い。

しかしこれは違う。形は模《も》しているが、全体で〝一個〟の霊体《れいたい》だ。しかも動きと反応は遅い。

怨霊《おんりょう》として、自分達の中にある残念を果たす事しか、基本の思考《しこう》がないのだろう。だから、

「まず一つ……！」

手刀《しゅとう》の先。音も無く、ただ勢いだけで、流体光《りゅうたいこう》が波打って弾《はじ》けた。

光の波紋《はもん》が宙《ちゅう》に広がり、散っていく。

消える。

後に残るのは乱れた霧《きり》と、流体光の欠片《かけら》のみ。

そこでようやく、周囲の相手が気付いた。まずは直近、右前にいる相手が振り向き、

『……！』

声を起こせる程の霊ではない。

ただ空気が震動《しんどう》し、こちらに怒りのようなものを伝えてきた。すると、

『ミト！』

浅間《あさま》だ。彼女の方には、こちらをモニタした状況が見えているのだろう。

『――吠《ほ》えられてるようですけど、霊障大丈夫《れいしょうだいじょうぶ》ですか!?　恐怖衝動《きょうふしょうどう》とか、そういうのを無理《むり》矢理《やり》引き出してくるから気を付けて下さい！　何かあったら対処《たいしょ》します！』

大丈夫だ。何故《なぜ》なら、

「人狼《ルウガルウ》の私の方が、流体的に見て、格《かく》が上ですわ……！」

人狼は、元々が恐怖を司《つかさど》る精霊《せいれい》だ。人類の闇《やみ》や獣《けもの》に対する恐怖から生まれた存在。

人が転化《てんか》した霊体が起こす恐怖衝動など、人狼には通用しない。

だが相手は、そんな事実を察する事も出来ない存在となっている。そのためか、敵はただた
だ攻撃《こうげき》を仕掛けてきた。形だけの刃《やいば》を向こうの右手に振り上げ、走りながらこちらへと全身で
振り向こうとしている。

だが遅い。ミトツダイラは先程《さきほど》突き抜いた右腕を一瞬《いっしゅん》左に翳《かざ》し、

「頂《いただ》きますわよ……！」

肘打《ひじう》ちにも見えるバックハンドを右に叩き込んだ。

打撃《だげき》する。

対する敵は慌《あわ》てたのだろうか。右腕に刀らしきものを携《たずさ》えている事もあり、左肩の装甲《そうこう》で受
け止めようとした。

良い動きだ。防御《ぼうぎょ》で受け、相手の動きを止めた後に、脇《わき》から刃を突き込む。

だが、ミトツダイラには一つの特技がある。

力だ。

右腕を叩きつけた瞬間《しゅんかん》。

「……っ」

走る右脚《あし》。その足裏に重心《じゅうしん》を置き、右腰を沈ませた。腰に乗った上半身《じょうはんしん》の重さを、一瞬《いっしゅん》で右足裏にまで通す事で、全身を、下に沈む一個の塊《かたまり》とする。

震脚《しんきゃく》だ。叩《たた》きつけた腕は、下向きへと穿《うが》つ全重量の先端《せんたん》となり、

『――――』

力を押し込む。すると、敵の左肩から左胸までが、衝撃《しょうげき》で打ち砕《くだ》けた。

対霊加護《たいれいかご》は打撃《だげき》でも浸透《しんとう》する。

穿った部分よりも遙かに広範囲の被害《ひがい》が相手に叩き込まれ、敵の左《ひだり》半身が吹っ飛んだ。

光が散る。

だが、敵は人体のルールに縛《しば》られない。半身《はんしん》となった右で、刀を突き込んで来た。

瞬間《しゅんかん》。ミトツダイラは更《さら》に身を低くした。

下に身体《からだ》を落とす気分で膝《ひざ》を前に下げ、

「と」

頭上《ずじょう》を流体《りゅうたい》の刃《やいば》が抜けていった。

同時に、自分の身体は、先程《さきほど》前下に叩き込んだ右腕よりも下に落ちる。

全身の形は、前に身を打ち出すような前傾《ぜんけい》姿勢。

右肩から先は、丁度《ちょうど》、肩より少し高く掲《かか》げた状態だ。

後は、前に全身を放ちながら、

「がら空《あ》きですのよ」

右の手刀《しゆとう》を、刃《やいば》を振り抜いた敵の半身《はんしん》へと叩《たた》き込んだ。

当たる。

先程《さきほど》の突きもだが、本来、人類は霊体《れいたい》に触れる事が至難《しなん》だ。流体存在《りゆうたい》として考えた場合、流体は実在の身体《からだ》を作る方に集中し、流体そのものとしては密度《みつど》が薄くなるからだ。

人狼《ルウガルウ》は違う。元が精霊《せいれい》的な存在であるため、ハーフであるミトツダイラであっても、

……穿《うが》ちますわ！

敵の半身を中央から破裂《はれつ》させ、ミトツダイラは突き抜けた。

散りゆく流体。それを抜け、ミトツダイラは、

「は」

一息《ひといき》を入れた。

身体は前に出ている。

脚《あし》の遅い自分にとっては、速度を上げるよりも落とさない事の方が重要だ。そのための挙動《きよどう》は昔から己《おのれ》に修めていて、今も変わるところはない。

行ける。ならば、目の前にいる十人弱、

「行きますわ……！」

「——お？　浅間《あさま》神社《じんじゃ》の方の霧《きり》、乱れてる？」

マルゴットの言葉に、ナルゼは艦首《かんしゅ》側を見た。

空から降りた自分達がいるのは奥多摩《おくたまま》右舷《うげん》後部。学校関係者が多く住む居住区《きょじゅうく》の中だ。

夕終わりの薄暗《うすぐら》い空は幾本《いくほん》もの光条《こうじょう》に貫《つらぬ》かれ、左舷《さげん》側では防護障壁《ぼうごしょうへき》の砕《くだ》ける音と光が幾度《いくど》となく跳ねている。

そんな中、自分達は表層部《ひょうそうぶ》の各町に一町単位《たんい》での加護《かご》を掛けて回る役だ。防護、防音、流体経路《けいろ》を利用したインフラの保護《ほご》などを一気に行う。

他、配送業や、学生達の中でも飛行《ひこう》系技術《けい》を持つ者達が担当するが、今回自分達はここ奥多摩の表層部担当となっていた。見れば、先輩格《せんぱいかく》や、偉《えら》いのだろうけど見知らぬ学生魔女《テクノヘクセン》が、自分達の担当外の町上を跳ねるように移動していく。

自分達も各戸《かくこ》に武蔵《むさし》から臨時供給《きょうきゅう》される加護術式《じゅつしき》を施《ほどこ》しながら、

「やっぱり、浅間神社の方、変だね。さっきアサマチから送られて来た怨霊《おんりょう》だの何だのって、ガっちゃん、あれ、実際だと思う？」

「実際かどうかは知らないけど、番屋《ばんや》が動くまでに終わっちゃうんじゃないかしら」

「終わる？」

マルゴットの問い掛けに、ナルゼは頷《うなず》いた。

今、浅間《あさま》神社《じんじゃ》のある艦首《かんしゅ》側自然区画《くかく》を満たすのは、白い霧《きり》だ。自分達には武蔵《むさし》側と総長連合《そうちょうれんごう》から〝危険の可能性があるために立ち入り禁止〟との報が来ている。

だが、霧の範囲は限定されている。何故《なぜ》なら、

「奥多摩《おくたま》上、自然区画は艦首と艦尾《かんび》側を繋《つな》げても一キロ程。走っていれば終端《しゅうたん》はすぐに来るわ。怨霊《おんりょう》達が何を考えてるのか解《わか》らないけど、ミトツダイラの追走はやがて結するのよ」

「じゃあ、どーする？　ガっちゃん」

そうねえ、とナルゼが呟《つぶや》いた時だ。武蔵が、動きを変えた。

今までは降下《こうか》のために直進状態《ちょくしん》にあったものが、右。北側へとスライドを開始したのだ。

左舷《さげん》の流体船団《せんだん》に対し、距離《きょり》を空《あ》ける動きだ。

「陸港《りくみなと》への着港時《ちゃっこうじ》に軌道《きどう》を自分から乱すなんて、武蔵も結構焦《けっこうじ》れてるのね」

と、呟いた時だった。

……え？

いきなりの光が来た。

頭上《ずじょう》。南の空を浅い斜め打ちに貫《つらぬ》いて、一本の光条《こうじょう》が奥多摩表層部《ひょうそうぶ》に届いたのだ。

直撃軌道《ちょくげき》だった。

第五章

『一撃と一掃』

「抉れましたの……!?」
「胸が……!」
配点（いやそっちじゃない）

アデーレは、連絡係《れんらくがかり》として走る最中《さいちゅう》に、その一撃《いちげき》を見ていた。

奥多摩《おくたま》。艦尾《かんび》には武蔵《むさし》の中枢《ちゅうすう》といえる武蔵アリアダスト教導院《きょうどういん》がある。

教導院は長い階段の上。自分はそこを駆《か》け上っていく最中だった。

手にしているのは、流体《りゅうたい》の欠片《かけら》を封じた符《ふ》だ。

西の空から砲撃《ほうげき》を寄越《よこ》してくる流体の船団《せんだん》。その一隻《いっせき》が自然飽和《ほうわ》するのを悟《さと》った配送業のエースが、強引《ごういん》に接近して流体の破片《はへん》を符に封じてきたのだ。

霊体《れいたい》の船団の正体。特に、元の所属国《しょぞくこく》などを理解する手助けになるかも知れない。後はそれを分析《ぶんせき》するために、まずは教導院に持ち込めという事になったのだが、

「……じ、自分には大役《たいやく》過ぎますよ！」

後ろについてくる犬達が、応じるように声をあげる。

同情されているようで何だが、確かに不相応《ふそうおう》な役割です、とアデーレが思った瞬間《しゅんかん》。

「え……？」

背後。左舷《さげん》、南からの光が、奥多摩表層部《ひょうそうぶ》に直撃《ちょくげき》した。

……あれは――。

左舷側の空。今、武蔵が右舷《うげん》側へスライドを行っているがため、遠ざかる夜空に、一つの船《せん》

影《えい》が沈みつつあった。

霊体船団などの流体存在は、ずっと己《おのれ》の形を保てる訳《わけ》ではない。姿形《すがたかたち》があまり定かではなく、食料や燃料《ねんりよう》の供給《きようきゆう》も曖昧《あいまい》ならば、いずれ自壊《じかい》する。

そして今、空に消えて行く船があった。

昇り散る。それは霊体として禊祓《みそぎ》を受けて、残念を失い、軽くなると言う事だが、

「散っていく最中の砲撃は、予測外でしたか……！」

優先度が低くなったと、武蔵側がそう判断《はんだん》したのだろう。

放たれた一発が、確かに、斜めに薙《な》ぎ払うような流れで奥多摩の自然区画《くかく》を薙いだ。

当たった。

●

浅間《あさま》は、自分達の方に突っ走って来る横薙ぎの一撃に、息を呑《の》んだ。

……は!?

疑問詞《し》が先に立つ砲撃だった。

浅間にとっては、二つの意味で、訳《わか》が解らなかったのだ。

第一に、相手の砲撃は、武蔵の結界《けつかい》に負け、船が散っていく最中だったという事。

禊祓《みそぎ》で消えていくなら残念も薄い筈《はず》だ。自我《じが》など無いに等しい筈。

……それなのに、何故《なぜ》、途中《とちゅう》で砲撃《ほうげき》を出来るんです……⁉

偶発《ぐうはつ》、という言葉が思い浮かんだが、霊体《れいたい》の残念とは執着《しゅうちゃく》そのものだ。ならば何か理由が有り、あの船、または船団《せんだん》は、砲撃に固執《こしつ》するために発生したのだ。ただ、その理由は、

……何ですか、一体。

そしてもう一つの疑問。

「一体、どうして流体《りゅうたい》の船団が、うちに目掛《めが》けて——」

問うた直後に、自然区画《くかく》の森林を薙《な》ぎ払い、敵の砲撃が光の飛沫《しぶき》を上げた。

●

ミトツダイラが見たのは、二つの光の激突《げきとつ》だった。

一つは、右方向から正面側へと突き込まれて来た流体船団の砲撃光《こう》だ。

もう一つは、

「防護障壁《ぼうごしょうへき》……！」

まずは床面。自分の立つ森林地殻《ちかく》ブロックの表面に、染《し》み出すような動きでそれが来た。

幅三メートル程の防護障壁。黒い光で出来た防御《ぼうぎょ》の板は、対物設定を大きめに捉《とら》えるようにされているのか、人間クラスの自分や木々、そして霊体の人影《ひとかげ》を通して足首程の高さで固定。

障壁の数は一枚ではなかった。

まるで道を作るように、十数枚が砲撃の軌道《きどう》に合わせて展開。そして、

「……っ！」

ミトツダイラから見える砲の一撃《いちげき》は、奥から手前に振られてくる動きだった。

速い。

それは地表にある防護障壁を砕《くだ》き、自らも散った。

だが、両者の破砕《はさい》よりも先に、弾《はじ》けて消えて行くものがある。

流体の敵群だ。

砲撃光が霧《きり》を食って飛ばしたため、敵が作っていた隊列《たいれつ》と姿《すがた》はよく見えた。

数は六。あれから自分が二人追加で倒していたため、元々の合計は十だった事になる。
一、二小隊《しょうたい》分だろうか。任務によって編制が違う筈《はず》なので、確定は出来ない。
六の数が、一瞬《いっしゅん》で吹き飛んだ。

迫る光に対し、ミトツダイラは息を呑《の》んだ。

直撃《ちょくげき》を受けては、流石《さすが》に保たない。制服《せいふく》の防護能力も、対人レベルであって、砲の直撃を防げるものではないのだ。

だが、足下《あしもと》の防護障壁は足首程の高さで固定されており、

……いけませんの……！

危険を感じた。

深追いし過ぎたか、と思ったが、そうではない。
これは有り得べからざる一発だ。
だが、そうであっても、自分に直撃《ちょくげき》すれば同じ事だ。
……当た――。
る、と思った時だった。
『ネイト！』
王の声が来た。それは、
『ステイ！　ほら、ステイだネイト！』
「犬ではありませんのよ――！」
叫んだ瞬間《しゅんかん》。光が壁のように叩《たた》き込まれた。

○

・**金マル**：『1ミス？』
・**銀　狼**：『ざ、残機《ざんき》制じゃありませんのよ⁉』
・**●　画**：『というか、あれ結構派手《けっこうはで》だったけど、結構早く修復されてたわよねえ』
・**貧従士**：『植生《しょくせい》も、大体は高尾《たかお》辺りの農園区画《くかく》で予備用が作られてますからね。高尾山《さん》の仏《ぶっ》教《きょう》テーマパークの森とか、そういうのに流用してるんですよ、アレ』

・**あさま**：『それがうちの方に移植されると、一種の神仏習合《しんぶつしゅうごう》ですよね』
・**ホラ子**：『流石《さすが》は神道《しんとう》アバウトですが、ミトツダイラ様が直撃食らってたのは、一体どうやって生き残ったのでしょうか。得意の貧乳回避《ひんにゅうかいひ》で？』
・**銀　狼**：『得意……。あ、いや、それはもう、――我が王の言う通りですわ』

●

ミトツダイラは、光を浴びていた。

姿勢は仰向《あおむ》け。狼《おおかみ》にとっては腹を見せるようなもので、少々の怖《こわ》さを感じるものだ。

倒れて天を向いた目に見えるのは、もはや夕を超えて黒となった夜空と、

……流体光《りゅうたいこう》の飛散。

砲撃《ほうげき》と、防護障壁《ぼうごしょうへき》の欠片《かけら》だ。

両者の激突《げきとつ》があったのは、寝ている己《おのれ》のほぼ眼前。地面すれすれに浮いていた障壁が、己を守った事になる。

だがその守りは、障壁が上昇《じょうしょう》して得られたのではない。

自分が、地面より下に落ちたのだ。

視線を動かして見える左右、そこにあるのは、人工の森の大地《だいち》だ。

一畳単位《いちじょうたんい》の地殻《ちかく》ブロックが作る段差《だんさ》。その隙間《すきま》に、己は落ちて倒れた状態となっていた。

「危ないところでしたわ……」

走りながらも、足が遅いのが幸いした。

踵《かかと》で走る走法は、ヒールを滑らせる事で尻餅《しりもち》状態となる。ステイと言われて伏せる訳《わけ》ではないが、自分の行く先は、

……地殻《ちかく》の隙間《すきま》！

地殻ブロックの段差《だんさ》。階段状に高さを構築《こうちく》された地面が作るのは、高台だけではない。

低い位置。一段低い掘り込みに、ミトツダイラは身体《からだ》を尻から転ばせたのだ。

そこへ入り、髪《かみ》を両腕《うで》で下に押しつけた瞬間《しゅんかん》に、砲撃《ほうげき》が届いた。

後は、今に繋《つな》がるだけの流れだ。ミトツダイラは無事《ぶじ》を感じて一息《ひといき》を吐き、

「何とも……」

王がこちらを見ている訳ではない。だが、

「助かりましたわ、我が王」

『おお。大丈夫《だいじょうぶ》だったかネイト』

良かった、という口調《くちょう》が確かに感じられ、心配されていたのだと解《わか》る。だが、

『ミト……！』

浅間《あさま》の声が、いきなりに響《ひび》いた瞬間だった。ミトツダイラは、

……風……！

正面。霧《きり》が消えていなかった。そして、
光る流体《りゅうたい》で構成された一本の刃物《はもの》。その一線がこちらの正面から飛び込んできた。
刃《やいば》だ。
「刀⁉」

●

浅間は、ミトツダイラの敵を捕捉《ほそく》していた。

元々、流体を纏《まと》った霧の範囲を確定し、その中に幾《いく》つかの動態《どうたい》と流体反応を検知《けんち》していたのだ。そこに外からの砲撃があり、武蔵《むさし》側が防護障壁《ぼうごしょうへき》を使った事で一時的な飽和《ほうわ》と、クリアが為《な》された。

禊祓《みそぎ》ではない。高出力の流体をぶつける事による、強制崩壊《ほうかい》だ。

だが、霧は消えていなかった。

一瞬《いっしゅん》だけ広がった流体の破片《はへん》群が、チャフのように散った後、手元の表示枠《サインフレーム》に映るのは、……小規模《しょうきぼ》な霧と、一体だけ存在する敵……！

「強固な流体存在です！　完全な意思体《いしたい》になっていないレベルですが、武装《ぶそう》などは本物と同等の密度《みつど》になっている筈《はず》なので、気を付けて下さい！」

言いつつ、浅間は疑問する。

……一体、何なんですか？　この怨霊《おんりょう》……。

どうしていきなり、浅間神社《あさまじんじゃ》の近くに出て来たのか。そして何故《なぜ》、

「なあ浅間、どうしてネイトが襲《おそ》われるんだ？　やっぱ後ろから追撃《ついげき》掛けたから？」

「ですよね……。普通、怨霊だとしたら、自分が襲われたりしない限り、恨《うら》みの方向を転化する事はないと思うんですが……」

よく解《わか》らない事ばかりだ。ただ、

「今、疑問に思ってる事って、恐らく後々《のちのち》解決のヒントになると思うんです。音声記録に残しますから、トーリ君、今の意見とか、言ってみて下さい」

と、ミトツダイラの身体《しんたい》強化加護《かご》を調整《ちょうせい》しながら、浅間はトーリに録音用の表示枠《サインフレーム》をトスする。すると馬鹿《ばか》は、表示枠を顔前に掲《かか》げて、真顔《まがお》で、

「はあ……、はあ……」

「な、何を変な息を吹き込んでるんですか！　一応、神様に疑問検索《けんさく》するんですからね!?」

「あー、いやまあ、初めは摑《つか》みが大事《だいじ》だろ。うん」

芸人《げいにん》はこれだから困る。だが、

「ネイト、頑張《がんば》ってるよな」

その声と共に、彼が表示枠を返してきた。

受け取り、浅間は、ちょっと呆然《ぼうぜん》としている自分に気付く。だからだろうか、

「浅間？」

「あ、いや、すみません。――トーリ君、ミトの事、ちゃんと見てるんだなあ、って」

「そりゃ見てるよ。オメエのオッパイが年々どころじゃなく月産《げっさん》感覚でデカくなっているのもちゃんと見てるよ。ネイトのオッパイは……、まあ、聞くな」

はいはい、と応じて、浅間は、ふと一つの事に気付いた。

「――砲撃《ほうげき》が、止まってますよ……？」

●

鈴《すず》は、音でそれに気付いていた。

警報《けいほう》の鳴り続ける湯屋《ゆや》の表《おもて》。母親からのサービスで、避難《ひなん》で外にいる人々に瓶入《びんい》りの珈琲《コーヒー》牛乳を配りながら、

「あ、れ……？」

「あら、鈴も気付いた？　――艦《かん》の揺れが無くなってるわよね、さっきから」

ん、と頷《うなず》き、鈴はある事に気付く。喜美《きみ》は幽霊《ゆうれい》関係が苦手《にがて》で、そういう状況になるとぐったりするかきゃあきゃあ騒《さわ》ぐのだ。今回はぐったり系《けい》だったが、復帰していると言う事は、

「霊体《れいたい》、消え、た？」

「フフ、確かめる気も無いけど、警報は〝外部脅威《きょうい》〟から〝単なる警告《けいこく》〟レベルにシフトよ」

……だったら、このうるさいの、停《と》まるか、な？

警報《けいほう》は変化する。消えた訳《わけ》ではない。ただ、非常事態《じたい》を知らせる半鐘《はんしょう》から、待機《たいき》を知らせる低音のメロディに変化が入った。最近の流行か、新大陸由来《ゆらい》のレゲエ系《けい》で歌詞《かし》もつき、

『おおおおまえら　ひひひひなんのようい　おちつけおちつけ　じーたくーでタイキッ』

以前は五七五《ごしちご》で『おまえらよ　じたくたいきで　すわってろ』だったのだが、公家《くげ》の人達が避難《ひなん》中につい下の句《く》を考え始めて足を止めてしまうという雅《みやび》な弊害《へいがい》があったので、とりやめになったと聞く。

今回のこれはこれで踊《おど》り出してしまわないかというのがあるし、既《すで》に喜美《きみ》は身体《からだ》を揺らしているのだが、まあこちらはいつもの事。だけど、

「浅間《あさま》、さん……？　上、どうな、の……？」

●

アデーレは、犬達と一緒《いっしょ》に教導院《きょうどういん》前の階段上にいた。

今、空は静かになっていた。敵の霊体船団《れいたいせんだん》が急に遠去かり消えて行くのだ。

だが、状況を静観《せいかん》する中、アデーレは階段を降りない。腰を落とし、旧派《カトリック》の望遠術式《ぼうえんじゅつしき》で、

……ここからは、さっきの砲撃《ほうげき》の着弾《ちゃくだん》位置を確認《かくにん》しないと……！

あの現場、ミトツダイラがいるのは通神《つうしん》で解《わか》っている。総長連合《そうちょうれんごう》からも、

《報告：騎士《きし》の第一位が、奥多摩《おくたま》自然区画《くかく》に突如《とつじょ》出現した怪異《かいい》を調査するため、浅間神社《じんじゃ》代表からの要請《ようせい》で調査中》

という報告が来ている。だがこの内容、身内に回すにはちょっと文言《もんごん》が難しいように思う。

だからアデーレは、

……ええと、皆用に訳《やく》すと、こんな感じですかね。

《うちの皆さんへの報告：ミトツダイラさんが浅間さん家《ち》の近所に出た怨霊《おんりょう》を、トーリさんの指示《しじ》で殴《なぐ》りに行ってヒャッハー中なので皆さん安心して下さい》

という感じで、内容的に解りやすくして皆に回しておく。だが、

……あれ？　訳してもあまり文字数縮まらないどころか無駄《むだ》に長くなりましたよ？

訳さない方がいいだろうか。でも意識《いしき》的にこっちの方が理解しやすいし、非常事態《じたい》に対して親しみが持て……、持ってどうする。とりあえず理解が早いのでセーフ。

そして今、自分がすべきは、

「浅間さん、森の中、見えていますか!?　——自分の方からは確認出来ますけど！」

『え？　どうして？　アデーレそんな背が高かったっけ？』

馬鹿《ばか》の問い掛けにうっかり否定と説明をしそうになって、アデーレは堪《こら》えた。

今は自分の仕事を優先する時間だ。何しろこの階段上からは奥多摩の中央が正面に見えるのだ。連絡係《れんらくがかり》として、広報《こうほう》用の装備を用意している事もある。

総長連合《そうちょうれんごう》に画像《がぞう》付きで報告すれば、

……一番手柄《てがら》ですよ！

行ける、とアデーレは思った。通神設定《つうしん》を緊急《きんきゅう》扱いで浅間《あさま》に回しておけば、皆にも伝わる一方、総長連合の方からも情報漏洩《ろうえい》とは取られまい。

ゆえにアデーレは、撮影《さつえい》用の表示枠《サインフレーム》を掲《かか》げた。浅間神社《じんじゃ》を背後に、自撮《じど》りするような構図《こうず》で、被害《ひがい》現場と自分を映し、

『ハイ、こちら今、砲撃《ほうげき》現場を一望《いちぼう》出来る場所からのライブレポートです』

『アデーレ！　そっちから見て、うちの方、どんな感じですか？』

『ええ、浅間さん、見えますか――？　ほら、こっちの方、思い切り森が抉《えぐ》れてますね――』

『マジ⁉　抉れてる⁉　森が貧乳《ひんにゅう》になったたって事か！』

うっかりツッコみそうになってアデーレは堪《こら》えた。今の程度でツッコむようではネタに対して沸点《ふってん》が低過ぎる。我慢《がまん》。

遠く、番屋《ばんや》の半鐘《はんしょう》が鳴り始めたのが聞こえる。空にいた霊体船団《れいたいせんだん》がもはや流体光《りゅうたいこう》に散りつつあるため、手の空《す》いた青年団達が、奥多摩《おくたま》へと向かい始めたのだ。

彼らに状況を伝える意味もあって、

『浅間神社から艦尾《かんび》側に百二十メートル程行った左舷《さげん》側。艦尾側から艦首《かんしゅ》方面に、大体七十メートルくらい抉れてますね』

『奥多摩が七十メートルの貧乳か。アデーレ、負けたな！』

……個人攻撃《こうげき》来ましたよ⁉

だが、今は我慢だ。根性《こんじょう》一択。ここでツッコんだら負け。そんな気がする。

しかし、不意《ふい》に奥多摩の艦内《かんない》放送で、

『〝奥多摩〟です。――執れてません。アデーレ様とはどんな方かを検索《けんさく》しましたが、そちらの基準《きじゅん》では負けたままです。――以上』

「そ、そっちから来ましたか……‼」

負けた。何か色々と負けた。敗北《はいぼく》の項垂《うなだ》れをする自分をどうしたものかと思っていると、

『気を落とすなよアデーレ。明日《あした》にはいい事あるかもしんねえぞ』

『そ、そうですよね！　明日は良い事ありますよね！』

『Ｊｕｄ《ジャッジ》．、――今日《きょう》あと六時間くらいあるけど、それまで大丈夫《だいじょうぶ》でしゅかあ？』

『そ、そう来ましたか⁉　来ましたね⁉　後で不幸全部なすりつけますよ！』

『あの、ええと、アデーレ、早く報告を……』

……だ、だったらこの人の発言止めましょうよ……！

甘やかし過ぎではないか、と、そんな事も思うが、昔からの事なので仕方ない。浅間自身もこの流れに慣れてしまって違和《いわ》を感じていないようだし。

ただ、こちらの目には先程《さきほど》から見えているものがある。

空には、奥多摩《おくたま》の方に向かう輸送艦《ゆそうかん》や魔女達《テクノヘクセン》の姿《すがた》。

地上でも、各方角から浅間《あさま》神社《じんじゃ》の方に向かう番屋《ばんや》や青年団《だん》、各部活《ぶかつ》や団体の姿がある。

今、自分のいる教導院《きょうどういん》からも、幾《いく》つもの団体が、

「急げ！　ここは我ら旧派練金部隊《カトリックれんきんぶたい》〝一敗やっか〟が艦上《かんじょう》の賊霊《ぞくれい》に聖《せい》なる水を！」

「待て、今回は我々、道教対霊研究会《どうきょうたいれい》〝零験通し《れいげん》〟が山盛り白米《はくまい》に箸立《はした》てて除霊《じょれい》を！」

「ふふふ、ここは女子水泳部仏道隊《ぶつどうたい》〝尼《あま》ｃｈａｎ〟が邪霊《じゃれい》を御洒落《おしゃれ》に水没《すいぼつ》させてやるわ！」

「御洒落じゃねえし怖《こえ》えよ!!」

自分も高等部《こうとうぶ》に入ったらこういう人達と一緒《いっしょ》なんですかねー……。

しみじみ思ってしまうアデーレだったが、足音が駆《か》けていくのは頼もしい。幾人《いくにん》かは、こちらに振り向いて軽い敬礼《けいれい》までしてくれるので、返さねばならない。その一方でアデーレは、

『浅間さん、見えますか！』

『んー、こっからだとアデーレは流石《さすが》に見えねえなあ』

血圧《けつあつ》が上がったのは大人《おとな》げないのだろうか。あ、いや、でも中等部《ちゅうとうぶ》三年ですよ自分、ええ。

まだ十四歳《さい》。成人手前なので大人じゃないです。

……オパイもこれからですよ！

だが一応、従士《じゅうし》志望として、心の中で落ち着け落ち着けと思いながらアデーレは言う。

『い、いえ、トーリさんじゃなくてですね、浅間さんに話してるんですが、ね、ええ』

『おお、悪い悪い。じゃあちょっと代わるわ。──浅間ー』

『──え？　どうしたんですかトーリ君』

『うん、アデーレがさ。──ほら、俺《おれ》達のいるここから自分が見えるか、って』

……そうじゃなくてですね……！

血圧が、下がり掛けたのが再度上がった。

『え、っと、あの、アデーレ？　──ここからだと、ええ、流石にアデーレは見えないんですけど……、あの、望遠術式《ぼうえんじゅつしき》使いましょうか？　それだと駄目《だめ》ですか？』

正しい意味で、コミュニケーション〝障害《しょうがい》〟というのを、存在として実感した。

これは間違いなく障害（物理）。

誰《だれ》か、こういう時、横から一発殴《なぐ》る存在が必要では無いだろうか。

○

・**煙草女**：『これはホントに仕事の邪魔《じゃま》さね……』
・**貧従士**：『ですよね!?　ね!?　この時もうホント、この人の事誰かどうにかして下さい自分は嫌《いや》です、ってかなり思いましたよ！』
・**副会長**：『一応聞いておくけど、自分で動いたらどうなんだ』
・**貧従士**：『い、嫌《いや》ですよ！　何か言うと上手《うま》く言いくるめられて最後は飴《あめ》とか貰《もら》って終わって、帰宅《きたく》のドア前で〝しまった……！〟とか思わされるんですから！』
・**蜻蛉切**：『飴《あめ》が貰《もら》えるだけ得だと思うで御座《ござ》るぞ』
・**貧従士**：『そ、それが尚更《なおさら》敗北感《はいぼくかん》を強くするんですよ！　慣れてきたら〝あ、イチゴ味がいいです〟とか言っちゃうし！』
・**金マル**：『根本的に慣れてないかな？』
・**ホラ子**：『――成程《なるほど》、つまりここでホライゾンの存在がクローズアップ。つまり皆様は、ホライゾンがいる事によってコミュニケーション障害（物理）を解除出来ると、そういう事になった訳《わけ》ですね』
・**あさま**：『いや、私とか、違和感《いわかん》得てないんですけど……。まあ、ちょっと迷惑《めいわく》掛けてるのかなー、くらいは察しますけど』
・**貧従士**：『ちょっとじゃなくて……、あっ、浅間《あさま》さん、飴どうも有《あ》り難《がと》う御座《ござ》います！』
・**約全員**：『こりゃ駄目《だめ》だわー……』

●

アデーレは、色々な迷いを振り切って通神《つうしん》に叫んだ。

『浅間さん！　画像送ります！　浅間神社《じんじゃ》の後ろの方、霧《きり》が残っていて、その中で恐らくミトツダイラさんが戦闘《せんとう》してます！』

『え!?　——あ、うん、はい。はいはいはい！　そうですね？』

浅間の返答に、アデーレは拍子《ひょうし》を外された。あれ？　と思いながら、

『だ、大丈夫《だいじょうぶ》ですか浅間さん！　どうしたんですかテンション落ちて！』

『浅間——。アデーレから来たこの画像《がぞう》、霧の範囲とか、もうこっちで検出《けんしゅつ》終わってるんだろ？　重ねるだけ重ねとく？』

『ちょ、ちょっと静かにして下さいよトーリ君！　トーリ君がアデーレと絡んでる間にこっちは検出終えてましたけど、アデーレの頑張《がんば》った仕事分は別なんですから！』

『——そ、その人！　その人がもう全部悪いです！　悪いですよね!?』

『ええ、そうですねアデーレ。大変でしたね』

『あ、浅間さん、程度が低めですよ！　もっと、大変なんですから、もっと大きく変に！』

○

・**金マル**：『アデーレ、極東語《きょくとうご》ちゃんと喋《しゃべ》れてる？』
・**●画**：『ああ、これ、外から聞いてて全く意味解《わか》らなかったのよね、アデーレおかしくなったのかしら、って』
・**貧従士**：『三年越しに疑いが晴れましたよ？　回想万歳《かいそうばんざい》ですね！』
・**義**：『いや、更《さら》に濃くなってないか、疑い』

・銀　狼：『あの、私の回想《かいそう》……。一応、戦闘中《せんとうちゅう》なんですけど……』

・貧従士：『あ、そうでした！　じゃあ第五特務《とくむ》のチャンネルに合わせて、スタート！』

第六章

『仕掛けと仕掛けて』

立ち向かうことと
挑戦することは
同じだろうか
配点（意気）

ミトツダイラは、霧《きり》の中で戦闘《せんとう》中だった。

立ち回り、隙《すき》のある位置を取り合う相手は、形をある程度明確にした霊体《れいたい》。その姿《すがた》は、

……忍者《にんじゃ》ですの!?

シルエットはシンプルで、使用している武装《ぶそう》は直剣。口の辺りから煙を吐いているように見えるのは、マフラー様《よう》のスカーフだろうか。

『ミト、無理《むり》はしないで下さい。番屋《ばんや》や先輩《せんぱい》学生の人達がそちらに向かっていますから』

そう言われると、逆にやらねばならないような気がしてくるから困ったものだ。

ただ、捻《ひね》くれているとは思わない。

……己《おのれ》に、自信があると、そういう事ですわ。

良い事だと思う。何故《なぜ》なら、王の要求に対して胸を張っていられるからだ。

まだ、皆に対してはそうなれない自分だが、信頼すべき相手に対しては出来る。その事が解《わか》れば充分だ。

「ただ、悪い足場《あしば》の上で相対《あいたい》するには面倒《めんどう》な相手ですわね……!」

こちらの手元には武器《ぶき》も無い。

リーチが短い以上、相手を追う形になりやすいが、敵は、

『――――』

呼気のような短い軋《きし》みを放ち、高速で直剣を突き込んで来る。それも、移動しながらだ。

……出来ますわね……！

正直、防戦《ぼうせん》というか、回避専念《かいひせんねん》だ。三対七くらいで、こちらの手数《てかず》が絞《しぼ》られている。

やはり正体は忍者か、もしくは自然地形での戦闘に馴《な》れた者と言ったところか。

足の運びなどが踵《かかと》主体で、荒地《あれち》や山岳《さんがく》、森林向きの動きをしている。

この相手は、生前、そう言った訓練をよく修めていたと言う事だ。当然と言えば当然だろう。

何しろ向こうは生前、現役《げんえき》の戦士団《せんしだん》か、襲名者《しゅうめいしゃ》だった可能性もあるのだ。

対する自分も襲名者だが、実戦経験はほぼ無いような中等部《ちゅうとうぶ》の学生だ。

敵《かな》う方がおかしい、とも思うが、

「霊体ですものね……！」

存在が不確かな霊体は、速度、力、判断《はんだん》など、どれも生前より劣っている。

ほとんどの部分が失われた形骸《けいがい》なのだ。

ならば、とミトツダイラは思う。自分の実力を試す意味でも、ここは下がれない、と。

自分は、騎士《きし》だ。忍者のような荒地行動訓練の機会《きかい》はまず得ていない。

授業として、非戦の撤退《てったい》を前提《ぜんてい》とした荒地行動があるのは高等部《こうとうぶ》で、中等部は自然区画《くかく》を基《き》

礎《そ》とした食料採取《さいしゅ》などの訓練や野営に終始《しゅうし》するだけだ。

だが、狼《おおかみ》は闇《やみ》にも森にも苦手《にがて》を感じない。流体《りゅうたい》存在である亡霊《ぼうれい》に対しても、だ。

己《おのれ》に苦手があるとすれば、

……速度ですわね。

力に頼る。それゆえに速度は落ちる。しかし、いくらかの負傷《ふしょう》をしたとしても、人狼《ルウガルウ》は治《ち》癒《ゆ》能力も高いのだ。当たれば勝ちなら、力に頼った方が楽だ。

だがこの相手、力だけでは通じない。

霊体《れいたい》であるというのに、その足捌《あしさば》きは不慣れであろう武蔵《むさし》の地殻《ちかく》をちゃんと噛《か》んでいる。

そして速度も、

「見事……！」

防御《ぼうぎょ》に掲《かか》げた己の右腕。その袂《たもと》が翻《ひるがえ》るように落ちた。

一瞬《いっしゅん》のすれ違いの中、敵が仕込むように刃《やいば》を添えてきたのだ。慌《あわ》てて腕を引かねば、肉にまで流体の刃が達していただろう。

浅間《あさま》の言う通り、敵の実体性が高いのだ。

こちらも、体捌《たいさば》きを高速にしなければならない。だが、

……方法は――。

と、地殻の段差《だんさ》を超え、ミトツダイラは気付いた。

この場には、自分にとっての地の利があるのだ、と。

浅間は、番屋《ばんや》や協力者達の接近に応じ、状況の報告と地殻部分の整調《せいちょう》に動いていた。

奥多摩《おくたま》は教導院《きょうどういん》がある。ミトツダイラの戦闘《せんとう》は教導院に接近する形で行われているため、教導院側は万《まん》が一《いち》を考えて役職者《やくしょくしゃ》が防護《ぼうご》を固め、現場には学外の管轄権《かんかつけん》が強い番屋や青年団《だん》、自由に動ける部活《ぶかつ》団体などを回す方針のようだ。

人数は充分。

後は、彼らが行動出来るだけの地盤《じばん》作りとして、荒らされた自然区画表層部《くかくひょうそうぶ》の流体整調だ。流体経路《けいろ》を整え、加護《かご》などが発揮《はっき》出来るようにしておかないと、現場に入ったなり装備が使えなくなったり、場合によっては身体《しんたい》能力が大きく落ちる事になる。

……地面への直撃《ちょくげき》は無かったですけど、木々が薙《な》ぎ払われた時、引っ張られた地殻ブロックが結構《けっこう》めくれちゃってるみたいですね……。

それらが天然のバリケードになっている箇所《かしょ》も、大体は見当がつく。だが、

「ミト、現場で大丈夫《だいじょうぶ》でしょうか」

「大きな怪我《けが》なきゃいいけどな。狼《おおかみ》、遊ぶのも結構派手《はで》なもんだしさ」

「ですねえ」

と言いつつ、派手なもんだしさ……、と言う彼の語尾《ごび》に浅間は妙《みょう》な既視感《きしかん》を得た。

ややあってから、浅間《あさま》は既視《きし》の正体を思い出した。

「あ、トーリ君。ちょっとミトの事で」

ちょっと迷ったが、迷った分も含めて、浅間は言葉を彼に送った。

「ミトの事で、――揉《も》んだ揉まない的な、大事《だいじ》な話があるので、後で話せる時間を下さいね」

「あー、別に構わねえけど……。って何？　揉むって、何？　一体？　モミング？　揉むよ？　揉むぞ。揉むぞ――。ほら、早く！　早く!!　Hurry up momming！

――やべえ気合《きあ》い入って英国弁《べん》出ちった。……まだ!?　まだかい母《かあ》さん！」

「……誰《だれ》が母さんですか。あと、何ですかその全力で引きたくなるような食いつきの良さ。というか、いやまあちょっと、難しい問題なので、後で、後でです」

おお、と首を傾《かし》げつつ頷《うなず》く彼の手。それが、

……ん？

ふと、小さく動いているのを浅間は見た。

指が宙《ちゅう》を叩《たた》く動作は、明らかに、

……拍子取《ひょうしと》りですか？

疑問は視線に出ていたのだろう。彼が宙を打つ事をやめない手を掲《かか》げ、笑《え》みで言った。

「聞こえね？」

何が、と思うより先に、浅間は表示枠《サインフレーム》を叩く指をふと止めた。僅《わず》かな時間。それだけで、

正面の森の向こう、霧《きり》の奥から小さな音が聞こえてくる。

遠く、沈んだ警報《けいほう》や、近付いてくる皆の声よりも近く。これは、

「ステップ？」

「ネイトが思いついたんだろ。姉《ねえ》ちゃんに強引《ごういん》に付き合わされたりしてるしな」

それは、

「踏み込みの高速化を、何とか出来ねえかと考えたんだ」

●

ミトツダイラは体捌《たいさば》きを進めていた。

対する敵はこちらを討《う》つ事を主眼《しゅがん》としているらしく、大きく遠ざかる事が無い。ならば、

……足場《あしば》を、私は選べると言う事ですわ！

だから選択した。己《おのれ》が足を据《す》えるべき足場は、

「——段差《だんさ》！」

単純な段差ではない。段差の谷。その両岸の縁《へり》に両足をそれぞれ掛けるように立ったのだ。

地殻《ちかく》ブロックは上面が平らで、土が載《の》った状態でもあまり凹凸《おうとつ》は無い。

ゆえに足で踏み込み、蹴《け》る時は、足裏が僅かながらに滑るし、力がまっすぐ通らない。

だが、縁は違う。

角《かど》を蹴《け》りつければ力は足裏を押す力に変わる。それは直接的に身体《からだ》を押し、

……速度を……！

跳ねるような、とまではいかないが、似たような挙動《きょどう》になる。

等高《とうこう》となる段差《だんさ》の間のみ。そんな限定条件下ではあるが、敵はこちらを狙《ねら》って来るため、足場《あしば》を変える必要は無い。

ミトツダイラは動いた。遅いとされる己《おのれ》の身を、

「……そこ！」

行ける。距離《きょり》が詰まるように速度が詰まる。

段差の間、空中で身を回し、狼《おおかみ》は鋸《のこぎり》の歯にも似た軌道《きどう》で敵を追って詰めていく。

対する相手は、

『――！』

軋《きし》みを上げ、こちらへと踏み込み、刃《やいば》を寄越《よこ》す。だが、

「と」

角を蹴って斜めに反射して動く己の軌道は、自然と左右へのフェイントにもなる。

……これを普通に地上で出来ればいいのですけど。

誰《だれ》しも得手不得手《えてふえて》があると、そう思ってしまうのがいけないのだろうか。ただ、動き方は慣れてきた部分がある。だから、

「行きますわよ……！」

ミトツダイラは、回避《かいひ》の直後、一気に前へと出た。

敵を仕留《しと》めに行く。

●

ミトツダイラが見据《みす》えたのは、敵の攻撃《こうげき》タイミングだった。

狙うのは、敵の攻撃が引く瞬間《しゅんかん》。

霊体《れいたい》の相手は、右手に握った直剣をコンパクトに扱う。大きく振る事はせず、基本は突き込む動きだ。

肘《ひじ》と手首で手繰《たぐ》り寄せ、柄《つか》を握った手の甲《こう》を下に向けてから突き込んで来る。

解《わか》りやすい動きだ。

だが、解るからと言ってミトツダイラは手を出さない。

大事《だいじ》なのは、その刃が引かれる最中《さいちゅう》だ。

敵が攻撃を出来ない絶対の瞬間。自分にとって安全と言える時間を、ミトツダイラは待つ。

臆病《おくびょう》と言われる戦術《せんじゅつ》かも知れない。

だが、自分に自信はあるが、過信《かしん》はしないと決めている。ゆえに、

……相手の攻撃の〝出〟に合わせて跳び込むのは、避けねばなりませんわ！

敵の攻撃《こうげき》をかわして討《う》つ。それは、敵の行動に都合《つごう》を考えないで済む強者《きょうしゃ》の行いだ。

自分は、まだ、そうではないとミトツダイラは思う。

今の己《おのれ》は、幾《いく》ら霊体《れいたい》相手とは言え、すれ違い様《ざま》の一撃《いちげき》を叩《たた》き込んで勝利出来るとは思わない。

もしそれが出来ても、実力外の事だ。

敵の刃《やいば》が実体性を持つ以上、不用意は避けたい。

何しろ、自分は野良《のら》の狼《おおかみ》ではない。今は王に仕える騎士《きし》としての狼だ。

無謀《むぼう》を働き、戻れなくなっては、王に仕える意味が無い。

勝利は的確《てきかく》に。その信条《しんじょう》は、己を抑え気味《ぎみ》にしている現状によく似合《にあ》う。

ゆえにミトツダイラは、

「と……！」

誘うように攻め、追われるように引いた。
そして、相手が一度下がったのを合図《あいず》に、二度、三度と押して、
……ここですわ……！
合った。
敵が、右の手にした刃を手繰《たぐ》るように引いた。
その引き動作に合わせ、ミトツダイラは段差《だんさ》の縁《へり》を蹴《け》った。
全身を前にぶち込みつつ、一瞬《いっしゅん》だけ右腕《うで》を後ろに振った。

……右袖《そで》！

肩口から、袂《たもと》を切断された右袖をパージ。腕の動きで背後の虚空《こくう》に投げ捨て、貫手《ぬきて》の動きを軽くする。後は、

「頂《いただ》きますわよ！」

前に出れば、もはや貫手が充分に届く距離《きょり》だ。

行ける。そう思った瞬間《しゅんかん》。

「……⁉」

ミトツダイラは、自分の左肩口を、後ろから前に抜けていく風を感じた。

鋭い軌跡《きせき》と速度の一発。それは、

……射撃《しゃげき》⁉

●

「マズった……！　御免《ごめん》ミトっつあん！　流体検知《りゅうたいけんち》で捕捉《ほそく》間違えた！」

奥多摩《おくたま》の空。破砕《はさい》された森と霧《きり》を下に見える位置で、ナイトは叫んでいた。

……やっちゃったなあ……！

射撃術式《じゅつしき》は、古来《こらい》より魔女《テクノヘクセン》に伝わる術式を基礎《きそ》として、自分で改良したものだ。誘導《ゆうどう》や追尾《ついび》よりも手ブレを消す事に主眼《しゅがん》を置いた狙撃《そげき》用。

だが、射撃《しゃげき》と連動する照準術式《しょうじゅんじゅつしき》の方に、甘さがあった。

闇夜《やみよ》や霧《きり》の中、薄めの障害物《しょうがいぶつ》があっても対象《たいしょう》を捕捉《ほそく》出来るよう、光学情報に加えて流体検《りゅうたいけん》知《ち》が出来るようにしていたのだが、

……袖《そで》投《な》げ捨てるとは想定外《そうていがい》！

後ろに勢いよく捨てられた袖には、防護加護《ぼうごかご》などが掛かっている。

流体検知の照準術式では、ミトツダイラが前後に分かれたように見えた。

前に出たものか、後ろに出たものか。どちらが本物なのか。

戦闘中《せんとう》ゆえ、ナイトは、後ろだ、と判断《はんだん》した。

今のミトツダイラは、王を得たが故《ゆえ》に慎重《しんちょう》だ。だからここで前に突っ込むのは、無いのでは無いか、と。

自分も、援護狙撃《えんごそげき》をするならば、言っておけば良かった。だが、

「――仕方ないわ。援護するなんて言ったら、今のミトツダイラ、拒否《きょひ》るでしょうし、萎縮《いしゅく》か気遣《きづか》いで上手《うま》く動けなくなるもの」

確かにそうだ。ゆえにこそ、通神《つうしん》も切って狙撃を放った。

大体。撃《う》つには充分な理由があったのだ。

敵だ。

ミトツダイラが跳び込む前から、流体検知では敵の挙動《きょどう》が見えていた。

一定のリズムを持つようにして、敵は前後に動き、ミトツダイラに攻撃《こうげき》し、または回避《かいひ》を行っていたのだ。

その拍子《ひょうし》が崩《くず》れず、段々と深くなっていくのが、ナイトには見えていた。つまり、

……誘われてる⁉

敵の引きが一気に強くなった時、危険を感じた。

だから撃った。しかし、ナイトは思う。しくじった、と。

袖に惑《まど》わされた事もだが、

「その敵、結構《けっこう》出来るよ……！」

弾丸《だんがん》は当たらなかった。

自分が読んだ狙撃タイミングを超え、敵が速度を上げたのだ。

そんな流れに対し、ミトツダイラは、

……流体検知の照準の中で、動いてない！

危険を、ナイトは感じた。

横でナルゼが何かネーム用のメモを取り始めたが、気にしないように努めたい。

○

・**金マル**：『で、あん時、何のネームを切ってたのガっちゃん』

・銀　狼：『そっち!?　そっちが疑問ですのね!?』
・●　画：『別にアンタのネタじゃないわ。ほら、エロ同人《どうじん》とか、初めの一ページ目でどんな導入にするか、っていうのがあるじゃない。だから〝援護《えんご》ミスで孤立《こりつ》〟とかいいわね、とか、そんな事を思ったの』
・ホラ子：『おお、これ正《まさ》に〝失敗を糧《かて》にする〟というものですね。ホライゾン、見習いたいところです』
・立花嫁：『あの、申《もう》し訳御座《わけござ》いませんが、うちは他人の失敗が自分の糧になる気が……』
・●　画：『無駄《むだ》になるよりいいじゃない。ちなみに導入としては〝あさいて3〟で使ったわ。浅間《あさま》が援護したら全部噴《ふ》き飛んだところからスタート。いい捻《ひね》り方ね』
・あさま：『それ〝援護ミスで孤立〟の意味が違いますよ！』

ミトツダイラは、自分と敵の間を抜けていく弾丸《だんがん》を見ていた。

十円硬貨《こうか》。先程通神《さきほどつうしん》でナイトの声が聞こえたと言う事は、

……魔女《テクノヘクセン》の援護ですの!?

援護失敗。その事実はよく解《わか》る。

何しろ敵には下がって避けられているし、自分の身体《からだ》も、不意《ふい》の一発に対して反応をしてし

まっている。

萎縮《いしゅく》だ。

前に出ようとしていた身体。その上半身《じょうはんしん》が、後ろへと引いてしまっている。

これでは敵を追えない。

ならば一度、身を引いて、位置関係をリセットすべきだ。そしてまた機会《きかい》を狙《ねら》う。

対する敵も身を引いている最中《さいちゅう》だ。刃《やいば》を握った右腕《うで》も、直剣を突き込み直すため、肘《ひじ》からが後ろに引かれていく。

ここで一度、お互いに距離《きょり》を取る。そのつもりで、ミトツダイラは段差《だんさ》の谷の上で重心《じゅうしん》を後ろへと振ろうとした。

その時だ。

敵が動作した。右の手で引いていた直剣を、宙《ちゅう》に置くように放ったのだ。

……え？

●

武器《ぶき》を手放す。

訓練《くんれん》や授業で刃の扱いはある程度心得《こころえ》ている。そんなミトツダイラにして、初めて見る動作だった。

敵は、引く右手から直剣を放し、左へとトスした。
……これは――。
どういう事かは、見れば解《わか》る。
敵の上半身《じょうはんしん》。右腕《うで》を大きく引く動きに応じて、敵の左肩が前に出て来ていた。
前傾した左肩の下。左腕がこちらに突き込まれてくる。
その手の先に、トスされた直剣が収まった。
「――――」
敵が行ったのは、簡単な事だ。
右の振りかぶり動作。右を引けば、上半身が回って左が前に出る。
その動きを利用して、敵は左の突き込みを作ったのだ。
攻撃《こうげき》タイミングとして、半拍《はんぱく》は早くなる持ち手のシフトだった。
実戦と、訓練《くんれん》を経なければ出来ない動作だろう。そして、
「く」
下がろうとしたばかりの自分にとって、戸惑《とまど》いが致命《ちめい》的なものになった。
敵の刃《やいば》がこちらに届く。直剣の根元《ねもと》近くまで来るというのが、見て解る。
身を引こうにも、まだ身体《からだ》の重心《じゅうしん》が後ろに行っていない。ならば今出来るのは、
「力……！」

ミトツダイラは、全力を叩《たた》き込んだ。
回避《かいひ》ではなく、攻撃《こうげき》。しかしそれは相手にではなく、
……地殻《ちかく》ブロック！
右足で噛《か》もうとしていた地殻の岸縁《きしべり》を、ミトツダイラはハードキックしたのだ。

●

激音《げきおん》を鈴《すず》は聞いた。

……は？

ここは武蔵野《むさしの》。武蔵《むさし》の中央前艦《ぜんかん》だ。だが、今聞こえたのは、

……お、奥多摩《おくたま》……？

音の発生源《げん》としては、そこから、だと思う。実際、艦間《かんかん》を響《ひび》く音としては、その減衰《げんすい》や拡散なども含めそう考えるのが妥当《だとう》だ。だが、

「派手《はで》ねえ、ミトツダイラ」

湯屋《ゆや》前の広場、木箱《コンテナ》に入れた珈琲《コーヒー》牛乳の瓶《びん》を配っていた喜美《きみ》が、軽く踵《かかと》を床にぶつける。

硬く鋭く、しかし温かさを感じるような短い突音《とつおん》に、喜美は苦笑《くしよう》し、

「もっと軽く、って言ってるのにね。――でも、感情はベタ込め入ってるから、昔よりもいいんじゃないかしら」

相手の体勢を崩《くず》す。

そのために、ミトツダイラは足場《あしば》の破壊《はかい》を敢行《かんこう》した。

「……っ！」

突き落としたのは右の踵《かかと》。それは、直撃《ちょくげき》し、

……通りなさい！　我が力!!

心の中の叫びは、正確に望みを執行《しっこう》した。

通った。

足が膝《ひざ》まで伸び切り、力が右の踵から、逆の左踵にまで跳ね返る。

快音が響《ひび》き、火花《ひばな》が散り、敵の刃《やいば》が近付き、

「――――」

当たると思った直後。

ミトツダイラは、地面がめくれて吹っ飛ぶのを見た。

意外《いがい》な事に、飛んだのは軸足《じくあし》にしていた左側の方だった。

キックした右の方が、地殻《ちかく》ブロックが広く積まれていたと言う事だろう。木々が大きく揺れ、
載《の》っていた土砂《どしゃ》が跳ねたが、

『ちょ、ちょっとミト！　うちの近所破壊しないで下さい！』

浅間《あさま》の言う通り、左足を嚙《か》ませていた先。地殻ブロックが幅三メートル、長さ八メートル強に渡って捲《めく》れ、跳ね上がっていた。

被害《ひがい》としては、ベースとなるブロック部分よりも、上に載っていたものだろう。木々や下草、土砂が散り、空に吹っ飛んでいく。

いい打感が足裏に来たが、感想としては、

「意外と地殻ブロックの接合って、甘いんですのね？」

『いや、流体経路《りゅうたいけいろ》の導管《どうかん》通したり、訓練《くんれん》用に地形を組み替える事もあるから、固定はフック嚙ませてるくらいなんですって』

『――あっぶな！　ってコラ！　上にまで木が飛んできたわよ!?』

流石《さすが》にそれは済まないと思うが仕方ない。

ミトツダイラは状況を確認《かくにん》する。

今、自分の左側は単なる空白。左足を乗せていた段差《だんさ》も吹っ飛んだ。

右足だけが、右の段差の縁《へり》を嚙んでいる。そして相手は、

『――――』

手練《てだ》れと見える相手にとっても、足場が破壊されるというのは初の事案《じあん》だったらしい。

こちらに、段差縁から攻撃《こうげき》していた相手は、足場を失った。

敵のバランスが崩《くず》れる。否《いな》、正確には、足場《あしば》を失って宙《ちゅう》に浮いた。
左手に持っていた刃《やいば》は失速し、ただ柄《つか》を握るだけのものとなる。
機会《きかい》だ。
そこに、ミトツダイラは攻撃《こうげき》を放った。
振りかぶっていた右腕《うで》をそのまま強く引き直し、
……敵と同じですわね！
反動で前に出る左腕で、相手の頭部を狙《ねら》った。
当たった。
右足だけの踏み込みとなっているため、クリーンヒットではない。だが、当たった。
しかしその一撃《いちげき》は、
「かわしますの⁉」
忍者《にんじゃ》にも見える相手が、空中で仰《の》け反《ぞ》り、頭部を後ろへと下げた。
一撃は敵の顔面ではなく、額《ひたい》の左を穿《うが》つ。そして、
「……っ」
感触《かんしょく》が、先程《さきほど》の霊体《れいたい》とは違った。
……石⁉
酷《ひど》く硬く、それでいて砕《くだ》けるような感触が手にあった。

同時。敵が回った。

まるでこっちが放った一発を助力とするように、空中で大きく身を回し、

「待ちなさい……！」

叫んだ瞬間《しゅんかん》。白の色が足下《あしもと》から来た。

……霧《きり》!?

●

ミトツダイラの眼下《がんか》。

いきなりぶち上がったのは、しかし、先程《さきほど》までの流体《りゅうたい》の霧ではない。

純粋《じゅんすい》な水分。匂《にお》いは武蔵《むさし》内で循環《じゅんかん》する水道水だ。これは、

『ミト！　地殻《ちかく》ブロックの破損《はそん》から、水道管が破裂《はれつ》しました！　結構《けっこう》高圧なので気を付けて下さい！』

言われるまでもない。

春の夜気《やき》に煽《あお》られているからだろうか。吹き出す霧は、水平方向よりも上へ。盛り上がるように連続して重なっていき、

「く……！」

用心のため、正面方向にガードを固め、ミトツダイラはバックステップした。

急ぎ霧《きり》を抜け、一息《ひといき》を吐くと、

「全く……」

正面。武蔵《むさし》の夜の空が見えている。

正面、立ちのぼる白の霧に周囲の木々は沈み、しかし遠くの森の上に、自分が間接的に跳ね飛ばした樹木《じゆもく》や土砂《どしゃ》が載《の》っているのも見える。

鼻に来る匂《にお》いは、雨を浴びる土のものに近い。そして、

「随分《ずいぶん》と、大げさですわね」

輸送艦《ゆそうかん》が数艦。投光術式《とうこうじゅつしき》で光を投げかけてくる。その光を浴びながら、ミトツダイラはこう思った。

……大人《おとな》しくしていて、それを過去の清算《せいさん》にしていたというのに。

「我が王の望みは、如何程《いかほど》に派手《はで》なようですわ」

敵の姿《すがた》はいつの間にか消えていた。

○

・副会長：『これ、葵《あおい》の術式調整《ちょうせい》とか、やってる暇《ひま》ないだろ？　この後』
・あさま：『流石《さすが》にうちも検証《けんしょう》とか調整《ちょうせい》でいろいろでしたねー……。だからトーリ君には帰って貰《もら》って、私はミトと検証やら何やらでした』

・**不退転**：『浅間神社《あさまじんじゃ》としては、セキュリティに不備があった事にされるのかしら』
・**あさま**：『いえ、うちは着港時《ちゃっこうじ》の定石設定《じょうせき》をしてましたし、この辺りは浅間神社だけではなく、武蔵側も協同です。つまり、ちゃんとやっていたのに、例外としてあの霊群《れいぐん》が出たという事になりますね。もし問題があるとしたら、未来において同様の案件《あんけん》が生じないように、新規《しんき》対策を立てると言う事になりますが、それは費用《ひよう》も人員も掛かりますし、何よりもまず、何故《なぜ》こんな事が起きたのかの検証が大事《だいじ》、という事になりました』
・**銀　狼**：『Ｊｕｄ．、――番屋《ばんや》の動きが遅れた事や、立場上、騎士《きし》ではあっても中等部《ちゅうとうぶ》の私が迎撃《げいげき》に出た事もあって、武蔵上《むさし》だというのに敵意《てきい》ある霊群が出た、というのは、こっちに親身《しんみ》な形で公的な調査対象《たいしょう》となりましたの』
・**貧従士**：『とはいえ、目撃《もくげき》報告してた自分なんかも、深夜まで聴取作製《ちょうしゅ》に付き合わされたりで、結構面倒《けっこうめんどう》でしたね――……』
・**煙草女**：『あたしなんかは下の機関部《きかんぶ》で着港準備に忙殺《ぼうさつ》されてたから、上でトラブってると聞きはしたけど、ほとんど知らんさね、この辺り』
・**副会長**：『何かいろいろだな……。だけど何か変な事が起きてるんだよな？　これ』
・**銀　狼**：『Ｊｕｄ．、――その辺りは、翌日から調査になりますわね。何だかんだで武蔵は遠江《とおとうみ》に着港しましたし、貿易《ぼうえき》で活気づく時間帯ですわ』

結局、ミトツダイラが浅間《あさま》神社《じんじゃ》で番屋《ばんや》と総長連合《そうちょうれんごう》の聴取《ちょうしゅ》を受け終えたのは、夜の十二時を過ぎていた。

右袖《そで》を失っているために右肩だけ肩出しの状態。

浅間は泊《と》まって行けと言ったが、まだそこまで甘える程、自分が赦《ゆる》せている訳《わけ》でもない。

「トーリ君から、ミトの事を宜《よろ》しくって言われてますから」

と言っていたのが、どのレベルで宜しくなのかは解《わか》らないが、やはり気が引ける。

ゆえにミトツダイラは、浅間が業務で場を外したのを見計《みはか》らって、外に出た。

浅間神社の裏にあたる奥多摩《おくたま》中央の自然区画《くかく》。そこは既《すで》に調査と修復《しゅうふく》が開始され、輸送艦《ゆそうかん》や人員が投光術式《とうこうじゅつしき》を動かして働いている。

表層部《ひょうそうぶ》に出てみれば、浅間神社の持つ結界《けっかい》から出るため、急激に音が聞こえ、それに、

「あ……」

奥多摩から見ても解るが、空が高い。

周囲を武蔵《むさし》の左右舷《げん》三艦が囲むようになっているため、地平を通して見る事は出来ないが、遠くの山渓《さんけい》や、そこにある明かり。そして遠くの海が作る水平線は夜空の〝下〟に見えた。

着港《ちゃっこう》は終わっていたのだ。

いつの間に、とも思うが、聴取の間、浅間が一息《ひといき》入れていたのはそういう事だろう。

きっとナイトもナルゼも、夜間配送で空を飛んでいるのだろうし、

「ん？　ミトツダイラか」

自然区画を行く通りを、木材やパレットを担《かつ》いだ人足《にんそく》達が行く。その中の一人、半竜《はんりゅう》の、

「ウルキアガ？」

「Ｊｕｄ．《ジャッジ》、貴様《きさま》、これから帰りか」

「言わなくても解るでしょう？」

ああ、と彼は竜属《りゅうぞく》の角《つの》を揺らして応じた。そして、

「さっきまで、トーリが向こう、艦間《かんかん》の番屋のところで待っておったぞ」

「……は？」

疑問詞《し》が口を突いたのは、意外《いがい》を感じたからだ。

王が、そんな事をしたという事実に対する意外ではない。

自分が、そうして貰《もら》えるという意外だ。だが、

「浅間が〝泊まらせていく〟から、と通神《つうしん》して、帰らせたみたいだが、違ったのか」

「あ、いえ」

「トーリに言うなよ。拙僧《せっそう》も、貴様とここで会わずに明日《あした》の朝になったら言わなかった」

ウルキアガがそう言って、一つ頷《うなず》いた。約束しろと、そう言っているのだろう。

じゃあ、とミトツダイラは、一息《ひといき》を入れた。

……我が王、そういう経緯《けいい》で〝宜《よろ》しく〟と浅間《あさま》に頼んだんですのね。

「王が任せたなら、それに従おうと思いますわ。私も、本心では、楽をしたいですし」

「良い事だ。共に楽であれば、幸いに偏《かたよ》りがない」

ウルキアガは異端審問官《いたんしんもんかん》志望。Tsirhc《ツァーク》の中道《ちゅうどう》を説く言葉は彼の信条《しんじょう》だ。

向こう。先に行った人足《にんそく》集団の方から、

「ウルキアガ！　早くせんと明日《あした》に間に合わぬぞ！」

「Ｊｕｄ．《ジャッジ》、すぐに行く、ネンジ」

と、ウルキアガが走り出す。そして彼が背を向けた時、

「――感謝しますわ。王の行状《ぎょうじょう》を伝えてくれて」

自然と礼《れい》が出て、ミトツダイラは自分に安堵《あんど》した。夜の中、投光術式《とうこうじゅつしき》の光があっても、大部分は闇《やみ》だからだろうか。そして彼女は、

「は」

笑いとも、照れとも、脱力《だつりょく》ともとれる息を漏《も》らした。露《あら》わになった右腕《うで》の先、手を胸に当て、表示枠《サインフレーム》を開くと、

「――浅間、やはりそちら、泊《と》まる事にしましたわ。用意、御手数《おてすう》掛けますわね」

第七章

『熱と水』

目覚めはゆっくりと
微睡みははっきりと
起きたらしっかりと
朝食ならさっぱりね
配点（自然な流れ）

喜美《きみ》は、着港《ちやつこう》の翌朝が好きだ。

空を行く巨大艦《きよだいかん》。武蔵《むさし》の住人は、生まれも育ちも空の上、という人間が大半だ。だがそれでも、武蔵が着港し、大地《だいち》に固定されると、

「踊《おど》る時のステップが、ちょっと跳ねなくなる代わりに、凄《すご》く打感出るのよね」

それだけではない。朝起きた時、ベッドから身を起こしただけで、身体《からだ》の重みが変わっているのが解《わか》る。武蔵内の重力制御加護《せいぎよかご》が、地表側との干渉《かんしよう》を避けるために再調整《ちようせい》されているからだ。

それは重量として身体を引っ張るものだが、軸《じく》がしっかりしたようでまた面白い。

身体の軸が通れば、ステップの響《ひび》きはよくなるのだ。

軽く高く鳴らすいつもの武蔵と、硬く確かに鳴らすこれから数日のステップと、

「フフ、着港期間約三日。この間に幾《いく》つか音《おと》録《ど》りして、違う〝味〟をストックしておくのもいいわね。――愚弟《ぐてい》？」

ベッドの上から、壁代わりのカーテンに呼び掛けるが、返答はない。

聞こえるのは、奥多摩《おくたま》の方から響く工事の音と、輸送艦《ゆそうかん》の行き来する響き。家の前の通りを時折《ときおり》に馬車《ばしや》が移動していく鳴り音もあるが、家の中に生活の音《ね》はない。

ただ、気付けば料理の匂《にお》いはする。弟が起こしに来ないのにスープの温まった香りが来ると言う事は、

「あ、そうね。作り置きしてるんだっけ」

喜美は、弟が何処《どこ》に行ったのかを思い出した。

身を起こし、嵌《は》め殺しの窓から入る光に身体を照らさせながら、喜美は伸びをする。

そうそう、と呟《つぶや》き、喜美は表示枠《サインフレーム》を開いた。すると通神文《メール》が自動展開。送り元は、やはり弟からで、

「――Jud《ジャッジ》.、術式《じゅつしき》関係、昨日《きのう》出来なかったから、浅間《あさま》の処《ところ》に行っているのね」

●

ミトツダイラは、深い眠りから醒《さ》めていた。

場所は浅間神社《じんじゃ》。それも、母屋《おもや》とは逆面側にある、施療院《せりょういん》としての一室だ。

普段は使われない部屋だが、主に出産など、浅間神社由来《ゆらい》の施療に用いられるここを、昨夜は借りたのだ。

何処《どこ》となく見覚えがあるのは、

……昔、小等部《しょうとうぶ》の時に、ここで〝お泊《と》まり会〟ありましたものねえ。

当時はまだ自分の王ではなかった王が、ろくな事をしなかったりで、〝変な思い出〟という

漠然《ばくぜん》としたイメージこそが思い出として残っている。

何年ぶりだろうか。

否《いな》、浅間《あさま》神社《じんじゃ》には時折《ときおり》に術式《じゅつしき》や加護《かご》の調整《ちょうせい》で来ていた。ただ、こういう親密《しんみつ》な状況というものが久し振りだったのだ。

昨夜から手間《てま》を掛けさせている、とは思ったものの、浅間は境内《けいだい》の濡《ぬ》れ縁《えん》に夜食を持って来てくれた。

自分の分との二人分。洋食慣れした自分にとっては、魚と鶏肉《とりにく》中心で構成《こうせい》された重箱《じゅうばこ》は、少し物足りないようで、しかし味のバリエーションで充分なボリュームを感じた。

少しの情報交換と、慰労《いろう》の御酒《おさけ》の後、別れ際に渡されたのは着替えと、

「うち、御風呂《おふろ》無いですから、身体《からだ》や髪《かみ》を洗うなら裏の禊祓《みそぎ》の泉《いずみ》になります。ただ、まだ水温が冷たいので、そこら辺が嫌《いや》なら、これ、――身体を拭《ぬぐ》う禊祓の符《ふ》です。もし泉を使う場合は、体温調整加護などある、――ええと、この水着で御願《おねが》いします」

着替えの中から掲《かか》げてみると、浅間神社の巫女《みこ》用水着だ。紙ハンガーに留められたそれは、……結構《けっこう》攻め気ですわね。

用途《ようと》説明の但《ただ》し書きを見ると、サポーター代わりにもなるものらしい。主に水辺や、水中活動用の下地《したじ》となるもの、と考えると、インナースーツの邪魔《じゃま》にならないデザインだろう。中等部《ちゅうとうぶ》以下用、というものではなく、戦闘《せんとう》もあり得る大人《おとな》用、といったところか。

自分は人狼《ルウガルウ》の血を引いている。

種族的《しゅぞく》に毛繕《けづくろ》いの加護があるため、実のところ、水に入って身体を洗う意味はあまり無い。

湯に浸《つ》かれば疲れは取れるし、ステイタスともなるが、冷水だとまた別だろう。

だが、それがいつもの自分だとするならば、

「気分転換、ありかもですわね」

ミトツダイラは、戸を開けた。

朝。

遠江《とおとうみ》の武蔵《むさし》用陸港《りくみなと》は、出港後に西の三河《みかわ》に向かうため、武蔵が西向きに入る構造《こうぞう》だ。

自分のいる部屋は浅間神社の左舷《さげん》側。戸は右側、北向きにある。

開けて見えるのは、未明《みめい》を終えたような青白い空。ミトツダイラは、母屋《おもや》とこの離れの間にある泉に、足を向けた。

●

浅間神社の泉は、当然、人工物だ。

禊祓によって整調《せいちょう》された循環水《じゅんかんすい》を、一部分岐《ぶんき》させて神社用の禊祓施設《しせつ》にしている。一応は、広めの女性用、狭い男性用に分かれたものだが、現在は女性用が共用扱いだった。

「あのさあ浅間……。俺《おれ》、コレに肩まで浸からないと駄目《だめ》な訳《わけ》？」

「いやトーリ君、毎回言ってますけど、そうしないと術式《じゅつしき》の安定化が出来ませんので。大体、今日《きょう》は地上側に着港《ちやっこう》してますし、春ですから水も結構温《けっこうぬる》めですよ」

と、水着姿《すがた》の浅間《あさま》は、緩い流れのある泉《いずみ》に手を入れた。

「ぅわ、つめたっ――。ほら、大丈夫《だいじょうぶ》ですよトーリ君」

「い、今、冷たいとか言ったろオメエ！」

「いいからいいから。早く済ませてミトの分の朝食も作らないといけませんから」

あー、はいはい、とやはり水着姿のトーリが泉に膝《ひざ》まで入る。そして彼は、

「肩まで？」

「そーです」

と、浅間も足を下ろし、膝まで入る。そして浅間は、一つ両の手を打った。

「――奏上《そうじょう》」

すると自動で、二人の周囲に表示枠《サインフレーム》が幾《いく》つも展開した。

●

……まあ、いつもの仕事ですね。

浅間は、自分達の周りに出た表示枠を見てそう思う。

担当者と氏子《うじこ》が同じ禊祓の結界《けっかい》に入り、水を媒介《ばいかい》に接続されたのだ。

SIRASAGO

浅間《あさま》は、トーリの術式《じゅつしき》や加護《かご》設定の権限《けんげん》が、一通りこちらに来ている事を確認《かくにん》。

「ほら、トーリ君、冬の時よりかマシじゃないですか。早く、ほら、早く中へ」

「いやいやいや、もうチョイ慣れさせてくんね？」

まあ確かに、水温はまだ低い時期だ。自分とて、毎朝禊祓《みそぎ》で泉《いずみ》には入っているが、水を被《かぶ》る時はそれなりの思い切りがいる。

……いつもは裸《はだか》ですけど、水着着てる分だけ、今日《きょう》なんかは気休めありますけどね。

トーリの場合は、仕方ないとは言える。

「じゃあちょっと慣れるまで、足入れた状態でそこ座って下さい。こっち、軽い設定をしながらですけど、昨日《きのう》、結局伝えそびれた事があったので」

「ネイトの事？」

流石《さすが》ですね、と思うが、これもまたいつもの事だ。

浅間は、自分から泉の縁《へり》、板張りに腰を落とし、横の床を手で叩《たた》く。

「ハイここどうぞ」

彼が座る。

何か、座ってるだけなのに落ち着きがないように見えるのは気のせいだろうか。だが、彼の方から、

「ネイトが、揉《も》んで欲しいとか、何かあったの？」

「あったというか、あると言うか、あろうとしている、というのが正解かと思うんですが」

「つーか、どうしていきなりそうなったんだよ。姉《ねえ》ちゃん介《かい》してる？」

「いえ、喜美《きみ》は今回無罪《むざい》です」

浅間は、順を追ってトーリに説明した。その上で、

「やっぱりミトも神道《しんとう》。言霊《ことだま》の文化の住人ですから、トーリ君、ミトの胸を揉む時に〝大きくなあれ　大きくなあれ〟って祝詞《のりと》を上げて下さい」

「……それ本当に祝詞か？」

「ほ、本当ですよーう。ほら、神様に祈願《きがん》する時は大体祝詞ですから」

左様《さよう》かー、と彼が頭を掻《か》くのを見ているうちに、手元の準備が終わった。ハナミが出て来て、新しい表示枠《サインフレーム》を展開してくれるが、

「さてトーリ君。じゃ、そろそろもう一回、肩まで泉に入りましょうか」

「えっ、……も、もうちょっと慣れてからにしねえ？」

彼が腰を退《ひ》き、己《おのれ》の身体《からだ》を抱いてくねくねしながら、

「もうちょっと温まってからだろ？　ほら、もう少し日が上に来てから」

「残念ですけど今日は学校ですし、早めにします。——だ・か・ら」

と浅間は立ち上がり、トーリの両肩に手を乗せた。努めて笑《え》みで、

「じゃあ、まずは腰まで浸《つ》かってみましょうか」

ミトツダイラは、泉《いずみ》の脱衣場《だついじょう》で着替えていた。

寝間着《ねまき》代わりの小袖《こそで》を肩から落とし、水着を身に着けていく。ハードポイントパーツを使用するものなので、

……首と腰は、紐《ひも》の締《し》め付けが自在ですのね。

ハードポイントパーツの設定をインナースーツ圧着《あっちゃく》固定から、人体圧着固定とベルト類の絞《しぼ》り可能な設定に変更《へんこう》。

この辺り、高等部《こうとうぶ》に入ったら戦闘訓練《せんとうくんれん》などで装備を変更する事も多くなるだろう。近い内に自動設定や専用の制御情報《プログラム》について、詳しい者に聞いておくべきなのかもしれない。

「……やっぱり浅間《あさま》でしょうか」

多分それが安定だ、とは思ったミトツダイラは、あるものに目をとめた。

脱衣場の棚《たな》。籠《かご》に、先客の衣服《いふく》を見つけたのだ。

浅間の小袖だ。

ちゃんと折りたたまれているが、上面となっている袷《あわせ》の部分。胸の処《ところ》が撓《たわ》んでいるように見えるのは気のせいだろうか。

今は早朝。巫女《みこ》の習慣として、禊祓《みそぎ》しているのだろう。

だが、浅間が泉にいると言う事は、安堵《あんど》を心にくれた。

……私……。

浅間と、特に何かがあったという訳《わけ》ではない。ただ彼女は、荒れている時期も、何かと理由をつけて距離《きょり》を保ってくれて、今は近しくいてくれる。

王と近い存在、というのもあるのだろう。喜美《きみ》も含めて、今の自分が強いて友人と言えば彼女達となる気がする。ならば、

「……私も、そろそろ自分から、気を緩めてもいいのかもしれませんけど」

ああ言い訳臭《くさ》いですの、と思いながら、苦笑《くしょう》が漏《も》れる事こそが緩みだと考える事にする。

そして水着の紐をハードポイントパーツのラッチに噛《か》ませると、自動で引きが入った。

身体《からだ》。胸や脇《わき》、鼠径《そけい》から股間《こかん》を後ろに通る部分のフィットが強くなり、

「ん」

布地《ぬのじ》の冷たさは、しかし一瞬《いっしゅん》で肌《はだ》に等しくなった。

絞りの設定をやめず、身体を軽く捻《ひね》る。すると締め付けが柔軟《じゅうなん》に対応。その遊び分も計測《けいそく》させた上で設定を確定する。

……これをしっかりやっておかないと、〝落ち〟ますものねえ。

水着側にも、諸処加護《しょしょかご》が含まれており、フィッティングもその範疇《はんちゅう》だ。だが、紐などの設定もしておけば、落ちる事は無くなる。浅間や喜美など、よくまあ落ちないものだと思うが、そ

の辺り、専用の制御情報《プログラム》などあるのだろう。

……私には無関係ですわね……！

イラっと納得《なつとく》していると、ふと、あるものを感じた。

匂《にお》いだ。懐《なつ》かしいような、親しい匂い。

「我が王？」

何故《なぜ》ここに、と思い、視線を動かして、ミトツダイラは見た。

浅間《あさま》の脱衣籠《だついかご》の隣《となり》。極東《きよくとう》の中等部《ちゆうとうぶ》男子制服《せいふく》がある。

王の匂いがするならば、それは王のものだ。

「え？」

王が、浅間と裸《はだか》？　で泉《いずみ》に入っている。

●

ミトツダイラの視界《しかい》の中、見えているのは二人分の服だ。

浅間は小袖《こそで》のみだが、王の方は下着《したぎ》から何から、完全に脱《ぬ》ぎ捨てて突っ込んである。

本体は、

「――――」

ミトツダイラは、泉への入口を見た。

すると、中から声がした。よく聞けば、水を蹴立《けた》てるような音と共に、浅間の声で、

「あの、トーリ君、ここです」

何をしているのだろうか。疑問に思うと、浅間の声は更《さら》に続き、

「ほら、トーリ君、早く、中に、中に入って下さいっ」

「おいおいおい、ちょっと、まだちゃんと濡《ぬ》らしてねえよ！」

……は？

何してますの、という疑問は、続く言葉で想像《そうぞう》に変わった。

「大丈夫《だいじょうぶ》ですよ。ほらほら、——トーリ君、ほうら、ちゃんと力抜いて下さい」

「おおおおおお」

「ふふ」

浅間が、僅《わず》かに疲れたような声で言う。

「ほうら、大丈夫ですよ？　——もう、トーリ君、お臍《へそ》の辺りまで入っちゃいましたね。

ええ、このまま一気に沈み込んじゃって下さいね」

「ちょ、ちょっと待て待て待て、結構《けっこう》キテるキテる」

「あっ、駄目《だめ》です。もう、口で駄目だから、手を使ってるんですけど、誰《だれ》のせいか解《わか》って下さい。——そのまま、少なくとも百数えるまではそのままですよ」

そして、

「ちゃんと入って、しばらくしたら慣れて温かくなりますから、そうしたらいって下さいね。私の方、トーリ君のを仕込んでおこうと思いますから」

「――な、何してますの二人とも……!!」

泉《いずみ》の戸を開けて板張りの床に跳び出したミトツダイラは、それを見た。

泉に肩まで沈み込んでいる王と、その後ろに立って表示枠《サインフレーム》を展開している浅間《あさま》を、だ。

……あら？

ミトツダイラの眼前にあるものは、想像《そうぞう》とかなり違った。否《いな》、泉に二人が入っているのは合っているのだが、

「えーと……」

ミトツダイラは、振り返った二人を見る。王が泉から手を挙げ、

「おうネイト、起きたか？」

「あ、ええ、御機嫌《ごきげん》よう我が王。でも、あの……」

問うた。

「……何してますの？」

「え？　あ、さっきから、術式《じゅつしき》や加護《かご》調整《ちょうせい》のため、泉で何度か禊祓《みそぎ》しないといけないんですけど、トーリ君が水の流れに肩まで沈めてくれませんで」

だからまあ、と、浅間が両手を軽く振り、うん、と眉《まゆ》を立てつつ口を横に開き、

「流石《さすが》にちょっと我《わ》が儘《まま》なので、無理《むり》にそうして貰《もら》いました」

「はあ……」

肩を落としたミトツダイラは、二人に手の平を立てて見せ、後ろを向く。

ものに当たってはいけないと、そう思いながら、

「……！」

ミトツダイラは、入口の柱《はしら》を拳《こぶし》で殴《なぐ》りつけた。

○

・**賢姉様**：『うーん……。愚弟《ぐてい》の服をクンカクンカする方が良かったかしら……』
・**銀　狼**：『喜美《きみ》！　喜美！　勝手《かって》に過去を捏造《ねつぞう》してますのよ——!?』
・**あさま**：『いや、でも、柱じゃなくて壁を一回殴っていたような……』
・**●　画**：『というか、それ以前の胸《むね》揉み談義《だんぎ》の方が、そのまま雪崩《なだ》れ込むシチュエーションに使えて有《あ》り難《がた》いわ……』
・**金マル**：『ガっちゃん、ガっちゃん、ちょっと鼻血《はなぢ》出てる。出てる』

●

「成程《なるほど》……。浅間の担当下、更《さら》に我が王や喜美は浅間と加護や術式の研究提携《ていけい》をしてるので、

「浅間《あさま》と同様の準備が要《い》りますのね……」

泉《いずみ》に一度頭まで潜《もぐ》る事で禊祓《みそぎ》としたミトツダイラに、浅間は頷《うなず》いた。

滴《しずく》を身体《からだ》の肌《はだ》に転がし、髪《かみ》からも滝《たき》のように水を零《こぼ》す彼女を見て、浅間はこう思う。

……冷たいのに思い切りが良いというか、確かにワンコ気質な……。

今、トーリは幾《いく》つかの設定や調整《ちょうせい》を終え、洗い場の板の間に寝転《ねころ》がっている。別にハードな事をした訳《わけ》ではないが、

「浅間に、強引《ごういん》に、されちゃった、俺《おれ》……」

「朝、忙《いそが》しいんだからあまり手間《てま》掛《か》けさせないで下さいね。もう三年生なんだし、少し厳《きび》しくいきますから」

「えっ」

ミトツダイラの声に、浅間は振り向く。

「何ですかミト、え、って」

「いえ、あの……」

狼《おおかみ》が、視線を逸《そ》らしてこう言った。

「――さっきの、相当甘くやってたように聞こえましたけど、あれで〝厳しく〟?」

「えっ」

こちらの声に、ミトツダイラが振り向く。

「何ですの浅間、え、って」

「いや、あの……」

浅間は、俯《うつむ》き加減《かげん》でこう言った。

「――今の、充分に厳しくやってたつもりだったんですけど、ね……」

ミトツダイラが、笑顔で肩に力を入れ、一瞬《いっしゅん》だけ何か言いたそうな雰囲気《ふんいき》を作った。

だが、は、と息をついた彼女は、

「ま、まあ、結果が出たからいいとしますわね。ね!?」

「はあ、それでまあ、あの……」

さっきから思っている事がある。

……何でミト、座らないんでしょうかね。

お互い二人とも、泉の中に立ったままだ。禊祓は終えているので別にそれで悪くはないが、何だか居心地《いごこち》の悪さというか、落ち着きのなさを感じる。だから、

「あの、ミト、こっちに座っては……」

と、彼の倒れている、洗い場の方を手で示す。するとミトツダイラは照れたような笑《え》みで、

「いえ、我が王の横など、許可なく座れませんわ」

浅間は思った。コレはホントのワンコ気質ですよね、と。

ただ、浅間としてはやっておく事がある。

「ミトの方、ちょっと加護《かご》関係を整備しましょう」

「？　何をしますの？　私、浅間《あさま》の担当下ではありますけど変なのは無しですのよ？」

「いやまあ、汎用《はんよう》の対霊術式《たいれいじゅつしき》を加護化し、一時的に常駐《じょうちゅう》させようと思うんですよ。昨日《きのう》あんな事ありましたし、遠江《とおとうみ》を出るまで、その方がいいかな、と思うので。あ、代金は武蔵《むさし》側に請求《せいきゅう》しますから気にしなくて大丈夫《だいじょうぶ》です。事件関係者への保障《ほしょう》という事で」

それと、と浅間は言葉を繋《つな》げた。

「昨夜の戦闘《せんとう》。相手の事とか、私の前やうちの敷地《しきち》内、番屋《ばんや》などの要所でしか話さないようにして貰《もら》えますか？　ミト」

「は？　情報漏洩《ろうえい》を恐れてですの？」

「いえ、ちょっと判断《はんだん》つかなくて難しい部分なんですが、——言葉にすると、呼ばれて出てくる、っていう可能性も高いんです」

ミトツダイラが、己《おのれ》の胸に手を寄せ、僅《わず》かに身を縮める。

緊張《きんちょう》だ。昔にいろいろあって、実戦もこなしている彼女だが、やはり昨夜の戦闘には思う処《ところ》があったのだろう。

浅間は、ミトツダイラを萎縮《いしゅく》させないように、と思いながら言葉を続ける。

「昨夜、あの忍者《にんじゃ》？　密度《みつど》の高い霊体《れいたい》は、ミトを襲《おそ》いましたよね。本来なら、追っていた何かを追走する筈《はず》だったのに、何故《なぜ》かミトへと狙《ねら》いを変えました。その原因は不明ですが、ミトが

迎撃《げいげき》し、敵が逃げ去ったと言う事は、ミトと敵の間には〝縁《えん》〟が出来てる可能性が高いという事になります」

「……では、あの忍者風《にんじゃふう》の霊体《れいたい》、私の周辺に潜《ひそ》んでいるのかも、と？」

「そこまで言い切れませんが、可能性はあります」

「禊祓《みそぎ》でどうにかなりませんの？」

「禊祓は、こちら側、現世《うつしよ》のものです。霊体は地脈《ちみやく》に近い存在なので、向こうが出て来たら効果を発揮《はっき》しますが、出て来ない状態では流石《さすが》に祓《はら》えません。方法があるとすれば——」

浅間は、足下《あしもと》を指さした。

「浅間神社《じんじゃ》に数日いて、処置《しょち》させてくれるなら、神様に頼んで向こうの世界からミトの悪縁《あくえん》を断って貰《もら》う事は可能だと思います。ちょっと手間《てま》掛《か》かりますけど」

「その場合、あの霊体は？」

「フリーになるので、また機会《きかい》があれば今度は余所《よそ》で出てくるんじゃないでしょうか」

「それは流石に……」

ですよねー、と頷《うなず》くしかない。が、ミトツダイラとしては方針が決まったらしい。彼女は、胸に当てていた手で己《おのれ》の肌《はだ》を軽く叩《たた》き、

「——ともあれ私にあの霊が憑《つ》いていたとしても、浅間の加護があれば、何とか対処《たいしょ》は出来そうですわね。宜《よろ》しく御願《おねが》いいたしますわ」

「はい。じゃあとりあえず攻撃系《こうげきけい》、防御系《ぼうぎょ》の強化もですが、近くにあの霊体が出る際には警告《けいこく》とか、その辺りも入れておきます。一応、遠江《とおとうみ》を出て、浅間奥宮《おくみや》が近くなったら、組み替えか取り消しかを考慮《こうりょ》しますので」

「へ？　浅間奥宮って、あれだっけ？　山の上の？」

彼が身体《からだ》を起こしていた。加護の調整《ちょうせい》なども済んだし、上がろうというのだろう。板の間に腰を上げ直した彼に、浅間は頷《うなず》きで言う。

「富士山《ふじさん》の山頂《さんちょう》にあるうちの奥宮です。武蔵《むさし》にあるここは、浅間神社の主社《しゅしゃ》なんですが、奥宮は古来《こらい》からの通り、富士山にあるんです。そっちの方は、地脈関係と密接《みっせつ》なので、先程《さきほど》言った縁だの何だのの処理をするなら、降りてみるのもいいかもしれませんね」

それに、と浅間は言った。

「浅間の奥宮と周辺の浅間神社は、松平家《まつだいらけ》や織田《おだ》、武田《たけだ》や今川《いまがわ》、他、周辺の国々が結構神奏《けっこうしんそう》してくれてまして。うちの力の源泉《げんせん》であると共に、周辺諸国《しょこく》の支えでもあるんですね」

「だとすればここから出港の後、浅間奥宮にまで行けば、大体は解決と、そうなりますの？」

「恐らく、……という感じですけどね。だからまあ、昨夜のような謎《なぞ》の霊体船団《せんだん》とか、いろいろありますけど、終わりは見えているので、気楽《きらく》にいくのがいいかと思います」

だって、

「久し振りの地上ですからね。──余裕《よゆう》が出来たら、下に降りてみるのもいいですよ」

・ホラ子：『――で、下に降りて遊び回ったりしたのですか』
・●画：『それがまあ、航路《こうろ》が変わるせいで下も上も大騒《おおさわ》ぎでやってらんないわ』
・金マル：『一応、調整《ちょうせい》と予定を立ててたとか言っても、三日間だと無理《むり》だよねー……』
・傷有り：『一体、何があったんです？』
・銀　狼：『Jud《ジャッジ》、遠江《とおとうみ》の市場《いちば》は、武蔵着港《むさしちゃっこう》も考えて広く作ってありますけど、やはり輸《ゆ》送艦《そうかん》などの着艦《ちゃっかん》場所は有限ですの。なので力のある商人から順に輸送艦を出して取引、という流れになっていたんですけど……』
・○べ屋：『案《あん》の定《じょう》、上の連中《れんちゅう》が取引をわざと遅滞《ちたい》させて、中堅《ちゅうけん》以下の商人がろくに取引出来ないようにしてきたのよね』
・武蔵野：『横から加わらせて頂《いただ》きますが、ええ、……何故《なぜ》、人間は、ああやって勝手《かって》に遅延《ちえん》を作ったりするのに、実際の遅延には苦情を述べたりとするのでしょうか……。――以上』
・あさま：『まあ、気分としか……。何かよく解《わか》りませんがすみません……』
・貧従士：『でも、会計達は、当時見習い状態ですよね。何してたんですか？』
・○べ屋：『ん？　順番かなりケツに回されたから、シロ君と武蔵上のラーメン屋を回って食べまくってたのね。ほら、前々の着港地が明《みん》だったから、影響《えいきょう》受けてその辺りの御店が幾《いく》つか出てくるでしょ？　その内、残りそうなのはどれか、ってチェック。
ウケそうだったら推《お》しにしたり、提携《ていけい》したりも出来るもんね』
・**●画**：『太るんじゃない？』
・**○べ屋**：『その辺りはまあ、方法あるってもんよ』
・**義**　：『尻《しり》から出すのか』
・**○べ屋**：『そっちか⁉　そっちを振るか‼』
・**銀狼**：『……えーと、ともあれメアリ、上も下もそんな状態なので、観光定期便《びん》は最終日に出るような、そんな状態だったんですわ』
・**傷有り**：『英国だと一、二週間停泊《ていはく》するのでそのような光景《こうけい》は見られませんけど、やはり地《ち》域《いき》によっては状況と人となりで変わりますね。勉強になります』
・**貧従士**：『何か……今までの応答の中で、一番まともなのを聞いた気がします自分……』

●

結局、初日は下に降りる事もなく、着港はしたものの、輸送艦の接舷《せつげん》可能な各艦《かくかん》の両舷《りょうげん》や、甲板群《かんぱんぐん》が賑《にぎ》わうだけの状態だった。

ミトツダイラが憶《おぼ》えているのは、まず、朝は浅間《あさま》の部屋で、王と浅間と自分の三人で朝食を頂いたという事。

主食は米ではないのだが、浅間《あさま》が炊《た》いてきたそれは、空《す》いた腹によく馴染《なじ》んだ。付け合わせで出された豚肉《ぶたにく》の味噌《みそ》焼《や》きに、焼き卵《たまご》という取り合わせも、濃いめの味と、柔《やわ》らかい大人《おとな》しめの味で頬《ほお》に染《し》みた。仕上げはツミレの吸い物で、魚臭《くさ》さがあるかと思えば、

「あ……」

柑橘《かんきつ》の皮が、微細《びさい》に刻んで、少々だが練り込んである。

人狼《ルウガルウ》ゆえ、柑橘類は刺激《しげき》が強くて苦手《にがて》なのだが、このくらいならアクセントだ。実家でも、父がよく柑橘のソースで肉を焼いてくれた事を思い出し、

「？　ミト？　ツミレのコレ、ひょっとしてキツ過ぎました？」

「あ、いえ、ちょっといろいろ思い出したんですわ。昔の事とか」

口の中をサッパリと締《し》めるには、いい味だった。デザート代わりに薄荷《はっか》の飴《あめ》を貰《もら》い、王と一緒《いっしょ》に途中《とちゅう》の道まで。

浅間神社《じんじゃ》を出る時、浅間はストールを一枚貸してくれた。昨夜、右袖《そで》を失っているし、左の袂《たもと》も刻まれた跡《あと》があるのだ。

両袖を外してノースリーブにしてはいたが、まだ季節としては早い。

両肩を隠《かく》す様《よう》にして王と歩けば、脇《わき》が心許《こころもと》なく感じて、

……油断《ゆだん》をしない、昔の感覚がちょっと戻って来てますわね。

歩けば、やがて岐路《きろ》に来る。彼の方がやや遠回り気味《ぎみ》につきあって、

「んじゃ、ガッコでな？」
分かれて歩き出す。後で学校ですぐに落ち合えるだろう。ただ、ミトツダイラとしては、
……昨夜……。
王は、自分が浅間神社から出るのを待っていたという。

●

歩くミトツダイラは、その事に、二重の反省をする。

王に手間《てま》を掛けさせ、それを喜んでどうするんですの、と。

昨夜、自分が出るのは、何時《いつ》になるか解《わか》らないというのに。

だからこそ、浅間が彼と話をして、先に帰らせる手筈《てはず》をつけたのだろう。

今、王は学校に。自分は屋敷《やしき》に荷物を取りに。

空を見上げながら屋敷のある村山《むらやま》に足を向けると、浅間から通神文《メール》が来た。

昨夜の事だ。王が自分を待っていてくれた事の詳細《しようさい》を、彼女は確かに教えてくれる。

『何だか、ミトの権利に首突っ込んだ感があるので、すみません。

ミトの聴取《ちようしゆ》がいつ終わるか、って聞いてきたので、もう遅いし、トーリ君に、艦間《かんかん》の門で待たずにうちで待っていれば、って言ったんですけど、こういうのは外で偶然《ぐうぜん》っぽくするのが格好《かつこ》よくね？　って言われて』

『我が王、何でそんな所にこだわるんですの……』

『ですよねー……。で、ミトに直接言ったらどうですか、って言ったら、今度は、王様が自分で〝待ってるから早く来い〟って、偉《えら》そうじゃね？　って』

浅間《あさま》の言葉に、彼の口調《くちょう》が想像《そうぞう》出来て吹いてしまった。そしてミトツダイラは思った。

……今、途中《とちゅう》まで帰ったのが、その〝取り返し〟ですのね？

彼らしい。

昨夜、王が待っているのを見れば、嬉《うれ》しく感じただろう。だが、王に心配を掛けさせたり、手間《てま》を掛けさせていては、騎士《きし》として失格だ。ならば、

『〝王が待っていてくれた〟という事実を知りつつ、実際はそれ以上の手間を掛けさせなかった、というのが正解なのかもしれませんわね。浅間の判断《はんだん》は正しいですわ』

『そう言って頂《いただ》けると有《あ》り難《がた》いです。ですけど、あの、――後の参考として、ミトというか、騎士としてはどんなだったらいいんです？』

そうですわねえ、とこちらは応じる。こんな事が今後も何度あるかは解《わか》らないが、

『――王が、先に私に言ってくれれば良かったんですわ。〝待ってる〟って。偉そうとか、そういうの無しで。王の召喚《しょうかん》に応じるのも騎士の務《つと》めですもの。そして王の召喚が、もし偉そうな押しつけであったとしても――』

『――あったとしても？』

『私が成果を出していたら、王からの召喚の押しつけは〝報償《ほうしよう》を貰《もら》う合図《あいず》〟ですわね。

……でもまあ、昨夜は成果を出せていませんけど』

『――い、いきなり昨夜の霊体《れいたい》を〝呼ぶ〟なんて、考えないで下さいよ？』

流石《さすが》にそれは、と苦笑《くしよう》する。

そしてミトツダイラは思った。自分は矛盾《むじゆん》してますわね、と。

王に手間を掛けさせないと言いつつ、現状こそが、全面的に手間を掛けさせているのだ。

もっと強くならないといけない。

しっかりして、王を自ら守ったり、要時に駆《か》けつけたり出来るようにならねばならない。

そうでなければ、王の第一の騎士を名乗る意味が無い。

……しっかりしませんと。

幾度目《いくどめ》かという言葉を思い、狼《おおかみ》は配送業の数が多い朝の空をまた見上げた。

●

そしてミトツダイラは、朝のこの時間とは別に、午後の事もまた、一つ憶《おぼ》えていた。

放課後《ほうかご》だ。

自分が、聴取《ちようしゆ》で教員室に呼び出されるのと別に、彼の処《ところ》にある人がやってきたのだ。

「トーリ、君？」

鈴《すず》だ。
彼女は、手指《てゆび》を宙《ちゅう》に絡めながら、王にこう言った。
「――夕方、今日《きょう》、空《あ》いてるから、行こ、……か」
一体何処《どこ》へ、という疑問は、朝の反省で掻《か》き消えた。
王とて、やはり、自分の時間や、なすべきがあるのだ。
王の手間《てま》を掛けさせないように、と、ミトツダイラは教員室に向かった。

○

・金マル：『……何かミトっつぁん、慣れて来て、話の引きを意識《いしき》し始めてないか、な……?』
・賢姉様：『フフ、自分に酔《よ》ってる！　酔ってるわねこの狼《おおかみ》！　もう内心《ないしん》、ウフーンアハーンみたいな酔い方でいい空気吸ってるのが解《わか》り捲《まく》りよ！　ちょっとこっちにも嗅《か》がせなさい！　スハア――！　ああっ、何この甘い匂《にお》い！　――ペロリ。……これは焼き肉のタレ甘口……！　林檎《りんご》に蜂蜜《はちみつ》……!?』
・銀　狼：『ち、違いますわよ！　うちは中辛《ちゅうから》ですのよ!?　あと最後のそれはカレーですの！』
・ホラ子：『ミトツダイラ様、何か存在意義《いぎ》に関わるものだったかもしれませんが落ち着いてみては如何《いかが》でしょうか』

第八章

『仕込みと熟成』

うーん
どっちにしたもんか
配点（ながらの推奨）

遠江《とおとうみ》着港《ちゃっこう》の初日。

喜美《きみ》は、学校から遅れて帰宅《きたく》した弟が何かそわそわしているのに気付いていた。

昔からの付き合い、というよりも、生き方の共有をしているような半身《はんしん》の間柄《あいだがら》だ。空気感は解《わか》るが、しかしその一方で、何を考えているかは解らない事もある。だから、

「愚弟《ぐてい》？　鈴《すず》と夕方デートだったんでしょ？　帰ってきてから何考え込んでるの？」

昨夜は浅間《あさま》に術式《じゅつしき》や加護《かご》の調整《ちょうせい》をして貰《もら》う筈《はず》が、何だかよく解らない霊体《れいたい》の追走劇《げき》に関わる事になったらしい。幽霊苦手《ゆうれいにがて》な自分としては話も聞く気は無いのだが、ミトツダイラが随分《ずいぶん》と活躍《かつやく》したそうだ。

……その関係で、何か思案《しあん》してるのかと思えば、そうでもないようね。

喜美は、お互いの部屋の仕切りとなっているカーテンを無造作《むぞうさ》に開ける。

すると弟がエロ草紙《そうし》を両の手に掲《かか》げていた。彼は眉《まゆ》をまっすぐに、真剣な顔で、

「姉《ねえ》ちゃん。……重量税《ぜい》がかかるから捨てろって、帰宅したら母《かあ》ちゃんが、机《つくえ》の上に俺《おれ》の秘蔵《ひぞう》を積んでおいててな……。どっち捨てた方がいいと思う？」

「右のは今流行のルックスだから、左の方を取っといた方がいいんじゃないかしら」

言いつつ、部屋に入る。そして弟の選別を見ると、

「結構《けっこう》バラバラねえ……」

「いや、ジャンルごとに厳選《げんせん》してんだよ。三分の一にしろって言うから」

「ちょっと待って」

喜美は、表示枠《サインフレーム》を展開。幾《いく》つかの階層《かいそう》から抜き出すのは、

「私が自撮《じど》り用で始めた撮影術式《さつえい》。これでスキャンするっていうのは？」

「おお！　姉ちゃん頭いいな！」

愚弟がページを広げた。右に黒髪《くろかみ》の裸《はだか》があって、左は上野神《うえのがみ》の割礼《かつれい》広告だが、

「ハイ笑って――」

何故《なぜ》か上野神の図解《ずかい》に笑顔認識《にんしき》の枠《わく》が行くが、やはり神が宿っているのだろうか。

ともあれ撮影して、しかし二人は数秒無言《むごん》となり、

「……愚弟、その山で、どのくらいの総ページ数なのかしら」

「全部で二千くらい、か……」

「スキャン用の日光《にっこう》写真機買った方が良いんじゃないかしら」

「いやあれ白黒だし、日光下じゃないと駄目《だめ》だから。……うん、姉ちゃんの気遣《きづか》いは有《あ》り難《がた》く受け取って、俺は今夜、心の中でこいつらを記憶《きおく》に焼き付けるよ……」

「で、今日《きょう》は何してたの？」

「あー」

弟が、即座《そくざ》に手を横に振った。

「姉《ねえ》ちゃんには言えない」

●

そう、と喜美《きみ》は、弟の拒否《きょひ》に頷《うなず》いた。
別に大した事ではない。お互いに秘密《ひみつ》の共有もあるなら、個別もあるのだ。だから、
「誰《だれ》にだったら言えるかしら？」
問うと、弟は二冊《さつ》を手にしたまま天井《てんじょう》を見上げた。
思案《しあん》。ややあってから、彼は首を傾《かし》げながら、
「……鈴《すず》さんと、浅間《あさま》？」
喜美は表示枠《サインフレーム》を開いた。
『浅間？　愚弟《ぐてい》から何か聞いてる？』
『え？　また何か変な事ですか？』
浅間の即答《そくとう》に、ん？　と首を傾げ、喜美はもう一枚表示枠を開いた。
『鈴、愚弟から何か聞いてる？』
『え？　あ、ご、御免《ごめん》喜美ちゃん。い、今、湯、抜いてる、最中《さいちゅう》』
んー。と喜美は考えた。

「……愚弟がアウトで、浅間もアウトで、鈴が、ぬ、抜いてるのっ」

「鈴さんの真似《まね》、ちょっと違わね？　あと、本人目の前でいきなり連絡《れんらく》とか凄《すご》くね？」

「フフ、どうせいずれは回ってくる情報だもの。先取りしてるだけよ。

——でも解《わか》ったわ大体。確かに、私には話せないわね」

言うと、弟が眉《まゆ》を上げた。

「今ので解ったの姉ちゃん⁉　流石《さすが》だぜ！」

「フフフ、アンタが指名した浅間がまだ知らされてなくてミトツダイラが仲間に入ってなければ鈴が湯を抜いてたってそれはそれで大体解るのよ」

喜美は安堵《あんど》の息をつき、弟に後ろから身を寄せる。肩越しに手を伸ばし、弟のコレクションを摑《つか》み、

「フフ、この女、十九とか言ってるけど三十二歳《さい》よ、見た目」

「お、男の夢を壊《こわ》しに来た……！」

「選別を手伝ってるんだと思いなさいな。——あら、何このエロ草紙《そうし》〝豪華《ごうか》別嬪《べっぴん》〟って。凄いビンテージじゃない？」

「ああ、去年、プラハの古書市《こしょいち》で見つけてさ。何か意味も無く買ってたんだけど、持ち込む時にノブタンとコニタンと知り合った記念の品なんだよな……」

「ああ、エロゲとかアニメの交換友達。アンタ、元服《げんぷく》前なんだから買う時は私に言いなさい

よ？　買ってきてあげるから」

「姉《ねえ》ちゃん店の中で〝あらあら、この人気ナンバーワン、偽胸《にせむね》よね〟とか言って店内の男共に膝着《ひざつ》かせるからなあ」

「じゃあ一緒《いっしょ》に来なさいよ」

「いいのかい？　俺《おれ》、年度内元服《げんぷく》を先見て、領収書《りょうしゅうしょ》を自分の名前で切るぜ!?」

流石《さすが》だ。よしよし、と顎《あご》で頭を撫《な》でた上で、弟に言っておく事がある。

ねえ、と喜美《きみ》は前置きして、

「ミトツダイラがしっかりしたら、アンタ寂しい？」

「ネイトはしっかりしてるよー。姉ちゃんも解《わか》ってんだろ」

弟は言う。

「皆見てると、俺の方がフラフラなのよく解ってさあ」

「辛《つら》い？」

「いや、こいつら、いてくれれば、安心だな、って思ってる」

一字《いちじ》一句《いっく》考えながら喋《しゃべ》ったにしては、上出来だ。これ以上聞くのは勿体《もったい》ない、と思いつつ、喜美は自分の友人と捉《とら》えている相手について問う。

「安心だって言う、その中にいるミトツダイラについては？」

いやまあ、と、弟はまず吐息《といき》した。そして肩をすくめ、

「見捨てられねえようにしねえとなー」

「気を抜いてないのは何より」

笑って、喜美は弟の頭から左の肩に顎を落とした。頬寄《ほおよ》せて、本を選びながら、ねえ、と再度の前置きをする。

「後で私の方のファッション草紙《そうし》の選別、手伝ってくれる？」

「何で？」

馬《ば》鹿《か》ね、と喜美は笑った。

「撮影術式《さつえいじゅつしき》でスキャンしてられないからよ」

○

・**ホラ子**：『喜美様、もう少し人間関係の緊密《きんみつ》性において手加減《てかげん》を……』
・**賢姉様**：『フフ、ホライゾン？　立場の違いってものがあるから、その辺り比較《ひかく》するくらいなら自分の方を育てたり叩《たた》いたりした方がいいわよ？　欲しがっても手に入らないものは誰《だれ》にだってあるんだから、後は他人のものを羨《うらや》むか自分のものを磨《みが》くか、だけよね』
・**銀　狼**：『というか、私、後で我が王に謝りたい感が今更《いまさら》ひしひしと……』
・**●　画**：『可愛《かわい》がってもらいたいのね。ええ。いいわ。いいネタだわ……』
・**金マル**：『ガっちゃん、実はちょっと眠くなってきてる？』

・**貧従士**：『ですけど、確か翌日は、喜美《きみ》さんにとって試練《しれん》の日だった気が』
・**副会長**：『そんな日あるのか？』
・**賢姉様**：『あらあら、馬鹿《ばか》ね。いい女には試練が時折《ときおり》やってきて、いい感じに女を磨《みが》いていくものなのよ！　踵《かかと》を軽石《かるいし》でコスってるのとはちょっと違うし、そうしなきゃいけなくなったら履《は》き物の見直しと、自分の年齢《ねんれい》の見直しが必要よ！』
・**あさま**：『――あっ、三要《さんよう》先生、やってきてすぐに何処《どこ》へ⁉』
・**傷有り**：『ともあれどういう事なんです？』
・**銀　狼**：『港が詰まってしまって、遠江《とおとうみ》に降りれませんし、先夜の事件のレポートが番屋《ばんや》や総長連合《そうちょうれんごう》から上がって来ましたけど、不明な点がいくつか出たんですの。だから休み時間などにそれを話していたんですけど、喜美は幽霊《ゆうれい》とか苦手《にがて》で……』

●

遠江に着港《ちゃっこう》して二日目。
喜美が大人《おとな》しいというか、
……全く動いていないのを見るのは久し振りですねー。
と思うアデーレの視線の先、確かに喜美が机《つくえ》に突っ伏している。耳には表示枠《サインフレーム》が二枚当たっているが、音響術式《おんきょうじゅつしき》だろう。

先程《さきほど》までは何やらぶつぶつ言ってくねくねしていたが、浅間《あさま》の、

「はいはい、構って欲しい喜美の御世話《おせわ》は後として、ちょっと皆の知恵、借りれますか？」

という事で、この昼休み、皆が集まって、浅間とミトツダイラの処《ところ》に来た先夜のレポートを見ている。

座席としてはテキトー。浅間が中央近くの席なので、窓際《まどぎわ》の喜美の迷惑《めいわく》にならないよう、そちらに寄っている。

だが、全員が揃《そろ》っている訳《わけ》ではない。ノリキはバイトで早退したし、

「トーリさん、早退ですか？　ミトツダイラさん、浅間さん」

「な、何で私まで問われますの？」

えっ、という疑問の息を皆が返すくらいには、よく連《つる》んでいるようには見えている。

大体、今は喜美が使用不能だ。だとすると、

「浅間さん、知ってます？」

「いや、流石《さすが》に。というか、――そういうの知ってたら、うちに番屋の連絡《れんらく》来ませんし」

「ですよねえ……」

「まあ、トーリ君が行方《ゆくえ》不明になるのはいつもの事ですから。武蔵《むさし》側に問い合わせれば位置情報を強制捕捉《ほそく》してくれると思いますけど……」

「芸人《げいにん》の術式でその辺りの加護《かご》を切っている可能性もあるで御座《ござ》るよ？」

「その手配は誰《だれ》がしてるのかな？」

ナイトの疑問に、皆が浅間《あさま》を見た。対する巫女《みこ》は、一つ会釈《えしゃく》をして、

「では、レポートの内容ですけど」

○

・**ホラ子**：『浅間様、意外《いがい》にサバサバかわしますね。この浅間様はお強い……！』
・**あさま**：『い、今はツッコミのされ方が違うんですよ……！　――喜美《きみ》も変な微笑で人の肩に手を置かない！』
・**貧従士**：『というか、話してると芋蔓式《いもづるしき》に思い出して行くもんですねー……』
・**金マル**：『ビミョーに記憶《きおく》を作っちゃうもんだから気を付けた方がいいよ。だって多分、ナイちゃんその日は遠江《とおとうみ》対応の配送業で駆《か》り出されて昼休みはいないと思う』
・**○べ屋**：『あ、じゃ、多分その発言、私かな？　ナイトと喋《しゃべ》りがちょっと近いし』
・**●画**：『いや、アンタとシロジロはラーメン研究で昼休みは家庭科室で麺打《めんう》ってたでしょ。マルゴットはいたのよ、多分。いなかったのは私だと思うわ。配送業、うちは二人一組で登録《とうろく》しているから、私だけが出てれば良い訳《わけ》だし』
・**賢姉様**：『あら、じゃあ、アデーレの記憶《きおく》が正しかったって言う事？』
・**●画**：『ううん。私はマルゴットの味方《みかた》だからマルゴットが正しいと思うわ』

・**約全員**：『どっちだよ⁉』
・**金マル**：『ガっちゃん、ガっちゃん、このところの徹夜《てつや》続きの影響《えいきょう》出てる出てる』
・**傷有り**：『では折衷案《せっちゅうあん》で、全員いるという事でどうでしょう』

●

アデーレは、レポートの表示枠《サインフレーム》を見る皆の中から、手が上がったのを確認《かくにん》した。

視線を向けると、二代《ふたよ》が、

「浅間様！　難しい話になりそうなので拙者《せっしゃ》学食でうどん一杯《いっぱい》引っかけてよう御座《ござ》るか！」

○

・**副会長**：『おいバルフェット！　二代いないだろこの頃《ころ》⁉』
・**貧従士**：『あ、いや、全員出そうって、今、そんな流れでは？』
・**ホラ子**：『ほほう、ではこの不肖《ふしょう》ホライゾンもそろそろウォーミングアップを……』
・**蜻蛉切**：『三年前の四月で御座ろう？　この頃だと拙者は――』

●

二代は、東の空を見ていた。

三河《みかわ》の西。海に近い丘の上からだ。

春の草花が背も低く茂る場所だった。

その中に、四角い黒の一帯《いったい》がある。

踏み固められ、草も生《は》えなくなった地面だ。

平面と、斜面の二面構成《こうせい》。そして幾《いく》つか置かれた大石の上から、二代《ふたよ》は東を見ていた。

眼下《がんか》。斜面の下には、木造の長い建物がある。

屋上《おくじょう》に見えるのは、物資投下《とうか》用のマークと、〝三河第一中《ちゅう》・士科《しか》・武《ぶ》〟という白文字。

中等部《ちゅうとうぶ》校舎の一つだ。横、やや離れた位置に、また別の校舎がある。

武蔵《むさし》の陸港《りくみなと》から南の一般《いっぱん》用陸港に移動する西側通路の近く。その東斜面に、三河住人用の中等部校舎があるのだ。

中等部とは言っても、極東《きょくとう》の代表地の一つである三河だ。後の覇者《はしゃ》でもある松平家《まつだいらけ》に属する土地のため、校舎は士農工商《しのうこうしょう》の四科に分かれている。士科の校舎は、武系《ぶけい》が中心で、文系《ぶんけい》は山側の寺を使用していた。

二代は、下にある武系の校舎に通っていたが、

「二代様、――またこちらで自主練《れん》ですか」

丘上《おかうえ》。そちらにある道から、人影《ひとかげ》が来た。

「鹿角様《かづの》」

自宅、本多家《ほんだけ》に仕える自動《じどう》人形の鹿角だ。母の遺品《いひん》をパーツとして使用しているが、それが〝核《かく》〟となっているようで、えらく強い。

彼女自身には母の記憶《きおく》など無いが、そういうものだろう。二代としては、見習うべき存在として、変わりは無い。

鹿角は、草群《くさむら》を来ながら、しかし草を踏んでいなかった。

自動人形の特性。重力制御《せいぎょ》で草を分け、爪先《つまさき》を落とす。それで整地されていない斜面を来るのだから、武士《ぶし》見習いの自分としては敵《かな》わない。

鹿角は、自分と高さを合わせると、会釈《えしやく》を一度入れた。手に掲《かか》げたものは、

「教員の方から、こちらにいると聞きましたので、食事を」

「中身《なかみ》は？」

「昨夜の残りに、菜物《なもの》を少々」

「筍飯《たけのこめし》で御座《ござ》るか。昨夜、味に負けておかわり連発しなくて良かったで御座るなあ……」

しかし、

「忝《かたじけの》う御座る。別に置いておいて頂《いただ》ければ、帰宅《きたく》してから――」

鹿角が、肩を落として言う。

「夕飯《ゆうはん》まで帰宅しないではありませんか」

「しかし鹿角様の手間《てま》を……」

「私はこれから夕飯《ゆうはん》の食材を調達ですので。あと、忠勝様《ただかつ》が怪異退治《かいいたいじ》とか言って、井伊様《いい》や榊原様《さかきばら》と三河市街《みかわしがい》に遊びにいってしまいましたので」

「補導《ほどう》で御座《ござ》るな？」

Ｊｕｄ．《ジヤッジ》、と鹿角《かづの》が言って、手に載《の》せていた箱を投じた。

重力制御《せいぎょ》だが、途中《とちゆう》、落下軌道《きどう》に入ってからは自由化。二代《ふたよ》は受け取った瞬間《しゅんかん》に手首から力を抜き、中身《なかみ》を守る。そして、

「揺れ方から言って、汁物《しるもの》の竹《たけ》容器も？」

「四月ですので、浅蜊《あさり》の吸い物を。夜には冷やでお出しします」

だとすれば夕飯は熱のあるものが主だ。恐らくは肉系《けい》。浅蜊の吸い物でサッパリするとなると、甘辛《あまから》系の味付けであろう。

期待出来るで御座るなあ、と思っていると、鹿角がふと、こちらの足下《あしもと》を見た。

その視線に、二代は首を傾《かし》げ、

「どうしたで御座るか？」

「いえ、二代様、――この二年、まあよく忠勝様の言いつけを聞いてこのような場を作ったものだと、そう思いまして」

「父上《ちちうえ》が元々畑《はたけ》を作ろうとして買った土地。案《あん》の定放棄《じょうほうき》してたので、拙者《せっしゃ》がそれを利用しているだけで御座るよ」

「Ｊｕｄ．、それは無駄《むだ》がなく、正しい事だと判断《はんだん》出来ます。そしてまた正しいのは、――お一人で、よくここまでの〝場〟を作られたものだと」

ああ、と二代は納得《なつとく》した。踏み固めたこの地面。何の整地もせずにやってみろと父に言われたのは、二年前の今頃《いまごろ》だ。今までも鹿角は時折弁当《ときおりべんとう》など持って来てくれたが、今日《きょう》になってそれを言い出すのは、恐らく今日が二年という区切りに近い日だからだろう。だが、

「いや、父上の言っていたものの、三分の一くらいしか構えられぬで御座る。これは全くもって未熟《みじゅく》で御座る」

「忠勝様の言っている事は話半分としておくのが得策《とくさく》です、二代様」

言われた事を、二代は考えた。む、と空を見て、計算すると、

……拙者の現状が父上の三分の一で、鹿角様は父上の言動《げんどう》を半分にせよと言っており――。

つまり父上の話が半分で、自分の現状がその三分の一なので、

……六分の一……！

「鹿角様、拙者、益々《ますます》未熟を痛感したで御座る……！」

「Ｊｕｄ．、何か悪い予感もしますが向上心は良い事だと判断します。あと帰宅《きたく》したら算術《さんじゅつ》をするように忠勝様にも言っておきます」

算術で御座るか、と二代は、ある人物を思い出す。

「正純《まさずみ》が、そこら辺得意で御座ったなあ」

○

・**副会長**：『……待て。私、当時もあまり算術《さんじゅつ》は得意じゃないぞ？』
・**貧従士**：『だとすると、その辺り、やっぱり記憶《きおく》違いってやつじゃないですかねー』
・**金マル**：『……いや、恐ろしい推測《すいそく》だけど、ひょっとして、そんなセージュンでも算術得意に見えるニダやんの脳《のう》って可能性が……』
・**立花嫁**：『というか、さっき、面妖《めんよう》な計算が一瞬《いっしゅん》出た気がするのですが……』
・**あさま**：『ハイッ、ハイッ、回想《かいそう》どんどん行きますよーう？』

●

鹿角《かづの》が、こちらの視線を追うようにして東の空を見るのに、二代《ふたよ》は気付いた。

「鹿角様の目には、東の方、どう見えるで御座るか？」

「新名古屋城《しんなごやじょう》が大き過ぎます。ただその向こう……」

三河《みかわ》の湾を越えた向こう。遙かな遠くの空に巨大《きょだい》な影が見えている。近場にある名古屋城に比べれば小さく見えるが、

「……武蔵は巨大で御座《ござ》るなあ」

「今年からは、遠江《とおとうみ》から北上する航路《こうろ》を通過するので、三河には北から入る事になるかと。

ですが、いつも東から来ても、三河《みかわ》—紀伊《きい》半島沿岸航路《えんがんこうろ》を東から南へと行くので、三河の陸《りく》港《みなと》の向きは南向きで変更《へんこう》がないそうです」

ともあれ、と鹿角《かづの》が言った。

「忠勝《ただかつ》様達が間接的に関わった事案《じあん》が、今更《いまさら》ながらに世を一部動かした訳《わけ》ですね」

二代《ふたよ》は、彼女の台詞《せりふ》に頷《うなず》いた。大石の上、弁当箱《べんとうばこ》を膝《ひざ》に載《の》せるように正座《せいざ》で座り、

「今川《いまがわ》と織田《おだ》の決戦。桶狭間《おけはざま》の戦いで御座《ござ》るな」

「Ｊｕｄ．《ジャッジ》、織田による残党狩《ざんとうが》りなど、面倒《めんどう》な事が生じた戦場《せんじょう》だったそうですが、既《すで》に松平《まつだいら》はP.A.Odaと中立化していた事も有り、被害《ひがい》なく済みました」

何故《なぜ》なら、

「桶狭間の時点では、松平は今川傘下《いまがわさんか》。織田の敵でしたからね」

●

桶狭間の戦い。

二代は、当時の事をよく憶《おぼ》えている。

……聖譜記述《せいふきじゅつ》に拠《よ》れば、大国《たいこく》となりつつあった今川と、まだ強国への第一歩を踏み出しつつあった織田家《け》の戦いで御座るな。

織田家というか、戦国《せんごく》時代の大勢力《せいりょく》を作り上げる織田・信長《のぶなが》にとって、まだ早い時期の、し

かし大規模《だいきぼ》な戦闘《せんとう》だ。

侵攻《しんこう》する今川勢力に対し、織田家は前哨戦《ぜんしょうせん》で砦《とりで》を奪《うば》われ、先行隊を全滅《ぜんめつ》されながら、雨後の奇襲《きしゅう》で本陣《ほんじん》に乗り込んだ。最終的に両大将《たいしょう》が馬を下りて戦うまでの乱戦を敢行《かんこう》。勝利する。

結果、今川君主《くんしゅ》の今川・義元《よしもと》は討《う》たれ、彼の所領《しょりょう》は織田勢や、近隣《きんりん》勢力に吸収されていく。

これは織田の名をあげ、勢力としての下地《したじ》を作る戦いとなったのだ。

ただこの時、聖譜記述上では、松平は複雑な立ち位置にいる。

当時、聖譜記述では松平は今川の麾下《きか》におり、

「父上《ちちうえ》達や、酒井《さかい》・忠次《ただつぐ》様達が、先行と牽制《けんせい》で織田家の砦攻めに出ていたので御座るな」

○

・**武　蔵**：『横から失礼《しつれい》いたします。実は酒井様、桶狭間の頃《ころ》は武蔵《むさし》が六護式仏蘭西《エグザゴン・フランセーズ》南部におりまして、サッカーの欧州《おうしゅう》大会を観戦してました。――以上』
・**蜻蛉切**：『父上達は、三河自体が中立なので、〝桶狭間観光ツアー〟と称して、新名古屋城《しんなごやじょう》の向こう、三河東まで出て御座ったなあ』
・**副会長**：『補足《ほそく》しておくけど、あれ、忠勝公達、敗北《はいぼく》によって三河方面に逃げる今川勢の保護《ほご》とかやってた筈《はず》だからな？』
・**不退転**：『……北方の私にとっては、初耳《はつみみ》情報ばかりね。結局、三河勢は、桶狭間について

は今川《いまがわ》を保護《ほご》し、織田《おだ》には刃向《はむ》かわなかったって事?』
・**副会長**:『Jud《ジャッジ》.、三河《みかわ》は中立の立場を保つ事にして、その後も、三河東から遠江《とおとうみ》方面の土地の所有権など主張しなかったんだ。つまり——』
・**銀　狼**:『正純《まさずみ》! 口で言うより記録ですのよ!?』

●

正純は、森の中にある寺の鐘《かねつ》撞き堂《どう》で、遅めの昼食を摂《と》っていた。

中等部《ちゅうとうぶ》、士科文系《しかぶんけい》の校舎となる山寺《やまでら》だ。武系《ぶけい》と同じ学校の一部という括《くく》りで、授業内容によっては時たまの行き来もあるが、こちらは行事《ぎょうじ》も何もローカル色が濃い。

……まあ、こっちの方が私向きだなあ。

畑《はたけ》で耕作《こうさく》なども行事にあるため、農科と同じではないかと言う士《し》族《ぞく》家系の親もいる。が、生産者としての体験は政治を扱う文系武将《ぶしょう》には必要だろう。この辺り、取り決めをした元信公《もとのぶこう》のセンスを正純は信じているが、畑や田んぼの案山子《かかし》用として試作で採用されなかった自動《じどう》人形の身体《からだ》を寄越《よこ》すのはやめてくれないだろうか。顔は全部元信公に改造されていて時折《ときおり》「新名古《しんなご》屋城《やじょう》、ヨロシクネ! オッキイヨ!」とか言うので夜でなくてもかなり怖《こわ》い。

だが今は昼。弁当《べんとう》は笹包《ささづつ》みに母の手による握り飯《めし》だ。

数は三つ。塩が一つに、梅干《うめぼ》しと山菜《さんさい》が一つずつ。

鐘撞き堂は茅葺《かやぶ》き屋根《やね》の落とす影が大きい。昼休みは、ここで食事しながら本を読むのが最近の通例だ。何しろここは、鐘の音《ね》を通すためか海側の森が切り払われている。

森の中から、海を遠くに見つつの昼食。

握り飯の弁当は、片手で本をめくるのに適している。母が言うには「父《とう》さんに昔、〝会議中の食事として、こうしてくれ〟って頼まれてね。——正純も同じねえ」との事だが、

……私、父親似なのかなあ。

○

「コニタン！　コニタン！　聞いたか今の⁉　盗聴術式《とうちょうじゅつしき》は何処《どこ》にでも仕掛けておくものだな！　浅間神社《あさまじんじゃ》の警戒《けいかい》に引っかからないよう、十年前、壁全体の震動《しんどう》を数値化《すうちか》して耐震《たいしん》用に記録するとか、回りくどい保安施工《せこう》をした甲斐《かい》があったものだ！　それが今ここで役立つとは何があるか解《わか》らないなコニタン！　何だコニタン、眠いのか⁉　眠かったら〝ボク眠いんでしゅう〟と言って見ろ！　——言ったな⁉　でも可愛くないから寝かせませええええええええん！

このまま深夜空詠み《カラオケ》直行でえええええす！」

●

東。左に新名古屋城。右に三河の湾を見る正純は、しかしまっすぐ向こうの空にある武蔵《むさし》の

影を見据《みす》えていた。

昔、あの辺りの空に、今川《いまがわ》の艦隊《かんたい》が集結した事がある。

遂《つい》に戦争が生じ、三河《みかわ》は織田《おだ》と今川のどちらにつくのか、そして今後どうなるのか、など、大人達《おとな》が毎日議論《ぎろん》していた。

何しろ、聖譜記述《せいふきじゅつ》では、松平《まつだいら》は今川・義元《よしもと》が敗れたと知ると、今川の領土《りょうど》の一部を確保し、織田に恭順《きょうじゅん》するのだ。

これは、当時の三河にとって難しい歴史再現《さいげん》だ。

今川は強固な勢力《せいりょく》。織田もそのようになりつつある。先行してP.A.Odaと同盟《どうめい》していても、それがゆえに今川の攻撃《こうげき》を受けたり、織田家《け》が松平の扱いを変えるかも知れないのだ。

だが、ある時、何もかもが終わった。

豪雨《ごうう》の日。雨がやんだら、今川の艦隊が消えていたのだ。

話によると、午後の内にP.A.Oda艦隊が強襲《きょうしゅう》。それも、織田家のある三河の北、今川艦隊にとっては北西から織田勢が来る筈《はず》が、

「同盟した北条《ほうじょう》や印度諸国連合《インドしょこくれんごう》の艦隊を買い取り、雨の中を南東からの強襲だ」

織田家がいつ来るかと、北西に向けて構えていた今川にとっては、真逆《まぎやく》の南。それも下方向から襲《おそ》われた事になる。

今川艦隊は潰走《かいそう》したが、多くは押されるように北部に逃走《とうそう》。だがそれらも撃沈《げきちん》され、

……今川は滅亡《めつぼう》、か。

あれだけ、三河の趨勢《すうせい》などを皆が話し合い、身の振りなども論じたというのに。

織田の奇襲《きしゅう》は、午後一番の大雨の中。たった数時間で何もかもが終わった。

緊張《きんちょう》する時期はあったが、結局は〝何も変わらない〟だ。

後で知った事だが、三河からは先行的に今川に通達を送っていた。それは、三河は中立を守るという代わりに、今川の敗走者《はいそうしゃ》達は保護《ほご》し、新天地《しんてんち》を用意すると。

この辺り、忠勝公《ただかつこう》が〝桶狭間《おけはざま》観光ツアー〟を組んでいたが、保護の手筈《てはず》の一環《いっかん》だろう。

「二代《ふたよ》と話せる時間があったら聞いてみたかったが、もう時期外しているよなあ」

中等部《ちゅうとうぶ》では姓《かばね》が同じと言う事も有り、微妙《びみょう》に付き合いがある。向こうは襲名者《しゅうめいしゃ》の娘《むすめ》だというのに、時折《ときおり》、校舎間の行き来ですれ違うと二代の方から、

「おお、正純、蕎麦《そば》で御座《ござ》るぞ！」

「何と言うか、晴れで御座るな！　傘《かさ》!?　差さぬで御座るよこの程度の雨……！」

「トマト！　トマトで御座った……！　ト・メイトウ……！」

など、訳《わけ》の解《わか》らない言葉が飛んできてどう対応したら良いんだアレは。恐らく二代の中で思《し》案《あん》があって、すれ違う時にライブ感覚の脳内《のうない》が出てるのだと思うが。

ともあれ、向こうは超《ちょう》有名襲名者の娘。本人も、総長連合《そうちょうれんごう》に入るか、警護隊《けいごたい》に入るか、それともフリーになるかで思案《しあん》中と聞いた。対する自分は、

「…………」

遠く、見えている武蔵《むさし》に、正純《まさずみ》は本を翳《かざ》す。

武蔵には父がいる。父も襲名《しゅうめい》を失敗しているが、武蔵から戻らないと言う事は、

「楽しいんだろうな、きっと」

●

「――でまあ、楽しい話題じゃないと思いますけど、ちょっとヒントでも貰《もら》えないかと。何しろ、何でうちの近所というか、鎮守《ちんじゅ》の森である近隣《きんりん》の自然区画《くかく》に霊体《れいたい》が出現出来たのかとか、よく解《わか》らないんですよね。そんな意味での昼休み会議です、今回」

「ふむ。――話に聞いた限りだが、霊体の出現法則《ほうそく》として随分《ずいぶん》と特殊《とくしゅ》ケースのようだな」

ウルキアガの問い掛けに、浅間《あさま》は頷《うなず》いた。

「うちの武蔵内鎮守管理には、誰《だれ》かの霊が表《おもて》に出たという記録は残ってませんでした。じゃあアレ何だろう、って言われると、やはり特殊ケースとしか……」

浅間は、皆に表示枠《サインフレーム》を渡した上で、自分の横に一枚の大判《おおばん》を展開する。

内容は、それぞれの手元にあるのと同じ物。光る枠《わく》を一度叩《たた》き、浅間は言葉を作る。

「ではちょっと、先日起きた事件が、どんなものだったのか、まとめてみますね」

第九章

『羅列と連携』

実力がなくとも
金の望む場に行く
そのことは変わらない
配点／（会議は出ないよー）

浅間《あさま》は、画面に書いてある内容を見た。そこにあるのは時系列《じけいれつ》の箇条書《かじょうが》きで、

1―「霊体《れいたい》の船団《せんだん》が出現」
2―「霊体の船団が砲撃《ほうげき》を寄越《よこ》してくる」
3―「浅間神社《じんじゃ》の近くで霊体の戦士団《せんしだん》が出現」
4―「船団の砲撃が戦士団に当たる」
5―「戦士団の隊長《たいちょう》？　忍者《にんじゃ》？　がミトを襲《おそ》う」

強調文字で書かれた文言《もんごん》は、ミトツダイラが霊体の忍者らしき相手と戦闘《せんとう》している際に作ったメモを時間順に並べたものだ。番屋《ばんや》や総長連合《そうちょうれんごう》の方にも回っているその内容が、向こうで精査《せいさ》されているのかは解《わか》らない。ただ、浅間神社としては、今後同様の事が起きないように、または、起きても対処《たいしょ》出来るようにしておきたいところだ。

だから浅間は問う。

「この前の怪異《かいい》というか、霊体の襲撃《しゅうげき》。船の方と、ミトが当たった戦士団の方。幾《いく》つか、不可《ふか》思議《しぎ》な事と、矛盾《むじゅん》があるんです。それが何か、ちょっと解法のアイデアが貰《もら》えないかな、と」

「私達としては、金にならないなら付き合えないが、どうだ？」

シロジロの手を挙げての言葉に、浅間は会釈《えしゃく》を返す。

「無理《むり》に、って事じゃないので、各々《おのおの》の範囲で御願《おねが》いします。そちらは——」

○

・**貧従士**：『あっ、浅間さんの回想《かいそう》だと会計達いるんですね』
・**あさま**：『この時か、翌日かで、こんな遣《や》り取《と》りした憶《おぼ》えがあるんですよね……。実は解法にちょっと関係しているので、私としてはここで入れておこうかと』
・**○べ屋**：『領収書《りょうしゅうしょ》の記録見る限りだと、シロ君と私、この日は鰻《うなぎ》も食ってる……？　あれ？　ラーメンだけじゃないのは——。あ、その日いい店見つかったから、後で鰻だ！』
・**副会長**：『お前ら金遣《かねづか》いが実はテキトーだろう絶対……』

●

浅間は、ハイディとシロジロが席を立つのを見る。シロジロが皆に会釈して、

「これから私達は、今後の商売提携《ていけい》のために表層部《ひょうそうぶ》のラーメン屋を回ってくる。とりあえず五限は休みを入れているが、明日《あした》の準備もあるから、そのまま直帰《ちょっき》かもしれん」

「明日の準備となると、明日は下で交易《こうえき》を？　やる余裕《よゆう》あるんですか？」

御広敷《おひろしき》の問い掛けに、ハイディが頷《うなず》いた。

「上の人達が遅滞《ちたい》掛けて私達新人《しんじん》や見習いに交易させないようにしてるけど、出港間際《まぎわ》だった

ら上の人達が船下げるからね。――うちの輸送艦《ゆそうかん》は、どっちかっていうと貨物量《かもつりょう》よりも足の速さを優先したクレイヤー型だから、帰りは武蔵《むさし》が浮上《ふじょう》しても間に合う筈《はず》」

「武蔵の気圏《きけん》や結界《けっかい》は、ある程度上昇《じょうしょう》したら一気に強固になりますから、そこから後の合流は出来ないと憶《おぼ》えて置いて下さいね？　――私も公私混同《こうしこんどう》はしない性格ですから」

えっ、と皆がこちらに疑問詞《し》を作るが、どういう事だろう。

「アサマチ、……トーちゃんの番屋《ばんや》送迎《そうげい》とか、ほら、いろいろ……」

「あれは〝私〟の方で、昔からの事ですよ？」

へえ……、と皆が引き気味《ぎみ》に頷《うなず》くのがどうしようもない。

この辺り、喜美《きみ》が起きていると茶化《ちゃか》しが入るが、ダウン中だ。すると、

「とりあえず、こちらの疑問を片付けてしまいませんの？」

ミトツダイラが、大判《おおばん》の表示枠《サインフレーム》に視線を向けた。

横、僅《わず》かに皆の視線を浴びない位置へと、ミトツダイラが座席をずらしている。

補佐《ほさ》と言う訳《わけ》ではないが、こちらの役に立とうとしているのだろう。彼女は気付いていないかもしれないが、皆は自然に受け入れている。

……ミトは考え過ぎですよね。

そう思いながら、浅間《あさま》は議事《ぎじ》を進める事にした。

「では、改めて、始めましょうか」

ミトツダイラは、疑問を持っている。

先夜の戦闘《せんとう》もだが、その内容において意味の解《わか》らない事が幾《いく》つかあったのだ。その時、疑問を抱いてしまったが、もしそれがなければ、

……私、戦闘に勝ててましたでしょうか……？

解らない。だが、

「ミト、ミトからはあまり口を出さないで下さいね。——呼ばれる可能性、あるので」

「Ｊｕｄ《ジャッジ》．、基本、私の意見は添えるようなもの、と考えてますわ」

じゃあ、と浅間が表示枠の中の文字を軽く叩《たた》き、強調した。シロジロとハイディが、教室から出て行く中で腕を組み、

「よく考えたらラーメンデートだよシロ君！　無料トッピング、持ち帰れるかな？」

「Ｊｕｄ．、提携《ていけい》業務の考慮《こうりよ》あり、として、値切《ねぎ》るのも忘れずにしないとな……！」

などと燃えているのが面倒《めんどう》な客として見事過ぎる。だが、笑《え》みで振り返るハイディを視線で見送った上で、浅間が言葉を置いていく。

「——とりあえず、表示枠に書いた時系列《じけいれつ》で、順に出来事を見て行きます」

表示《ひょうじ》されているのは、次の流れだ。

1―「霊体《れいたい》の船団《せんだん》が出現」
2―「霊体の船団が砲撃《ほうげき》を寄越《よこ》してくる」
3―「浅間神社《じんじゃ》の近くで霊体の戦士《せんし》団《だん》が出現」
4―「船団の砲撃が戦士団に当たる」
5―「戦士団の隊長《たいちょう》？　忍者《にんじゃ》？　がミトを襲《おそ》う」

あの、とミトツダイラは浅間《あさま》の袖《そで》を引っ張った。小声で、

「ミト、ではちょっとやりにくいですのよ。ミトツダイラで」

「いえいえいえいえ、文字数が入りにくいので」

笑《え》みで言われ、ハメられましたわ、とミトツダイラは思った。だが、こちらの恥《は》ずかしさなど気にする事なく、ナルゼが手を挙げた。

「1だけど、遠江《とおとうみ》への着港《ちゃっこう》シークエンスに入ったら、――とまで言っていいわ」

「ええ、一応、私の方でも着港処理《しょり》などしてましたから、タイミング的にはそうだと思っています。ただ確認《かくにん》しますが、ナルゼ達の方からは――」

「配送業の方でも、着港シークエンス中だったよん。艦間《かんかん》移動はなるべくするな、って警告《けいこく》が出るくらいの段階」

成程《なるほど》、とミトツダイラは頷《うなず》いた。浅間が書き換える1の内容は、

1―「遠江への着港中、霊体の船団が出現」

「あ、左《さ》舷《げん》南に、って入れておいて。——悪いわね」

「いえいえ、大事《だいじ》な情報ですから」

1——「遠江への着港中、霊体の船団が左舷南に出現」

だったら、と点蔵《てんぞう》が手を挙げた。

「自分が見る限りで御座《ござ》るが——」

○

・あさま：『あの、ミト、点蔵君の口真似《くちまね》はしなくていいんで……』
・銀　狼：『し、してませんわよ？　普通に喋《しゃべ》ってますわよ？』
・傷有り：『自分が見る限りで御座るが』
・約全員：『…………』
・傷有り：『ふふ、単なる真似ですよ？』
・金マル：『いや、違うんだけど、〝解《わか》る〟からちょっとビックリ……。言霊系《ことだまけい》なのかな？』
・不退転：『本質を捉《とら》えてるって事ね』
・約全員：『おおう……』
・●　画：『じゃあ点蔵の本質を捉えてないミトツダイラ、続きを言って』
・銀　狼：『だ、だから口真似じゃありませんの——！』

ミトツダイラの視界《しかい》の中、点蔵《てんぞう》が後ろを親指《おやゆび》で示す。窓から見える空。青の色は、

「砲撃《ほうげき》中、武蔵《むさし》が高度を下げた事もあるので御座《ござ》ろうが、敵艦隊《かんたい》の高度が随分《ずいぶん》と高かったで御座るな」

「クロスユナイト君。武蔵《むさし》のような艦を攻撃《こうげき》するなら、上からの方がいいだろう。表層部《ひょうそうぶ》にダメージを与えられるからね」

「意味、ある、の……？」

鈴《すず》の問い掛けに、皆がネシンバラを見た。ネシンバラは、腕を組み、そして組んだ腕を一度解いてから眼鏡《めがね》を上げ直し、

「解《わか》らないかい？　表層部にダメージを与えれば、人員や家屋《かおく》に被害《ひがい》が出て、武蔵の政治などに混乱が生じ、人民にも恐怖《きょうふ》を与えられるじゃないか……？」

「う、うん、でも、その……」

上手《うま》く言えない、という感の鈴だ。だが、ミトツダイラには解る。騎士《きし》という身分ならば、鈴の言いたい事はよく理解出来るのだ。だから言ってしまいたいが、

「え、ええと、鈴？」

「ん」

会釈《えしやく》は許可だ。鈴は椅子《いす》に座り直し、こちらに顔を向ける。

「上手く、言えない、の」

だったら、とミトツダイラは鈴の言葉を受け継《つ》ぐ。

「鈴が言いたいのは、こういう事ですの？　――政治的な事や、人民の恐怖など、それが霊体《れいたい》の船団《せんだん》にとって価値《かち》のあるものなのか、と」

騎士《きし》身分《みぶん》にとって、それらは価値のあるものだ。治める土地とは、管理されるだけではなく、その上にいる人々の安堵《あんど》も含めての存在なのだから。

だがイトケンが腕を組み、

「船団や、戦士団《せんしだん》を構成《こうせい》していた霊体に、どのくらいの知能があったのかな⁉」

インキュバスに言われる問いかけだろうか、と思う言葉には、まず点蔵が応じた。

「前線で見てる限り、霊体の船団と、その上にいた霊体戦士団は、集団的な判断《はんだん》などはあったようで御座るが、価値観だの何だの、となると謎《なぞ》で御座るな、アレは」

「ミトが追った戦士団も同様です。相対《あいたい》した忍者《にんじゃ》？　も、どちらも怨霊《おんりよう》系であって、判断基準は〝怨恨《えんこん》〟とかではないかと……」

「だったら何で砲撃《ほうげき》してきたのかしら？　あいつら、武蔵に恨《うら》みでもあるの？」

ナルゼの問いに、即座《そくざ》の答えを作れる者はいない。だが、ネシンバラが手を挙げ、

「霊体の船団は砲門《ほうもん》を持っていた。――知性などなくても、砲撃をする事がその霊体の存在と

同義というのは、よくある事じゃないか？」

「……確かに、戦艦《せんかん》の〝型〟で生じた霊体《れいたい》は、相手構わずに砲撃《ほうげき》を行うのがよくありますわね。集団的な判断《はんだん》で、集まれば集まる程、その傾向は高くなりますもの」

だよね、とネシンバラが頷《うなず》く。彼は表示枠《サインフレーム》を出し、手描きで大きな船の側面図を描いた。

「これが武蔵《むさし》だ。そして横に、霊体船団《せんだん》」

ふむふむ、と皆が頷く視線の先で、ネシンバラが、大きな船体図を下にスライドさせる。

そして彼は、顎《あご》に手を当て、

「武蔵は着港《ちゃっこう》シーケンスに――」

「シークエンス」

「う、うちではシーケンスなんだよナルゼ君！」

ともあれ、と彼は言った。下に行った武蔵を指で叩《たた》き、上にいる船団を打つ。

「霊体船団は武蔵を追うだけの知性がない。だから武蔵が降下《こうか》すると、霊体船団は相対《そうたい》的に上に位置する事になる。これだと砲撃は必然的に上からになる」

「ネシンバラ殿《どの》、自分達は見ていたで御座《ござ》るが、霊体船団は武蔵を追っていたで御座るよ？」

「――それを今、僕も言おうと思っていたんだよ」

無表情になったナルゼが、自分の口元から、右の手を前へと捨てるように何度も振る。

そしてアデーレが手を挙げた。

「霊体船団は、意識《いしき》して上にいたんじゃないですかね、あれ」


アデーレは、両の手を使って、高度差を表現する。

「こちら、下の方が武蔵です。で、こっちが船団ですね。解《わか》りますか？　解りますね？」

「アデーレ、……トーリ君いないから、そこまで念押ししなくて大丈夫《だいじょうぶ》です」

……そう言われてみるとそうですね！

微妙《びみょう》に習慣づいている自分が嫌《いや》だ。ともあれアデーレは、高度差を示す両の手を構え、

「教導院《きょうどういん》の階段前から、自分、見てましたけど——」

言いつつ、アデーレは両方の手を等速で斜め下に下げていく。

「——こんな感じで、霊体船団は、相対高度をあまり変えてなかったように思います。ある程度の上に位置したら、それを保ってる感じで」

武蔵の住人ならば、三次元測距《そっきょ》を目測《もくそく》で行う訓練《くんれん》をしている。空中にいる相手の位置を読む事で、港での作業や、艦間《かんかん》行動を安全に行うためだ。

すると、御広敷《おひろしき》が手を挙げた。

「何で等速でくっついてたんです？」

ナイトがネシンバラを見た。

「バラやん、意見がごく自然にスルーされてるけど、アデーレに反論しないの？」

「正直は美徳《びとく》という言葉を知っているかい？」

「証明《しょうめい》してみてくれる？」

「Ｊｕｄ．《ジャッジ》、――実は僕、現場を見ていなくてね。青梅《おうめ》の地下にある印刷所《いんさつじょ》で、返本の山が崩《くず》れないように押さえつけていたんだ」

「誰《だれ》の」

「僕のだよ」

ナイトが大げさな表情で大きな拍手《はくしゅ》をした。そして彼女は、

「正直と自虐《じぎゃく》って、違うもんじゃないかな」

……厳《きび》しい……。

ネシンバラが背を向けて、一回机《つくえ》に腕を叩《たた》きつけるまでがパターンだ。見れば、御広敷《おひろしき》もずっと手を挙げたままでいる。全体の流れが解《わか》っていると言う事だろう。

えーと、とアデーレは前置き。その上で言うのは、

「等速でくっついてた事に対して、御広敷さん、何か疑問が？」

「Ｊｕｄ．、さっきも皆さんで言った通り、そこまでの知性や判断力《はんだん》があるんですか？」

「霊体船団《れいたいせんだん》は生者《せいしゃ》に何かせがむのが本能なので、追走性能は結構《けっこう》高いですよ」

「じゃあ、何か彼らはせがみましたか？」

御広敷の言葉に、皆が動きを止めた。そう言われれば、という口調《くちょう》で直政《なおまさ》が頷《うなず》き、

「確かにそうさね。……船幽霊《ふなゆうれい》だと、大体が柄杓《ひしゃく》を欲しがったり、舫《もや》い綱《づな》や、油を求めたり、ってのがあるさね。——御広敷に指摘《してき》されると腹立つけど」

そうね、とナルゼが頷いた。

「御広敷に指摘されると腹立つわね」

「ど、同意はそこですかナルゼ君！　ババアはこれだからいけません……！」

女衆《おんなしゅう》が鈴《すず》以外皆で平たい視線を送り、御広敷が黙《だま》った。そしてナイトが手を挙げて、

「砲撃《ほうげき》じゃないかな」

「どういう事ですの？」

「あの霊体船団。出現目的が、それこそ表層部《ひょうそうぶ》への砲撃そのものだったんじゃないのかな、って、そう思っている感じ？　ほら戦艦《せんかん》型も多かったし、つまりそういう習性じゃないかって」

んー、と顎《あご》に手を当てたのは、浅間《あさま》だった。

「確かに、船幽霊の習性としては、柄杓を与えると水を汲《く》んで船を沈めようとしたり、手を使って同じようにしたり、というのがあります。だからさっきミトが言ったように戦艦系《けい》の船幽霊はそれと同じ理屈《りくつ》で生者の船を沈めようとしますね。だったら……」

浅間は表示枠《サインフレーム》の文字を見た。

2—「霊体の船団が砲撃を寄越《よこ》してくる」

「これはもう、うちへの砲撃《ほうげき》も含めて、全部習性という事でしょうかね」

と、浅間《あさま》が告げた口調《くちょう》。そこに、何となく納得《なっとく》行っていないものを感じ、アデーレはふと、手を挙げていた。

「あの、ちょっと良いですか？　――霊体船団《れいたいせんだん》の目的が、砲撃だというのは自分も納得です。でも、それ、習性としてのものじゃないんじゃないでしょうか」

だって、と言っている間に、皆が視線を向けてきた。

多くの注視《ちゅうし》に汗《あせ》が湧《わ》く。だが、アデーレは構う事なく言った。

「船団の一発。浅間神社《じんじゃ》の近所に落ちたアレですが、撃《う》ったのは撃沈《げきちん》入った艦《かん》からだったと憶《おぼ》えてます。フツー、あんなになっても撃とうなんて、習性で説明出来ますか？」

それに、

「点蔵《てんぞう》さん調べてましたよね？　敵の砲撃に狙《ねら》いがあるんじゃないかって。あれ、どうだったんです？　狙いがあったら、あの霊体船団には、明確な砲撃目的があったという事ですよね」

●

問うて、アデーレは点蔵を見た。皆も、点蔵を見た。

すると点蔵は、右手を挙げ、

「正直は美徳《びとく》だと思うで御座《ござ》るか」

白砂代座
SIRASAGO

「駄目《だめ》だわコイツ……」

「け、結論早いで御座《ござ》るよナルゼ殿《どの》!!」

「でも、それ、調べてましたの？」

ミトツダイラが問うた先。点蔵《てんぞう》が肩を落とした。

「実は、あれから先輩《せんぱい》達に奥多摩《おくたま》地下行きの荷物を預かって御座って……」

ああ……、とアデーレは頷《うなず》いた。自分が教導院《きょうどういん》という表層部《ひょうそうぶ》の大物に向かわされたのとは別で、点蔵は地下に向かわされたのだろう。何しろ奥多摩地下には総長連合《そうちょうれんごう》の居室《きょしつ》がある。忍者《にんじゃ》中心の第一特務隊《とくむたい》を目指《めざ》す点蔵にとっては、意味のある連絡役《れんらく》だった筈《はず》だ。だが、

「テンゾーの情報が使えないんじゃ、ちょっと言い切れないね」

しかし、メアリがこう言った。彼女は眉《まゆ》を立て、

「大丈夫《だいじょうぶ》です。点蔵様なら、こんな状況でも何とかしてくれます……！」

彼の腕を抱き、メアリは言う。

「そうですよね。点蔵様」

○

・**傷有り**：『す、すみません。つい介入《かいにゅう》してしまいました……！』
・**貧従士**：『……いや、まあ、自分、大丈夫ですけど。ええ。情報端《スレッド》が、ええ……』

・あさま：『あ、でも、メアリの気遣《きづか》いは、無駄《むだ》じゃないと思いますよ。ええ』

●

浅間《あさま》は、点蔵が一息吐《ひといき》いたのを見る。気落ちしてますね、とは思うが、

「あの、点蔵君、フォローのつもりで言いますけど、何か判別《はんべつ》していた事はあります？」

「Jud《ジャッジ》.、自分が、アデーレ殿《どの》と気付いてから、下に降りるまで見た砲撃《ほうげき》の軌道《きどう》で御座るが
……。あ、全部では御座らぬが、大体こんな感じで」

と、彼が表示枠《サインフレーム》に出したのは、武蔵《むさし》八艦《かん》の上面図だ。

その上に、砲撃の軌跡《きせき》として、幾本《いくほん》もの白いラインが重なっていく。

……どうなんでしょう。

微妙《びみょう》な期待をもって見た表示枠。出来上がった砲撃のライン群は、

「……かなりバラバラね」

「そうで御座ろう？」

ナルゼと点蔵が、珍《めずら》しく同意見。見れば確かに、それだけの事はある白の直線が、武蔵上に何本も重なっていた。それらの描線《びょうせん》から見る砲撃自体は、確かにどれも、

「左舷《さげん》二番艦の村山《むらやま》側から、奥多摩方向に向かってますね……」

だが、狙《ねら》いは広範《こうはん》だ。浅間神社《じんじゃ》の上を通過したものも多くあるが、

「ケッコーテキトー……。ナイちゃん、ぶっちゃけ浅間神社《あさまじんじゃ》を狙《ねら》ってるんだと思ってた」

「そうね。船幽霊《ふなゆうれい》からしたら、結界《けっかい》張ってる悪の神殿《しんでん》だものね」

「ま、またそういう言い方を……！」

しかし、不意《ふい》の声がした。

「あれ？　ち、違う、の？」

鈴《すず》だ。彼女は、困ったように頬《ほお》に手を当て、

「……浅間神社、響《ひび》きだと、狙われて、る？　そんな感じ、……だった、よ？」

「ベルりんが言うならそうかな」

「そうね、鈴が言うならそんな気もするわ」

意見の転換が早い。しかし、

「この軌道《きどう》の散り方や広さだと、浅間神社より、奥多摩《おくたま》の向こうの空を広くテキトーに撃《う》ってるように見えるんですが。鈴さんにはコレが浅間神社を狙ったように感じるんですね？」

アデーレが、鈴に対して小首を傾《かし》げ、その上でこう言った。

「鈴さんが当時感じてたものと、自分達が見てるコレ、何か違いがあるんですかね」

アデーレの疑問に対し、しかし、鈴は首を傾げるだけだ。

彼女としては、何故《なぜ》そう思えないのか、という話だろう。

……点蔵《てんぞう》君の描いたこの砲撃《ほうげき》軌道図と、鈴さんの言《げん》、整合性を取るとしたら——。

浅間は考える。点蔵の描いた砲撃軌道図と鈴の記憶《きおく》は、どう違うのか、と。

「つまり、途中《とちゅう》で放り投げた点蔵くんと、最後まで知覚してた鈴さんの差……」

「な、何か検証《けんしょう》に嫌味《いやみ》があるで御座《ござ》るよ！」

ただ、そこには真実がある。

途中でやめた点蔵の情報収集《しゅうしゅう》が形になっているのは、これが〝描かれた記録〟だからだ。

一方で、鈴の方は、〝記憶〟として状況を見ている。

つまり今、自分達は、点蔵が描いたものを、纏《まと》めた形で見ている。

そして今、自分達は、鈴が当時を思い出して言う言葉を、聞いている。

これらの違いは、

「——情報の成立プロセスの差ですね。図画《ずが》と、口伝《くでん》の違いです」

●

浅間は理解した。点蔵の記録と鈴の記憶から生じる差は、

……図画記録は纏めた結果。鈴さんのはリアルタイムの再現《さいげん》です。

そういう事だ。

神道《しんとう》で、口伝による技術を受け継ぎつつ、教本からも学ぶ浅間にはよく解《わか》る。つまり、

「点蔵君が纏めたのは、砲撃開始から点蔵君が放り投げるまでの期間内における砲撃軌道の記

録です。つまり点蔵君《てんぞう》の砲撃軌道図《ほうげききどうず》は、見たままだと、そこに〝時間〟の概念《がいねん》がありません。対して――」

鈴《すず》を浅間《あさま》は見る。

「鈴さんが言っているのは、砲撃開始から終わりまで、鈴さんが体感した音の記憶《きおく》です。だから鈴さん、ちょっと聞いていいですか？」

「ん。……何？」

「うちが狙《ねら》われたのって、時間にして、どの辺りですか？」

あ、と意味に気付いた声が幾《いく》つか上がる中。鈴が顎《あご》に手を当てて応じた。

「中盤《ちゅうばん》から、そのくらいからだと、……明、確？」

「ですよね？　だったら点蔵君、さっきの放り投げた砲撃軌道図ですが、――時間順に見て、後半部分を表示《ひょうじ》していってくれませんか？」

「な、何かさっきから変な枕《まくら》が自分の記録名に御確定《ごかくてい》で御座《ござ》るよ！」

言いつつも、点蔵が表示枠《サインフレーム》を操作《そうさ》する。画面に、表計算の墨打《すみう》ち枠《わく》が出て来て、手描きではなく、座標《ざひょう》描きだったのだと理解した。

……恐らく、武蔵《むさし》の各町などを座標化してるんでしょうねー……。

「アンタ何でそんな無駄《むだ》な事してるの？」

「カッチリした図の方が、公《おおやけ》の場での提出《ていしゅつ》の際、説得力《せっとくりょく》があるで御座るよ」

「定規《じょうぎ》無いの？」

「定規でまっすぐ線を引けるのは選ばれた者の技術で御座るよ？」

何となく解《わか》る気はするので、点蔵にツッコミいれるのはやめておいた。すると点蔵が、

「これで御座るな！」

差し出された表示枠。その上で描かれていくラインは、数本がずれるものの、

「おう……」

ナイトの嘆息《たんそく》が示すのは、砲撃軌道の集中だ。

高さが合っていないがゆえに、全て浅間神社《じんじゃ》の上を通過していく。否《いな》、これは、

「軌道が重なるのは、浅間神社の裏、私が戦闘《せんとう》した艦尾《かんび》側ですのよ？」

意外《いがい》という言葉を、浅間は自分の中に感じた。

●

無言《むごん》になった浅間が顎に手を当てるのを、ミトツダイラは見た。

組んだ腕が胸を押し上げているが、半《なか》ば以上まで埋まっている。どういうボリュームですの、と思うが、まあいつもの事……、違う訳《わけ》無いのだから当たり前ですわね。だが、

「何で霊体船団《れいたいせんだん》が、結界《けっかい》張って面倒《めんど》くさい事する浅間神社を狙いませんの？」

「ミトも結構《けっこう》言いますね……!?」

そうね、とナルゼが頷《うなず》いた。

「その忍者《にんじゃ》が途中《とちゅう》で放り投げた記録より鈴《すず》の記憶《きおく》で大体解《わか》ったけど、何で霊体《れいたい》にとって悪の浅間神社《あさまじんじゃ》を撃《う》たないでその裏なんか狙《ねら》ったの？」

「複合嫌味《いやみ》で御座《ござ》るな！」

「で、でも、どうし、て？」

「ぶっちゃけ、浅間神社に当てたら怖《こわ》い結果が待ってるからじゃないかな？」

「い、いや、そんな怖い事しませんよ ー う。結界《けっかい》ビキィって張って船団消滅《せんだんしょうめつ》くらいは有りかも知れませんけど。普段はそのくらいで」

「普段より上って何⁉」

皆とツッコミを入れ、ミトツダイラは浅間の表示枠《サインフレーム》の内容を書き換えた。

2ー「霊体の船団が、浅間神社近辺を狙って砲撃《ほうげき》を寄越《よこ》してくる」

と、書いて、ミトツダイラはふと考えた。

……これって……。

「もしかして、私を狙っていたという算段《さんだん》は？」

「それだったら、初めからミトを狙うのでは？」

「じゃあ、何で途中《とちゅう》から私にあの敵は――」

浅間が、慌《あわ》てた動きで両の手の平を広げたので、ミトツダイラは言葉を噤《つぐ》んだ。

……危ない！　あの霊体について話すのは危険ですのね……！

代わりというように、浅間がこちらの言葉を継《つ》いだ。

「ミトが途中から狙われたのは、正直よく解らないです。──ただ、砲撃はミトを狙ってないと思いますよ？　だって、初めは霊体戦士団《せんしだん》にミトが狙われてなかった訳《わけ》ですし」

言われてみると、確かにそうだ。浅間は当時のメモを表示枠に出して、

「──うちの裏に砲撃があって、霊体戦士団がボンッしちゃった後で、忍者？　の霊体が逆ギレしたようにミトに向かって行った。……そんな流れですよね、コレ」

「ミトツダイラ殿《どの》がやったと思われたので御座ろうか」

「いえ、そこまで判断《はんだん》出来る霊体じゃないと思います。怨霊系《おんりょうけい》ですから、恨《うら》みが……」

と、そこまで言った浅間が、言葉を留めた。ややあってから、彼女は眉《まゆ》を歪《ゆが》めた顔をこちらに向け、

「……ミト、あの霊体の生前とか、知ってます？　知らないですよね？」

「流石《さすが》に知りませんわよ？　大体、遠江《とおとうみ》に知り合いがいる訳もありませんし」

あ、とアデーレが手を挙げた。

「遠江というか、三河《みかわ》東の土地って、桶狭間《おけはざま》の戦いの後、聖連《せいれん》側の物になるか、P.A.Odaの物になるかでモメたじゃないですか。──聖連側は、主張のために、以前からこっちにも三征葡《トレス》萄牙《ポルトガル》や西班牙《スペイン》の武装《ぶそう》商船団を送っていたと思うんですが、そちらに知り合いは？」

「アデーレ殿《どの》、欧州所属《おうしゅうしょぞく》の人間が忍者《にんじゃ》というのは、少々キツいのでは御座《ござ》らぬか？　それに」

と点蔵《てんぞう》が言おうとした台詞《せりふ》を、ミトツダイラは先に告げた。

「私、小等部《しょうとうぶ》四年の頃《ころ》から、基本、欧州《おうしゅう》側とは縁《えん》を切ってますのよ？」

●

告げた台詞。それに対し、皆が動きを止めるのを見て、

「――――」

ミトツダイラは内心《ないしん》で嘆息《たんそく》した。やはり自分の過去の行状《ぎょうじょう》は、咎《とが》でありますわよね、と。

王がいてくれれば空気は違うかも知れないが、今はそうではない。

……駄目《だめ》ですわね、私。

自分を悪いものに見せようとして、でもそれで大丈夫《だいじょうぶ》だというように振る舞おうとする。

今も、そうだ。

「さて、浅間《あさま》、――私の方は、正直、狙《ねら》われたのは不明ですけど、何かあったら、勝てば良いだけの事ですわ。後は――」

と言った瞬間《しゅんかん》。浅間が首を下に振って、笑《え》みでこう言った。

「後でトーリ君によーく言っておきます。ミトが一人で片付けようとしてる、って」

・ホラ子：『ここであの男に頼るとは、小癪《こしやく》な……』
・あさま：『ホ、ホライゾン、ちょっと見直すとか、そういう手加減《てかげん》を……』
・金マル：『手加減じゃ駄目じゃないかな？』
・●画：『というか私、〝ああ、面倒《めんどう》だと感じたら「王様に告げ口」でいいんだ〟って、この時ハッキリ思ったわ。――うん、序盤《じょばん》考えるの面倒だものね』
・銀狼：『そっち!?　そっちの面倒ですの!?』

○

●

ミトツダイラは、浅間の言葉に動きを失っていた。
「え？」
……我が王に？
意外《いがい》な返しだ。
ただ、自分にとっては、思いがけない程の効果があった。
落ち込んでいた気分やら何やらが吹っ飛んで、
……ちょ、ちょっと!?

みっともない、とか、恥《は》ずかしい、という言葉が頭の底から湧《わ》いてくる。

だが、今の自分はそれらをどうにも出来ず、ただ言葉を失うばかり。

そして皆の中、身動きを取り戻したナイトが頷《うなず》いた。

「——うん。これはトーちゃんに伝えておくべき案件《あんけん》」

「そうですネー。彼の範疇《はんちゅう》かカレーで解決ですネー」

「言わなくても解《わか》る事だな」

「い、いえ、あの、私……」

王の手を煩《わずら》わせるのは避けたいというのに。

……うあ——。

頭の中で頭を抱えるとは、どういう事か。ただ、言い出しっぺの浅間《あさま》は、何故《なぜ》か満足そうな伏せ笑《え》みの顔で頷き、

「じゃあ、後の検証《けんしょう》ですけど、ホント、何で霊体船団《れいたいせんだん》は、うちの裏に撃《う》ち込んだんでしょう。仲間を薙《な》ぎ払って、何か意味があったんでしょうか」

「フ、——これは、アレだよ！　ザコ霊体を生《い》け贄《にえ》に捧《ささ》げて忍者《にんじゃ》霊体を強化！　そういう算段《さんだん》があったんだろう、敵には」

倒置法《とうちほう》であった。だがナルゼが空中を平手《ひらて》で押さえるように叩《たた》き、

「ブ——。同じ流体《りゅうたい》同士、ぶつかったら生け贄になる前に霊体は弾《はじ》けて消えてるわ」

「だったら誤爆《ごばく》かなあ……？　でも狙《ねら》いは、浅間神社《じんじゃ》の裏だよね？　アサマチ、神社の裏側の区画《くかく》に、流体経路《けいろ》の集中とかないの？　霊体船団が、浅間神社よりもそれを狙ったとか」

「うちの流体経路の集中は、真下《ました》側です。だから……」

浅間が、こちらの肩を指で軽く叩き、奥多摩《おくたま》の断面図を表示枠《サインフレーム》に見せた。

「これ見て、解りますか？」

ミトツダイラは、図を見て、地下吹き抜けにある浅間神社の位置を見る。もしも外から浅間神社の地下を狙ったならば、

「浅間神社の地下を狙った場合、艦尾《かんび》側からだったら神社の裏に直撃《ちょくげき》しますわね。でも、村《むら》山《やま》のある左舷《さげん》側から狙ったら、神社の左舷側に着弾《ちゃくだん》する筈《はず》ですわ」

「だとしたら何を狙ったんですかね？　それと……」

御広敷《おひろしき》が疑問した。

「──霊体の戦士団《せんしだん》は、何を追っていたんです？」

「それは……」

正直、解らない。

王が最初に見つけた時、彼らは何かを追っていた。そしてそれは、見えなかったのだ。

だから自分達には知りようがなく、

「……浅間？　他の皆も、あの騒《さわ》ぎの中、浅間神社裏の自然区画から何かが飛び出してきたと

か、捕縛《ほばく》されたとか、そういう記録はありませんの？」

「否《いな》、……知る限りでは無いで御座《ござ》るよ？」

「浅間《あさま》神社《じんじゃ》の方でも、そういう情報は捕捉《ほそく》してませんね……」

だとすれば、とミトツダイラは浅間の表示枠《サインフレーム》の内容を書き換えた。

3―「浅間神社の近くで霊体《れいたい》の戦士団《せんしだん》が出現し、何かを追う」

己《おのれ》で書いた文字列。その内容を見て、ミトツダイラは疑問詞《し》を作った。

「……？」

●

何だろうか。

ミトツダイラは、今の御広敷《おひろしき》の言葉から、違和《いわ》を得た。その内容は、

「彼らが追っていたのは、一体、何だったんですの……？」

それに、とミトツダイラは、今更《いまさら》ながらの、もう一つの根本的な疑問を提示《ていじ》した。

「どうして、結界《けっかい》のある武蔵《むさし》内、それも、一番厳《きび》しい浅間神社の近くに、それらが出て来たんですの？」

問うが、答えは無い。

当たり前だ。浅間にすら解《わか》っていない事なのだ。

だから彼女はヒントを欲し、ここで外堀《そとぼり》を埋めるように他の情報を精査《せいさ》している。

だが、敵の狙《ねら》いなどが見えて来たが、

「外堀の謎《なぞ》が解れば解る程、根本の部分が解りませんわね……」

結果は解った。

だが、起点《きてん》が、理由も出現も、正体も解らないのだ。

あるのはただ一つ、確信に近いもの。それは、

……結果に対しての、始まりの違和感ですわ。

敵のやった事が見え、結果が解っても、〝何故《なぜ》〟が解らない。

何故、そんな事をしたのか。

何故、ここに出たのか。

それが解らないと言う事は、一つの意味を示す。

「起点次第で、ナイちゃん達の解釈《かいしゃく》が覆《くつがえ》るかもね。習性とか、いろいろ話した事が」

「Ｊｕｄ《ジャッジ》．、結果は同じでも、意味が違う、ってやつね。――でも解釈なら、それは後からだって変えられるものだから、今ここで気にしなくていいんじゃないかしら」

ナルゼの言葉に、皆が小さく頷《うなず》いた。

何が生じていたのかという、その結果は確認《かくにん》出来たのだ。

「表示枠では――」

1―「遠江《とおとうみ》への着港中《ちやつこう》、霊体《れいたい》の船団《せんだん》が左舷《さげん》南に出現」
2―「霊体の船団が、浅間《あさま》神社《じんじや》近辺を狙って砲撃《ほうげき》を寄越《よこ》してくる」
3―「浅間神社の近くで霊体の戦士団《せんしだん》が出現し、何かを追う」
4―「船団の砲撃が戦士団に当たる」
5―「戦士団の隊長《たいちよう》？　忍者《にんじや》？　がミトを襲《おそ》う」

この形が、今の精一杯《せいいっぱい》。だが、各プロセスの結果を確認《かくにん》出来ただけでも大きい。そして、幾《いく》つかの謎《なぞ》が見えた事も、成果だと考えよう。ただ、

「浅間としては、謎が明確になったのは良い事ですの？」

「うーん、遠江を出るまでに解決出来るといいんですけどね……」

と、浅間が腕を組み、解散を促《うなが》すように表示枠《サインフレーム》を消した。

すると、不意《ふい》に教室のドアのところに、人影《ひとかげ》が立った。

中に入らず、開いたドアに手を掛けている男の姿《すがた》。彼は口を開き、

「おう、全員いる……、訳《わけ》無いか？　ちょっと覗《のぞ》きに来たよ」

告げられる声は直接であるならば初耳に近い。それは、

「酒井《さかい》学長……!?」

第十章

『布石と花』

はいはい
よく解らない
おじさんが
来ちゃったよ
配点（気楽）

ナルゼは、酒井《さかい》の事をよく知らない。否《いな》、武蔵《むさし》アリアダスト教導院《きょうどういん》の学長だとか、松平四《まつだいらし》天王《てんのう》の一人だとか、七年前に左遷《させん》のような感じで武蔵に来たとか、そういう事は知っているし、時たま放送で声も聞く。

だが、実際に前にして言葉を聞くのは、あまりない。そんな存在が、

「とりあえず三年生、普通科となると、結構珍《けっこうめずら》しいよね。小等部《しょうとうぶ》のまま、欠員や入れ替えなんかもしないでこのまま来たか、君ら」

「ええ、酒井学長、何だか暫定庁舎《ざんていちょうしゃ》の方の意向もあって、近年は士農工商《しのうこうしょう》や欧州《おうしゅう》式階級《かいきゅう》制の方を重視と言う事で、普通科は何処《どこ》もほぼそのまま学年を上がってますね」

前に一歩出た浅間《あさま》の言葉に、酒井は頷《うなず》く。そして、

「高等部《こうとうぶ》は、普通科って言ったらうちだよね。来る？」

問い掛けに、皆が顔を見合わせた。

今は三年の四月。進路を決めるのは、本来なら七月辺りだ。だが浅間が頷き、

「私はそちらへ。――ミトもですよね」

「え？　あ、Ｊｕｄ．《ジャッジ》！　私もまあ、いろいろ役目ありますもの」

「――僭越《せんえつ》ながら、自分もまあ、そのつもりで御座《ござ》る」

じゃあ、とマルゴットが頷くのに合わせ、ナルゼは言った。

「今のところはそのつもりで」

配送業としてやっていくなら、士農工商の商科《しょうか》に行くか、配送ギルドに進める欧州式階級で職能《しょくのう》学校に進んだ方が有利だ。だが、

「普通科の方が、芸術《げいじゅつ》とか、趣味《しゅみ》とか活《い》かせるものね」

「絵に音楽、いろいろあるもんねえ」

Ｊｕｄ．、と酒井が頷いた。顎《あご》に手を当て、ふむ、と再度頷き、

「楽しい生き方が好きってなら、俺《おれ》は歓迎《かんげい》するけどね」

「魔女《テクノヘクセン》は結構我《けつこうわ》が儘《まま》よ。――で、学長先生、何をしに来たの？」

ああ、と酒井が頷いた。

「四月も始まって一息吐《ひといきつ》く頃《ころ》だ。だから各学校の三年生の状況聞いて、うちに来たり、他の学校行って、たとえば委員会や総長連合《そうちようれんごう》入ろうかとか、そういう連中《れんちゆう》がいるのかどうかとかチェックを毎年してるんだよ。――ま、そのくらいやっとかないと学長降ろされるしね」

「それを言われると、……うちは不良《ふりよう》集団ですから」

浅間が、自分も含めての口調《くちよう》でそう言う。

だが、酒井が口の端《はし》に笑《え》みを作ってこう言った。

「いいじゃない。不良。俺は好きだねえ。――ぶっちゃけるけど、このクラス、武蔵内では結

構異端《いたん》だっての解《わか》ってる？」

「原因多過ぎて解りませんわ」

だよね、と酒井《さかい》が頷《うなず》く。そして彼は、

「この前、〝武蔵《むさし》〟さんというか、武蔵野艦橋《むさしのかんきょう》から苦情来たんだけど、トーリか、あの馬鹿《ばか》、あれ初めとして、基本、仕事あると休んだりとか、そんな連中《れんちゅう》ばかりだったり、ＶＩＰクラスもいたりでしょ、ここ」

「あら？　仕事があったら早退するのは、普通じゃありませんの？」

「ミト？　それ、職能学校《しょくのう》の場合です。ここ普通科なので」

だよね、と酒井が口の端《はし》に笑《え》みを作って言った。

「ここ、鳥居《とりい》先生だろ？　あの人、旦那《だんな》はうちだし、娘《むすめ》が変わり者だから、まあ君らの相手を三年やってるけどさ。――他は皆、担当したがらないか、または全員分けろ、っていう、そんな話もあってさ」

「な、何かまともな自分にとってはちょっと傷つく話で御座《ござ》るなあ……」

皆が点蔵《てんぞう》を白い目で見た。だが、マルゴットが一息《ひといき》入れて言う。

「鳥居先生、そしたら何て？」

その言葉に、ナルゼはミトツダイラを見た。

僅《わず》かに身を縮めた狼《おおかみ》は、今、王がいなくて縁《えん》もない。だからという訳《わけ》ではないが、

「私が見る限り、ハッキリ言って、分けられたら被害《ひがい》が分散すると思うわ」

「ああ、鳥井さんも笑ってそう言ってた。そして、俺《おれ》もそう思うよ白魔女《ヴァイスヘクセン》君」

ナルゼは、少し驚いた。今は魔女《テクノヘクセン》の衣装《いしょう》でもなければ、箒《ほうき》も携《たずさ》えていない。だとしたら、
酒井はこちらを下調べしているのだ。

「——なかなか楽しみだよ、君達。——お前ら、って言えるように、うちに来てくれるといいねえ」

と、酒井が懐《ふところ》を探りながら言う。彼の仕草《しぐさ》に、浅間《あさま》が、あ、と声を出し、

「禁煙《きんえん》です。酒井学長」

「洗面所《せんめんじょ》で喫《す》える？」

「——いえ、トーリ君のせいで中のは改修《かいしゅう》中です」

「アイツ何やってんだろうねえ……」

酒井が苦笑《くしょう》で、手を戻す。

「——ともあれ、この処《ところ》で面白い教員が来てるから、来年の今頃《いまごろ》が楽しみだね。毎回普通科は、芸術《げいじゅつ》とか研究関係で突出《とっしゅつ》したのが出て来るから、環境《かんきょう》なるべく変えずに行くのが通例だけど、来年度はまた楽しみが増えた」

「増えた？　……どういう事ですの？」

「Jud.《ジャッジ》、たまに武蔵に来て授業体験してたろ？　東宮《とうぐう》様が、遂《つい》に還俗《げんぞく》経て、数年掛けて正

式に武蔵《むさし》に住むようになるって」

皆が、浅間《あさま》を見た。東宮《とうぐう》、つまり帝《みかど》の息子《むすこ》だ。帝は神道《しんとう》の長《ちょう》であるが、

「いや、私も、噂《うわさ》で聞いてたけど、明言《めいげん》は初めてです……」

「だろうね。神道側で人の世に降りる手続きしたら、神道の権威下《けんいか》のままだから極東《きょくとう》に利用される可能性がある。だからわざわざ仏道経由《ぶつどうけいゆ》で還俗《げんぞく》だ。聖連《せいれん》に気を遣《つか》ってる訳《わけ》だけど、彼を放り込むなら……」

酒井《さかい》が、歯を見せた笑《え》みを作る。

「——面倒《めんどう》な場所がいいよね」

●

ナルゼは、酒井の言葉に苦笑《くしょう》した。

「学長に〝面倒〟って言われるなら、それは魔女《テクノヘクセン》の誇りかしらね。だけど、他のクラスにだって、それなりのいいもの見つけて、言葉を掛けてるんでしょ？」

自分を〝白魔女《ヴァイスヘクセン》〟と言える相手だ。他のクラス、他の生徒も、ちゃんとチェックして、自分達に向けたような特別な言葉を送っているに違いない。だが酒井は、

「その辺りは言わぬが華《はな》だよね」

「そうだ、って言ってたら幻滅《げんめつ》だったけど、——こっちも自意識過剰《じいしきかじょう》だったわね。とりあえず

試すような事して御免《ごめん》なさい。今日《きょう》は挨拶《あいさつ》だけなの？――酒井学長」

「ああ、今日はちょっとそういう挨拶。四月だしね。七月の進路決定の辺りで思う処《ところ》あったら忘れていいから。あと――」

酒井が、教室内を見渡した。そして、

「本題はこっち。――浅間神社《じんじゃ》代表。浅間君。君、先夜の霊体《れいたい》の云々《うんぬん》で、いろいろと思案《しあん》や検証《けんしょう》したいって言ってたよね？じゃあ、俺《おれ》からこれをあげよう」

と、彼が一枚の表示枠《サインフレーム》をトスしてきた。

指で押されたそれは、あまり正確には飛んで来ない。やや下に落ちた一枚を、ミトツダイラが床すれすれで拾い上げる。

皆で見れば、そこにあるのは、

「……学生服？」

「ファッション、得意なのいるかねえ？」

一瞬《いっしゅん》、手を挙げかけたが、それはやはり自惚《うぬぼ》れだろう。同人誌《どうじんし》を描く際、各国《かっこく》の制服資料を見てはいるが、ファッションとしては話が別だ。適材がいるとなれば、浅間が振り向く先の、

「喜美《きみ》は今、ダウン中ですね……。あ、でも、酒井学長、どういう事なんです？」

「ああ、君らの調書から、俺として〝この辺りかな〟ってのを出して見た訳《わけ》。何処《どこ》の国とか、所属《しょぞく》とかは、そっちで調べてくれるとおじさん説明の手間《てま》が省けて嬉《うれ》しいねえ」

「つまりそうしろ、って事ね」

浅間《あさま》が頷《うなず》き、酒井《さかい》の表示枠《サインフレーム》の内容を、喜美《きみ》宛てに格納《かくのう》する。喜美も馬鹿《ばか》も、この辺りは浅間の管理下だ。浅間が一文付けているのを見た酒井が、しかしすぐに視線を動かした。

「ミトツダイラ君」

「え？　な、何ですの？」

Jud《ジャッジ》．、と酒井は頷いた。

「ちょっと明日《あした》、時間としては最終日になるんだけど、遠江《とおとうみ》に船が出られるようになるからさ、コレ持って挨拶《あいさつ》してきてよ。午前半《なか》ばから学校休んで行けば間に合うだろうから」

と、酒井がミトツダイラに表示枠を送った。その内容は、

「遠江の慰霊地《いれいち》……？」

●

ミトツダイラは、酒井がそれを送って来た意味を理解した。

遠江の慰霊地、そこに眠っているのは誰《だれ》かと言えば、

「……桶狭間《おけはざま》の戦いの戦死者《せんししゃ》ですのね？　それに献花《けんか》を出す、と……」

「そういう事。総長連合《そうちょうれんごう》辺りの連中《れんちゅう》を出すのが正式なんだろうけど、俺《おれ》、当時は全く関わってなくってね。そんな状態で俺の代わりって言って総長連合動かすのも何だから。

一応あの現場、今川勢《いまがわぜい》だけじゃなく、織田《おだ》勢にも結構《けっこう》な被害《ひがい》出てるしさ、遠江以降《いこう》、P.A.Odaに関係した土地を回る意味を考えたら、誰か出て貰《もら》った方がいいかな、って」

ミトツダイラは、酒井の言葉に疑問を抱いた。

「織田の事を考慮《こうりょ》するのでしたら、花は、どちらに？　地元は未《いま》だに今川系《けい》の色があるでしょうし、しかし支配はP.A.Odaですわよね？」

あ、と酒井が今更《いまさら》気付いたような顔をした。すると彼の横、表示枠が一枚出る。

〝武蔵《むさし》〟だ。武蔵上のメジャーネームが二人もいる事にミトツダイラは息を硬くするが、〝武蔵〟はただ一礼《いちれい》し、

『失礼します。一応、遠江は現在、P.A.Odaの管理下。桶狭間の戦勝はP.A.Odaの権利ですので、居留地《きょりゅうち》ではそのように振る舞われるのが政治的にも問題は無いと判断《はんだん》出来ます。P.A.Oda側の戦死者は、砦《とりで》の防衛隊《ぼうえいたい》の他、襲名者《しゅうめいしゃ》を含む先行隊がとりあえず全滅《ぜんめつ》しておりますので、それ宛てが無難《ぶなん》ではないでしょうか。——以上』

「あの、とりあえず全滅って……？」

「Ｊｕｄ．、聖譜《せいふ》記述《きじゅつ》では、死亡《しぼう》する襲名者が二人いたんだけど、片方は、弟がいるために一時的な解釈《かいしゃく》で二重襲名にしててね。でも、——もう片方は間に合わなかったらしいんだよね」

桶狭間の再現《さいげん》は近年ゆえ、自分もその辺りは聞いた事がある。

同じ襲名者として、松平《まつだいら》に関係する土地で起きた襲名者達の戦いは気になったのだ。

今は忘れている部分も多いが、慰霊地《いれいち》に行けば、当時知った名前を思い出すだろう。

「ま、そんな感じだ。——だからサービスっていうか、ボランティアで行ってくれる？」

「あの、酒井《さかい》学長、でも何でミトか？」

浅間《あさま》の首を傾《かし》げた問いに、自分は答える事が出来る。

何故《なぜ》、己《おのれ》が選ばれたのか。その理由は、

「私が、水戸松平《みとまつだいら》だからですわ。——それでいて、中等部《ちゅうとうぶ》の民間人なので扱いも楽。——解《わか》りましたわ。明日《あした》は午前早退で慰霊地に行って、代理《だいり》で花を捧《ささ》げて参《まい》りますの」

「Ｊｕｄ．《ジャッジ》、そうしてくれると、ホント有《あ》り難《がた》いねえ」

酒井がそう言って、ドアから身を離す。

片手を挙げて去って行く姿《すがた》は身近《みぢか》を感じさせる。が、点蔵《てんぞう》が肩から力を抜いてこう言った。

「……隙《すき》のない御仁《ごじん》で御座《ござ》るなあ。見習いで出ている時、たびたび見るので御座るが、間近《まぢか》にすると洒落《しゃれ》にならぬで御座る」

●

「確かに、洒落にならない人でしたわね」

点蔵の言葉に、ミトツダイラは頷《うなず》いた。

見せるのは、左の手だ。軽く掲《かか》げて振った上で、

「話してる最中《さいちゅう》、学長、ずっと左の手をフリーにしてましたし、背はドア縁《べり》に預け、廊下と教室、どちらにでもすぐ移れるようにしてましたわ」

「流石《さすが》は三河《みかわ》時代に総長《そうちょう》やって、本多《ほんだ》・忠勝《ただかつ》達を従えてたって訳《わけ》ね」

視線を向けられた時のプレッシャーも、その立ち居振る舞いの意味が解っていると、重さが違う。いつ、戦闘《せんとう》状況に遭《あ》ってもいいという、そんな姿勢なのだ。

「しかも、自然ですものね」

上には上がいる。そう思うと、

……私も、まだまだですわ。

霊体《れいたい》の敵に押されているのでは、いけないのだろう。だが、

「――――」

手の中に収めた酒井学長からの依頼書《いらいしょ》。それを見て、ミトツダイラはこう思った。

……これ、我が王を誘ってみたら、如何《いかが》でしょうね……？

だが、そんな淡い期待は、放課後《ほうかご》にて、ある勘違《かんちが》いから破れるのでありました……。

○

・**あさま：**『ミト！　ミト！　だから過去の記録に引きを作らない！』
・**銀　狼：**『あ、あら？　またやってしまいましたわ……？』

・**傷有り**：『それでこれからどうなるんですか？』
・**金マル**：『前のめりのメーやんに言うと、ソーチョーが女と仲良くしててミトっつぁんが甘ギレするんだよ』
・**ホラ子**：『あの男はまた何処《どこ》でホイホイと……』
・**銀　狼**：『い、いえ、一応はまともな決着《けっちゃく》しますのよ？　のよ？』
・**煙草女**：『つーかアンタ、自分が作った引きに慌《あわ》ててどーすんのさ』
・**賢姉様**：『フフ、それよりちょっと私が割り込むわよ？　この時は、思わぬ災難《さいなん》だったし』
・**銀　狼**：『ああ、喜美《きみ》には迷惑《めいわく》掛けましたわねえ……』

●

放課後《ほうかご》は、すぐにやってきた。

喜美は、浅間《あさま》経由《けいゆ》で酒井《さかい》から受け取った制服《せいふく》の情報を精査《せいさ》しようと、一息《ひといき》つける場所を探していた。

いつもと違う事をするなら、いつもと違う場所で楽しみたい。

だから、自宅のある武蔵野《むさしの》や、母親が仕事をしている多摩《たま》ではなく、

「逆面の村山《むらやま》に来てみたけど、意外《いがい》に落ち着いちゃってるわよねえ」

対称構造《こうぞう》とは言え、多摩の方が企業帯《きぎょうたい》や、それに応じての軽食店《けいしょくてん》が多い。総じて右舷艦列《うげんかんれつ》

はその傾向だ。

これは武蔵《むさし》が時計回りに極東《きよくとう》を回る率《りつ》が高いためだ。小等部《しようとうぶ》でも習う知識《ちしき》だが、右回り航《こう》路《ろ》だと本土沿岸《えんがん》に面するのは右舷であり、左舷《さげん》は海に出てしまう。そのため、取引の盛んな企業帯は右舷に集中していき、それが艦ごとの風土《ふうど》となっているのだと言う。

そんな昔の知識《ちしき》を改めて思い出すのは、自分が今ここに〝場〟を求めているからだろう。

……何か軽く御茶《おちや》と、ケーキでも出してる処《ところ》があればいいんだけど。

しかし村山は、軽食の店よりも、やたらと定食《ていしよく》系が多い。地産という訳《わけ》でもないだろうが、菓子類《かしるい》も煎餅《せんべい》やら団子《だんご》やらが多い気がする。

だが、それならばそれで、だ。

仕事と遊び、どちらかに割り切れるものを預かったつもりもない。だったら、現状で出来る限りの事をするのは遊びも仕事も同じだと喜美は思う。

「無いなら無い、で……、と」

小綺麗《こぎれい》である事、商品の看板《かんばん》が出ている事、そして落ち着いた色合いである事。それを条件に軽食店を見て、

「あら」

赤と茶色。そして薄い黄色《きいろ》の色合い。店をよく確認《かくにん》すれば、浅間神社《じんじや》が出張所《しゆつちようじよ》を兼ねて出している茶屋《ちやや》だった。

席に着くと、高等部《こうとうぶ》らしい女子が巫女《みこ》服姿《すがた》で注文《ちゅうもん》を取りに来る。喜美《きみ》も浅間《あさま》神社《じんじゃ》でバイトする事がある身だ。ついつい着こなしをチェックしながら、

「じゃあ三色団子《だんご》の〝春・梅《うめ》〟。……こっちの〝春・新大陸《しんたいりく》〟って何？　ガラナ？　珈琲《コーヒー》かと思ったらちょっと意外《いがい》だから御土産《おみやげ》に三本貰《もら》うわ。あと、飲み物は抹《まっ》オレンジ茶《ちゃ》」

はい、と巫女が下がるのを見て、喜美は一息《ひといき》。

表示枠《サインフレーム》を開き、さて、と呟《つぶや》き、圧縮解凍《あっしゅくかいとう》するのは酒井《さかい》からの資料だ。内容は確か、

……手描きの制服図《せいふくず》ねえ。それが何処《どこ》の国か特定しろ……、と。

各国《かっこく》の制服は、年ごとにマイナーチェンジする。ハードポイントパーツのユニバーサルオプションや、装甲《そうこう》部分の使いやすさ、材質の改良など、国家を懸《か》けて前線に出る者達の装備《そうび》なのだから、当然と言えば当然だ。大国《たいこく》ならば、派遣《はけん》地ごとにまた仕様変更《しようへんこう》がある。

そういったものにどれだけ詳しいか、というのが自分に与えられた課題だが、

「自動《じどう》人形達に検索《けんさく》掛けて貰《もら》えば、ライブラリがなくても新規《しんき》情報取得《しゅとく》で解《わか》るでしょうにね」

酒井がそれをしないのは、それこそこちらへの〝課題〟だ。

次期高等部学生となる三年生。その中の一派《いっぱ》として試されているのだろうか。だとすれば、

「私だけじゃなく、今回の件、愚弟《ぐてい》達がどう対応するかも見られてるわよね。……と」

資料が解凍され、開けた。

すると、表示枠に映っているのは、手描きの姿だった。

数は二枚。描かれているのは男性。学生服はどちらも極東《きょくとう》のものに見える。片方は頭部に烏帽子《えぼし》型の帽子《ぼうし》。胸部と腰にはフロートを兼ねた装甲もあれば、裾《すそ》などは手足共に広い形で切っている。これは、

……船乗り？　それも、全体の衣装《いしょう》じゃなくて、テキトーに選んだ個人のもの？

また、もう一つは、顔を帽子で隠《かく》し、手足の裾を絞《しぼ》ったような忍者風《にんじゃふう》のもの。

添付《てんぷ》されている説明には、前者が〝船団員《せんだんいん》〟。後者が〝襲撃者《しゅうげきしゃ》〟とある。

先夜の霊体《れいたい》だ、と思った時、クラっと来た。

「フフ、やってくれるわね。幽霊船《ゆうれいせん》の連中《れんちゅう》に、こっちはミトツダイラを襲《おそ》ったヤツね？　ま、まあいいわ、これは霊の模写《もしゃ》でもなく、ファッション図案《ずあん》のようなのだし、だけど……」

見たところ、どちらも、裾切りや絞りなど、当然、正規《せいき》のままの制服ではない。

着ているのは、改造《かいぞう》制服だろう。

●

そういう事ね、と喜美は得心《とくしん》に小さく笑った。

制服が無改造であれば、自動人形達の検索や情報収集《しゅうしゅう》の成果が見込めるだろう。だが、個人や集団が、自分の用途《ようと》に合わせて改造を入れたならば、それはもう出来ない事になる。

自動人形は、常道《じょうどう》から外れた〝揺らぎ〟に弱いのだ。

対し人間は、憶測《おくそく》や見当をつけて、〝大体の正解〟という揺らぎを、そのまま受け入れる事が出来る。

今必要なのはそれだ。

先夜、霊体《れいたい》の船団《せんだん》には魔女《テクノヘクセン》達が突っかけていった事だろうし、ミトツダイラも敵をその目で見ていた筈《はず》だ。それら流体《りゅうたい》の欠片《かけら》や、確認《かくにん》した敵影《てきえい》から作り出したのが、この画像《がぞう》の姿《すがた》なのだろう。つまりは正確ではないモンタージュだ。

ならば、と喜美《きみ》は二枚の制服図《せいふくず》を見据《みす》え、

「何よ、もう」

フフ。

「――簡単じゃない。答えは見えてるわ。これが何処《どこ》の所属《しょぞく》であるかなんて、ね」

だから、と喜美は答えをタイプしようとした。だが、

「……あら？」

向こう。町並の間に、よく知った姿があった。

弟だ。

……早退してフラついてるかと思えば、何してんのかしら。

腰を上げてみれば、確かに弟だった。そして一緒《いっしょ》にいるのは、

「あれは――」

喜美は見てしまった。見てはならない光景《こうけい》を、だ。

●

ミトツダイラは、放課後《ほうかご》の村山《むらやま》を歩いていた。

帰宅途中《きたくとちゅう》だ。

何もせず帰宅。そういう道すがらだった。

する事は無いが、本音《ほんね》として、手ぶらは望んでいない。

……明日《あした》の遠江《とおとうみ》行きに、王を誘っておきたかったですわね。

一応、通神文《メール》で彼を誘ってみようと思いはしたものの、

「……何だか、騎士《きし》から王を誘うというのは、気分的に難しいものですわ」

理由が整ってなければいけない気がして、思いとどまる。通神文として文章が残る時点で、その理由が精査《せいさ》されてしまいそうな、そんな感覚があるのだ。

ならば直接話をした方がいいかと、武蔵野《むさしの》にある彼の家に向かったのだが、

「青雷亭本舗《せいらいていほんぽ》、今日《きょう》は休みでしたわね……」

だとしたら、早退から今までずっと帰宅していないのだろうか。その辺り解《わか》らないが、別に遠江に誘うのは明日の午前でも出来る事だと思う。

ゆえに今は帰宅だ。自宅と言えるものは武蔵《むさし》上に数軒《すうけん》ある。六護式仏蘭西《エグザゴン・フランセーズ》から与えられたも

のや、騎士連盟《きしれんめい》からの供出《きょうしゅつ》、そして騎士として構える企業帯《きぎょうたい》の私有地の管理場としての部屋など。殆《ほとん》どは持て余しているが、村山《むらやま》のものは今のところ、屋敷《やしき》として機能《きのう》している。

ゆえに帰宅《きたく》は村山ルート。多摩《たま》に比べて派手《はで》なところはないが、落ち着いているし、倉庫区《そうこく》画《かく》が右舷《うげん》用の在庫《ざいこ》も抱えるため、食料品が多様で豊富だ。

「今夜は何にしましょうか……」

自分で料理は出来るが、基本は注文から屋敷へ届けさせ、定時にやってくる自動《じどう》人形に調理を任せる。騎士連盟の計らいだ。

とりあえず、定番《ていばん》と言える豚肉《ぶたにく》とラム肉。パンを頼んで配送手配。

そしてミトツダイラは、一息《ひといき》を吐く。

町中《まちなか》。自分は知られた顔で、やはり荒れていた時期の余波がまだあるように感じられる。

町の人とはすれ違う時に会釈《えしゃく》の交換くらい出来るが、どう思われているかは解《わか》らない。この辺り、喜美《きみ》に言わせれば自意識過剰《じいしきかじょう》なのだろう。

誰《だれ》も、自分の事など、どうとも思っていない。

そう信じようと、考えている間は、まだまだ己《おのれ》が修まっていないのだ。

……どうなんでしょうね。

町中を目的無く歩きながら、店先を覗《のぞ》き、店主《てんしゅ》と視線が合うと会釈を交わしながら、ミトツダイラはこう思う。もし本当に、自分の事を、誰も、何とも思わなくなったら、どうだろう。

たとえば、

「我が王が、私の事、何とも――」

呟《つぶや》き、気付けば足を止めていた。

●

ミトツダイラは、息を意識して吐く。

……あり得ませんわ、そんな事。

想像《そうぞう》を、詳しくはしていない。口で言っただけの事だ。

それなのに、これだけ身動きを止められる。

無論《むろん》。これは彼についてだけではない。浅間《あさま》も、喜美も、アデーレや鈴《すず》、マルゴットにナルゼ、直政《なおまさ》やハイディ、そして点蔵《てんぞう》や――、いや、深刻《しんこく》に考えては駄目《だめ》ですわね。

○

・**賢姉様**：『ククク、何で点蔵辺りで深く考えるのやめるの？　モブっぽいから？』
・**銀　狼**：『と、当時はいろいろ距離《きょり》感もですけど、キャパも小さかったんですのよ!?』

ただ、ミトツダイラは思う。今、自分が恐れている状況は、かつて己《おのれ》が強く望んだ事そのものではありませんの、と。

ずっと一人で、放っておいて欲しいと思っていたように、今はそんな風《ふう》に当時を感じている。無理《むり》な事だ。

孤独《こどく》に生きていく事は出来ても、一人で生きていく事は出来ない。格好《かっこ》つけても実際は違うという、そんな事実から目を背《そむ》けるのも、数年で限界が来た。

……我《わ》が儘《まま》ですわね。

王に連れ戻されて、自分は変わった。

昔の己に戻ったのではない。戻ろうとしていた場は――、

「ホライゾン」

場は、もう、無い。

だから、同じように場が無く、しかし新しきに進んでいく王についていく事を望んだ。

この変化は、己が敗北《はいぼく》しない限り、もはや揺るがないものだが、

「……甘えてますわねー」

嘆息《たんそく》混じりに言うと、口元の緊《かた》さが消えているのが解った。

だが、王について現実リハビリをしているような自分だが、気掛かりが幾《いく》つかある。

一つは、自分が皆に対して出遅れているどころか、取り戻さなければならない事ばかりだという事。

もう一つは、

「我が王とて、そうですわよね」

ミトツダイラは気付いている。王もまた、自分と同様に、出遅れているのだと。

恐らく、浅間《あさま》や喜美《きみ》は気付いている。

彼が、王でありながら、さて何をどうしていこうかと、思案《しあん》しているのを、だ。

●

執行猶予《しっこうゆうよ》、という言葉をミトツダイラは思う。

王が王として動き出すのはいつの事か。あの人の事だから、いきなり明日《あした》かもしれないし、ずっと後の事かもしれないけれど、

……その時までに、私は王を護《まも》り、道を開けるようになってなければなりませんのよね。

ならば今、どうすればいいのか。

解《わか》らない。

騎士《きし》連盟《れんめい》に行き、第一位としての仕事に邁進《まいしん》すればいいのかと言えば、それは王の騎士とし

て違うような気もする。このやり方は、単なる就職先《しゅうしょくさき》を確保しているだけだろう、と。

そういったものも含め、自分なりの何か。

……そんなものを手に入れるには――。

と思った時だ。ミトツダイラは、ある光景《こうけい》を見た。

「喜美《きみ》、……何を茶屋《ちゃや》の店先でひっくり返ってますの」

浅間神社系列《あさまじんじゃけいれつ》の契約社務《けいやくしゃむ》兼《けん》茶屋だ。軒先《のきさき》で巫女《みこ》店員があたふたしていて、

「あっ、ええと、――水戸《みと》領主《りょうしゅ》！　こちら、喜美様のお知り合いですね⁉　ね⁉」

何でこの女、年上に〝様〟づけで呼ばれますの？

○

・**賢姉様：**『フフフ、何でか知りたい？　知りたいわよね？　ね？　じゃあ教えてＡ・ＧＥ・ＲＵ。――フフフ、日ごろの生き方の結果よ――！』
・**銀　狼：**『日ごろの努力とか成果とかじゃありませんのね……⁉』
・**ホラ子：**『メモせねばなりませんな浅間様……！』
・**あさま：**『ああ、そうですね。対策を練るためにもメモは必要ですよね……』
・**不退転：**『この温度差は一体何かしら……』

ともあれ、縁台《えんだい》に倒れている喜美をミトツダイラは見た。

女の狂人《きょうじん》は、何故《なぜ》か両手で胸を押し上げポーズで倒れている。頭の辺りには盆《ぼん》があり、その上にはオレンジの匂《にお》いがする茶で文字が書いてあった。

「ダイイングメッセージですのね？」

表記の文字は四文字。アルファベットだ。英国弁《べん》発音で読んでみると、

「――O・P・A・I」

ミトツダイラは、盆にあった団子《だんご》を無言《むごん》で手に取ると、やってきた巫女店員に盆を片付けるように手渡した。団子を一気に口に入れて食うと、

……どういう冗談《じょうだん》存在ですの……。

折角《せっかく》、かなり浸《ひた》った状態にいたというのに。一気に醒《さ》めたというか、現実に引き戻された。よく考えると、王がそんな気分転換をしてくれると感謝するのに、喜美の場合は〝してやられましたわ！〟という感が先に来るのは何故だろう。オパイですの？

だが、ミトツダイラは団子の甘さが抜けた鼻に、ある匂いを嗅《か》いだ。

……我が王？

艦尾《かんび》側。町の通路の向こうに、

「――――」

いた。それも、一人では無い。

女だ。

見知らぬ女性と、彼は笑って歩いていたのだ。

……え？

予想外の光景《こうけい》。思わず身動き出来なくなっている自分の横、社務《しゃむ》の遣《や》り戸《ど》を外したホライゾンが、身体《からだ》を半分隠《かく》し、

「あ、あの泥棒猫《どろぼうねこ》……！」

○

・**銀　狼**：『いない人は出ちゃ駄目《だめ》ですのよ――!?』
・**ホラ子**：『――すみません、一回くらいやっておかねば収まりがつかぬもので』
・**賢姉様**：『フフフ、でもここ、アンタ私の団子《だんご》返しなさいよ。ほら！　ほら！　口移しでもいいのよ!?　それが無理《むり》だったら、まさか尻《しり》から!?　団子出るの!?　どんな神罰《しんばつ》！』
・**〇べ屋**：『うわあああああ嫌《いや》な事思い出したあああああああ！』
・**義**　：『お前ら、深夜過ぎて未明《みめい》に入るのに騒《さわ》がしいな……』

ミトツダイラは、素早く社務《しやむ》の店の内側、陰に隠《かく》れた。

別にそうする意味のある事では無い。だが、

……我が王？

彼が、知らない女性と歩いて行く。

女性は、欧州系《おうしゆうけい》。着ている衣服からして、三征西班牙《トレス・エスパニア》の改造制服《かいぞうせいふく》だろうか。ひょっとしたら三征葡萄牙《トレス・ポルトガル》かも知れない。茶色《ちゃいろ》の髪《かみ》の、胸はそこそこ。そこそこ。そこそこ。

……い、いやですわ私、何だか最近、そっち系に意識《いしき》が。

だが二人は、こちらを見ている筈《はず》も無く、通りを横に歩いて行く。

そして気付かれぬまま去られ、ミトツダイラは、

「う」

何だか、腹の底に、ひどく重いような、それでいて無くしたような感を得た。

正直に言えば、何だか悔《くや》しいのだ。

「そ、そうですわよね」

王にいつもくっついている気がして、迷惑《めいわく》では無いかと思う事もしばしばだ。だが、やはり彼には彼の生活があるのだ。しかし、そうは言っても、

……我が王。

「ホライゾンの事は、どうでもいいんですの？」

忘れる事無く、しかし過去は過去として前に進む事を選んだ自分達だ。だが、自分がまだ前に進み切れないというのに、王は先に行ってしまった気がする。

……否《いな》。

ミトツダイラは思った。今、自分の悪い癖《くせ》が出ている、と。

何か疑問に思った時、それを確かめる事もせず、頭の中でロンダリングして事実認定《にんてい》。まるで自分が被害者《ひがいしゃ》のように振る舞うのは、いつものぐるぐる思考《しこう》の悪循環《あくじゅんかん》だ。

「王と私の付き合いは、確かですのよ」

この一年以上、よく連《つる》んで、意識を引っ張って貰《もら》った。そこには浅間《あさま》や喜美《きみ》や他大勢《おおぜい》もいたりしたが――。

○

・**金マル**：『纏《まと》め方が荒っぽくなった？』
・**●　画**：『点蔵《てんぞう》と纏められるとは、私も落ちぶれたものね……』
・**傷有り**：『あっ、でもミトツダイラ様、私と点蔵様は一纏《ひとまと》めですよね、これ』
・**銀　狼**：『簡便《かんべん》に行くために省略《しょうりゃく》したら、複雑に注文《ちゅうもん》多くなってますのよ――!?』

王と自分、そして自分達の間の時間を考えると、他人が入り込む余地《よち》は無いと思えた。

将来、自分がある程度独自に動けるようになって、王を自由にしたら、そこは変わるかも知れないが、少なくとも今は違う。

……じゃあ、あの女性は、誰《だれ》ですの？

解《わか》らない。しかし、ミトツダイラは、

「……訳《わけ》があるんですのよね？　我が王」

「あの、ミト、何か凄《すご》く都合《つごう》のいい女になってるような気が……」

「いない人は喋《しゃべ》りませんのよ？　あと、浅間《あさま》も相当に天然《てんねん》そっち系《けい》に傾いてますから少しは自覚しないといけませんのよ？」

「あれあれ？　いないのに説教《せっきょう》されましたよ私」

ともあれ浅間の幻聴《げんちょう》が聞こえたようだが、ミトツダイラは考える。

きっと、我が王には、訳があるのだ。

そう、たとえばバイトで、観光客の武蔵《むさし》上案内とか。

たとえばバイトで、若い女をナンパしているとか。

たとえばバイトで、若い女の相手をしているとか。

……そんなバイトある訳無いですわ——！

否《いな》、あるかもしれないが、ちょっと未成年にはマズいのではないだろうか。騎士《きし》としてはそういうのはけしからんと思うのですけど、

……どういう事ですの？

聞いてみたいが、今は流石《さすが》に駄目《だめ》だ。相手がいる以上、

「修羅場《しゅらば》……」

何だか恐ろしい光景《こうけい》を想像《そうぞう》する。自分的には、女を引っかけて遊んでた王を騎士が咎《とが》める、というのがあり得る線なのかもしれないが、外から見たら単なる痴話《ちわ》の嚙《か》みつきだ。その場合、自分も今はあまり余裕《よゆう》が無い気がして危険というか、そこそこオパイ相手には負けるような気がして、意外《いがい》と自分の中では喜美《きみ》のダイイングメッセージが〝当たり〟だったと思わされる。

「フフフ、動揺《どうよう》してるわね？　そうね？」

「喜美はぶっ倒れているのでこれは幻聴！　幻聴ですのよ！」

だが、どうしようもない。ならば、とミトツダイラは一息《ひといき》を入れた。

「——明日《あした》の朝、学校に行った時、我が王に確かめればいいんですわ」

学校なら、さっきの女性もいまい。

単なるこっちの勘違《かんちが》いか、思いの行き過ぎですわよね、とミトツダイラは空を見た。

夕刻の空。先日は霊体船団《れいたいせんだん》が出現した空だが、今は静かだ。

夜間際《まぎわ》の紫色《むらさきいろ》に沈んでいく朱《あけ》の色を見上げ、ミトツダイラは呟《つぶや》いた。

「先夜のあれ、何もかも夢だと気楽《きらく》だったんですけど」

●

そして夜。寝る前に髪《かみ》を梳《す》いていたミトツダイラは、王からの通神文《メール》を受け取った。

向こうから、というのは結構《けっこう》あるが、この時間は珍《めずら》しい。何事かと思えば、

『ネイト。ちょっと明日《あした》、会わせたい人がいるから、時間取れるかー？　まあ、明日、学校での返答でオーケーだから』

書かれた文字列を見て、ミトツダイラは息を詰めた。

「〝会わせたい人〟、って……、まさか、夕刻《ゆうこく》の……」

血の気が引いていくのが解《わか》ったので、ミトツダイラはそのまま屋敷《やしき》の厨房《ちゅうぼう》に行き、血の補《ほ》給《きゅう》のために肉を焼いて食った。とにかく食った。肉は鎮静剤《ちんせいざい》とはよく言った。言わない。

「何してんのアンタ」

ナルゼの幻聴《げんちょう》うるさいですの。

第十一章

『誤解と見解』

イラっと
来たら負け
いつも通りと
思えたら勝ち
配点（ネタ慣れ）

翌朝。ミトツダイラが夜食の食い過ぎで登校が遅れると聞いて、浅間《あさま》は朝の教室内で皆と共に口々に呟《つぶや》いた。

「肉ばっかだと翌朝キツいよねー……」

「水分摂《と》るくらいしなさいよ」

「鶏《とり》は飲み物とか、ミト、前に豪快《ごうかい》な事を言っていた気がしますから……」

などと、そんな事を言っていると、トーリがやってきた。

彼は荷物を持たずにいつも通りで、しかし教室内を見渡すと、

「あれ？　ネイトは？」

「ウンコですトーリ様」

「今のは幻聴《げんちょう》ですトーリ君」

「あら、浅間は出さないの？　そうなの？」

「これも幻聴ですトーリ君。あと、巫女《みこ》はウンコしません」

「智《とも》！　智！　眠くなってきたのか、何か変な事言ってますのよ!?」

「今のも幻聴ですトーリ君。——で、話を進めると、ミトは二限後辺りに来るそうです。それからすぐにアリアダスト教導院《きょうどういん》の酒井《さかい》学長に頼まれた——、ああトーリ君、昨日《きのう》聞いてませ

んでしたね？　ミト、ちょっと酒井学長に頼まれて遠江《とおとうみ》に慰霊《いれい》で降りる事になってます」

あ、そうなんだ、と彼が何度か首を下に振る。

「ちょっとネイトに会わせたい人がいるんだけどなあ……」

「放課後《ほうかご》まで待っていれば用件を済ませて帰ってくると思いますよ？」

「じゃあそれを待つか……。あ、後で浅間にもその件な？」

はあ、と一応頷《うなず》く先、自分の机《つくえ》に座る彼を見て、浅間は己《おのれ》の案件《あんけん》を思い出した。

「トーリ君、ちょっといいですか？　ミトの事なんですけど、相談した案件、どうします？」

「――ああ、一昨日《おととい》、何か言ってたのあったな、それか？」

はい、と浅間は眉《まゆ》をやや立てて応じ、言葉を続けた。

「ミトにとっては人生懸《か》ける程大事《だいじ》な事なんで、早めにしてあげた方がいいかと。ええ」

●

ミトツダイラは、充実した朝を過ごして来た。

昨夜はいけない事をした。ストレスから無表情に肉を焼いて食ってしまうとか、中等部《ちゆうとうぶ》女子の日常としていけない事だ。三キロ食うとか更《さら》にいけない。しかも単調に焼いて単調にタレのみとかもいけない。塩とか味噌《みそ》とかあったでしょうに。しかし朝起きた時にその匂《にお》いが屋敷《やしき》中に残っていたのが更にいけない。そして匂いに釣《つ》られて厨房《ちゆうぼう》に入ったら、昨夜、簡易氷室《ひむろ》から出した肉がそのまま置いてあるのもまたいけない。

食べなければいけないではありませんの。

ゆえに現実からちょっと目を逸《そ》らす意味もあって、〝迎え肉〟という事で、朝から食った。

ええ。うちの朝食はパン食。豚《ぶた》は肉の世界のパンですの。

しっかり食べて、いつも通りに朝の工程をこなす。

「ミトツダイラ様、出す表現を誤魔化《ごまか》しましたね？」

昨夜から幻聴《げんちょう》が。

登校は遅れてしまったが、先に連絡《れんらく》はしてある。物怖《ものお》じせず行こうと学校にやって来てみれば、丁度《ちょうど》二限終了のタイミングだ。

今からだと短めの休み時間。皆に挨拶《あいさつ》して、酒井《さかい》学長のお遣《つか》いに行くことになるだろう。そして出来れば、彼を誘って行ければとも思う。

大事《だいじ》なのは勇気だと考えるが、勇気を立てるための正義が自分の中に欲しいとも感じる。

……それに……。

昨夜の肉バーストを生む原因となった通神文《メール》について、王に問う必要がある。あのメールさえなければ、もりもり肉祭《にくまつり》も一人で開催《かいさい》せずに済んだのだ。

だが、狼《おおかみ》としては、食って満足した時間帯は強気になれる気がする。ゆえに王に対して、問うべき事を問うていける。そんな気もする。気もする。ええ、気分だけというか……。

「き、気分だけでも……！」

気合《きあ》いを入れて教室の遣《や》り戸《ど》を開いた。

「ごきげんよう皆さん」

なるべく笑《え》みで、可能な範囲で明るく言った瞬間《しゅんかん》。滑った戸が戸袋《とぶくろ》に激突《げきとつ》する音が強烈《きょうれつ》に響《ひび》き、木造《もくぞう》の教室が震動《しんどう》した。

しまったですの、とミトツダイラは思った。

笑顔でガシャアンとか、怒りを秘《ひ》めた系《けい》に見えてますわコレ、と。

●

アデーレは、背が低い事を利用して、身を屈《かが》めるでもなく皆を窺《うかが》った。

「あの、ヤバいというか、今の聞かれてましたかね……」

「ミトっつぁんのウンコネタで結構《けっこう》盛り上がったからねえ……」

「保身のために言うけど、私、当人いないところでそういう話題は駄目《だめ》だと思うのよね」

「当人いてもするだろうから変わらないさね……」

そう言われると、確信のレベルで頷《うなず》けたのでどうかしている。と、浅間《あさま》が、

「こうなったら覚悟《かくご》を決めましょう。ええ。――ミトに、今朝《けさ》、ちゃんと出たかどうか聞ける猛者《もさ》はいますか」

「何でうちの女衆《おんなしゅう》は無理難題《むりなんだい》を平気で言うので御座《ござ》るかな？」

皆が静かにざわめき、しかし、ミトツダイラが笑顔で戸を叩《たた》きつけたままで動かない。

そんな緊張《きんちょう》に満ちた空気の中、不意《ふい》に馬鹿《ばか》が前に出た。

「ネイト！　オメエ、ちょっと俺《おれ》に相談あるんだろ⁉」

●

ミトツダイラは、カウンターアタックのような彼の言葉を、正面から受けた。

……そ、相談って……。

昨夜の通神文《メール》の事だろうか。それとも昨日《きのう》の女の事だろうか。

どちらも、自分の方から王に話しかけ、問い掛けるテンションを上げて行くつもりだったので、この呼びかけは完全に心の用意を砕《くだ》かれた。

「え、ええと、あの、相談って……」

Ｊｕｄ．《ジャッジ》、と王が真剣な顔で頷《うなず》いた。彼は両手を左右に一度振り、

「俺に、一丁揉《いっちょうも》んで欲しいんだろ？」

あ、とミトツダイラは意識《いしき》に小さな声を置いた。

三日前の事だ。放課後《ほうかご》の窓際《まどぎわ》。確かに自分は、王を待ちながら浅間《あさま》と話したのだ。自分は、社会の荒波に揉まれるべきではないかと。

浅間はあの時、こちらを酷《ひど》く心配してくれた。

彼女が講じたのは王にそれを頼むという事だったのだろう。

……我が王、私に社会経験を……？

彼とて、未《いま》だ自分の中に不確かな部分が多い筈《はず》だ。だが、彼は家にある青雷亭本舗《せいらいていほんぽ》という軽《けい》食店《しょくてん》をそれなりに稼働《かどう》させているし、いろいろな人付き合いも多い。

自分としても、安心して任せられるのはやはり王しかいない。だから、

「ええ、――私としても、王に揉んで欲しいですわ！」

言うと、皆がざわめいた。

「自分から言った……！」

●

わ、という感のある妙《みょう》な盛り上がりに、ミトツダイラはやや引いた。

すると点蔵《てんぞう》が、左右を見渡してから右手を挙げ、

「ト、トーリ殿《どの》！　まさかここで揉むので御座るか!?」

「おお、やっぱ手始めにここで一丁揉むよ。――だよな？　ネイト」

確かにここは学ぶ場所。就職《しゅうしょく》とか、社会とか、いろいろなルールを教えられるには適切だろう。それに、人材もここにはいる。何か解《わか》らない事があったら問えばいい。ならば、

「Jud《ジャッジ》．！　私としても、ここで王に一揉《ひとも》みして貰《もら》う事に異論《いろん》はありませんわ！」

どんと来ましてよ、とミトツダイラは自分の胸を一つ叩《たた》く。

「しっかり揉んで、一人前《いちにんまえ》にして下さいましね」

すると、皆がざわめいた。

「また言った……！」

妙《みよう》な盛り上がりもだが、心配、という空気もあって、ミトツダイラは再度引く。

「あの、皆さん？　一体何の心配を……」

「まあまあ落ち着けネイト。——じゃあ行くぞ」

王が両手をこちらの肩に置くように構えた。ミトツダイラが応じるように身構《みがま》えると、彼が一度頷《うなず》き、

「ハイ、じゃあ息を吐いて——。そして吸って——。ハイハイハイ、吸う。そしてストップ」

何事ですの、と思った瞬間《しゆんかん》。

ミトツダイラは、自分の胸にそれぞれ五指《ごし》の感触《かんしよく》を得た。

王の手だ。

●

全ての動きが停《と》まった瞬間。しかし馬鹿《ばか》が動作を起こすのをナイトは見た。

馬鹿《ばか》は、顔を真《ま》っ赤《か》にして動けなくなっているミトツダイラの胸に両手を押し込むようにして、軽く体重を掛け、

「おおきくなあれっ。おおきくなあれっ。――ハイっ」

ふう、と馬鹿が一度強く押してから身を起こす。そして額《ひたい》の汗《あせ》を拭《ぬぐ》い、馬鹿は右の親指《おやゆび》をミトツダイラに上げて見せ、

「神道《しんとう》の言霊《ことだま》で念じておいたから、これで少しは意味があるだろ。――頑張《がんば》ろうなネイト！」

「人前《ひとまえ》でする事じゃありませんのよ――!?」

一回転からのバックハンドが馬鹿に打ち込まれるのをナイトは見た。

感想としては、よく飛ぶなあ、だ。

●

「も、もう、何も解《わか》ってないくせに。最悪ですわ！」

アデーレは、赤面《せきめん》のミトツダイラが胸を押さえて教室を出て行こうとするのを見送る。

対する馬鹿の方は、既《すで》に机《つくえ》を薙《な》ぎ倒して教室の後ろに吹っ飛んでいる。ロッカーを一部破壊《はかい》しているが、まあよくある事だろう。多分ノリキさんが無言《むごん》で直す。頼んでも無いのに直す。

そのくらいは解っているから言わない。

そして戸が勢いよく閉まり、後には沈黙《ちんもく》が残された。浅間《あさま》が表示枠《サインフレーム》を開いて、

『あ、ミトですか？　酒井《さかい》学長の依頼の方、船の手配は出来てますので宜《よろ》しく御願《おねが》いします。ええ、武蔵野《むさしの》後部甲板《かんぱん》から直接ですから』

「浅間さん、平然と行きますね……！」

「気を遣《つか》って物事が滞《とどこお》ったら、それは間違いですから。——そういう淀《よど》みが無いようにするのが神道《しんとう》の禊祓《みそぎ》ですしね」

ただ、と彼女が言った。顎《あご》に手を当て、

「さっきのトーリ君、やっぱり、皆の前で〝おおきくなあれっ〟は駄目《だめ》だと思うんですよ」

「もっと別に原因無いかな？」

自分も何かそんな気がする。

○

・**金マル**：『というかこの手のネタ、何か定期的にやってる気がするかな？』
・**銀　狼**：『しかも毎回私のように思いますのよ⁉』
・**●　画**：『でもミトツダイラ、さっきの訂正《ていせい》しないの？』
・**銀　狼**：『さっきの？　と言いますと……、何ですの？』
・**傷有り**：『——ナイト様の回想《かいそう》だと、〝人前では〟って仰《おっしゃ》ってましたよ？』
・**あさま**：『あ、記録の方、話主《わしゅ》が一人分過ぎたらロックしてますから。ええ。訂正したかったら提出後《ていしゅつご》に申請《しんせい》して下さいね？』
・銀　狼：『べ、別にニュアンス問題ですし、訂正《ていせい》する必要ありませんわよ……？』

●

全く全く、と不機嫌《ふきげん》を心の中に飼っていると、時間はあっという間に過ぎる。

ミトツダイラが、献花《けんか》を調達《ちょうたつ》して武蔵野《むさしの》後部甲板《かんぱん》に来たのは正午《しょうご》前。

陸港《りくみなと》に降りて遠江《とおとうみ》に向かうのでは、貨物の乗せ下ろしに巻き込まれる。道も貨車の渋滞《じゅうたい》で危険な状況だ。ゆえに、遠江へは船で一気に上を越えていく。

輸送艦群《ゆそうかんぐん》には、高等部《こうとうぶ》の学生が多くいる。委員長クラスや役職級《やくしょくきゅう》も、どれかの船に乗っているらしいが、彼らは交渉《こうしょう》に向かうのだろう。遠くの船からは楽器《がっき》の響《ひび》きなども聞こえたりして、賑《にぎ》やかだ。自分の船は貨物の搭載《とうさい》でやや時間を食っているが、一時には出るようだ。

ミトツダイラは、一人で甲板に立ち、

「全く」

と、本日何度呟《つぶや》いたか解《わか》らない言葉を作る。そして酒井《さかい》からの依頼で受け取った指示書《しじしょ》を目の前に展開。その内容を見るからに、

「墓所《ぼしょ》への慰霊《いれい》。……一人だと、少々寂しいですわね」

第十二章

『安住と意地』

それは心の行き場
しかし
それは魂の行き場か
配点（此彼のすれ違い）

昼前の授業になると、教室全体は少々落ち着きを失う。

授業自体に飽きるとか、昼食が近いとか、眠気が来るとか、それぞれに理由はあるが、浅間《あさま》の場合は少々違う。

……五時からの出港の手続きを、しっかりやっておかないと……。

出来れば、着港時《ちやつこうじ》のような騒《さわ》ぎが起きたとしても、対処《たいしよ》が出来るようにしておきたい。

そのために、いつもの出港手続きや手配とは別で、浅間神社《じんじや》周辺の結界《けつかい》などを組み替えている。対霊《たいれい》用に、全体を強化する方針だが、

……何だか、コレ、間違ってる気がするんですよね……。

強化でいいのだろうか、と、そう疑問するだけの理由はある。それは、

3—「浅間神社の近くで霊体《れいたい》の戦士《せんし》団《だん》が出現し、何かを追う《うらて》」

これだ。あの霊体戦士団は、いきなり浅間神社の裏手に出現したのだ。
勿論《もちろん》、浅間神社の正式な敷地《しきち》内と、その裏手となる自然区画《くかく》では、扱いが違う。浅間神社の敷地を守る結界は、裏手にまで完全適用されていない。だが、
……それでも、出てこれるものなんでしょうか。
何か仕掛けがあるのではないか、というのが浅間の判断《はんだん》だ。それも、浅間神社が用いている

結界や、流体的《りゅうたい》防護《ぼうご》システムの穴を突くような仕掛けでいて、

「多分、単純な……」

思わず口に出して言ってしまい、浅間は慌《あわ》てて辺りを見回した。今は算術《さんじゅつ》、黒板を見ると、どう考えても単純ではないものが書いてある。

教員はこちらに気付いてないようだが、横、壁際《かべぎわ》の机《つくえ》にいる鈴《すず》が、顔をこちらに向けていた。指で表示枠《サインフレーム》に書かれた文字は、

『きづかれてないよ』

鈴さんが言うなら大丈夫《だいじょうぶ》ですね、と浅間は思う。

だけどまあ、仕掛けは多分、単純なもの。何しろ、知性の殆《ほとん》ど無いような霊体が出現したのだ。彼らが何か策や仕込みを行ったとは思い難い。だとすれば、

……何でしょう。うちに、そんな穴はありましたっけ。

解《わか》らない。自分では、父から受け継《つ》ぎつつあるシステムに穴は無いと思いたいのだが、父も意外《いがい》にアバウトなので「え？　コレやばくないですか」はたびたびあるのだ。

大体、遠江《とおとうみ》には毎年着港しているのに、何故《なぜ》今年だけ。

あの霊体達も、一体、何処《どこ》の出身だろうか。浅間の見当では、

……最近で言うと、やはり桶狭間《おけはざま》の戦いに由来《ゆらい》するんでしょうか……？

だが、そうだとしても、何故、今年なのか。きっと何か条件がある筈《はず》だ。

昨年から今に掛けて、武蔵《むさし》に何があったかといえば、数え切れるものではない。だが、遠江《とおとうみ》に限定して言うなら、

……航路《こうろ》を北に変えたから？

変更《へんこう》に関しては、事前に協議《きょうぎ》や準備が行われている。遠江の方では、武蔵の着港《ちゃっこう》や出港に伴う地脈《ちみゃく》の影響《えいきょう》を避けるため、神社《じんじゃ》などの地脈経路《けいろ》を、今までの西向きから北向きに変えた筈《はず》だ。それによって、北方向にある富士《ふじ》の浅間《あさま》奥宮《おくみや》とも繋《つな》がりを持てるため、

「――――」

何か、妙《みょう》な合致《がっち》を浅間は感じた。

●

何でしょうね、と浅間は思う。航路の変更と、それに伴う地脈経路の加工《かこう》。そして、

……桶狭間《おけはざま》の霊体《れいたい》？

何がここに関係するのか、と、そう思った時だ。不意《ふい》に顔横に、表示枠《サインフレーム》が来た。喜美《きみ》からだ。画面に出ているのは二枚の画像《がぞう》。制服姿《せいふくすがた》を模写《もしゃ》したもので、喜美が酒井《さかい》から課題として受け取ったものだろう。その内容は、

『フフ、ちょっと興味《きょうみ》深いというか、よく解《わか》らない事になってきてるわよ、コレ』

だって、と喜美が通神文《メール》を送って来た。

『最初の、幽霊船団《ゆうれいせんだん》に乗っていた船員達、これは、今川家《いまがわけ》の連中《れんちゅう》ね』

だけど、

『アンタ達を襲《おそ》った霊体は、P.A.Oda の連中よ』

つまり、と喜美が言葉を重ねた。

『あの時、現場には二勢力《せいりょく》の霊体がいたって事』

●

解《わか》るかしら？　と喜美は通神《つうしん》で浅間に呟《つぶや》いた。

『船団の方の霊体は、航空艦《こうくうかん》上装備《じょうそうび》だと言うのに、帽子《ぼうし》が烏帽子《えぼし》型よね。帽子の背は低いけど、縁《ふち》の形、恐らくインゴットの数で階級を示せる公家仕様《くげしよう》。袖《そで》を大きく切るのも、狩衣《かりぎぬ》のスタイルと考えると、これは公家に密接《みっせつ》な今川のもの』

そして、

『アンタ達を襲った霊体は、裾絞《すそしぼ》りとかが利いて細身《ほそみ》の制服に改造《かいぞう》したように見えるけど、これ、霊体としての解像度《かいぞうど》が低いからそう見えるだけで、シルエットとして考えたら、P.A.Oda のジャージ制服よ？　それに極東《きょくとう》のハードポイントパーツをつけてるだけ』

『じゃあ、忍者《にんじゃ》に見えたのは……』

『それは確かに忍者かも知れないけど、頭にターバン系《けい》の帽子を被《かぶ》っていた姿が、霊体として解像度《かいぞうど》低くなった場合、忍者《にんじゃ》に見えるかもね』

無論《むろん》、本人としては忍者のつもり、というのは良くある。

「……き、喜美殿《きみどの》、何故《なにゆえ》にこちらを半目《はんめ》で見ているで御座《ござ》るかな？」

鏡《かがみ》見なさいアンタ。だが、喜美としては浅間《あさま》に言っておく事がある。

『ま、こんなところね。フフ、私としては、想像《そうぞう》しただけで駄目《だめ》だから、これから気絶《きぜつ》タイムに入るわよ。あと、──愚弟《ぐてい》、さっきアンタに話があるとか言ってたけど、何処《どこ》かしら』

そう。机《つくえ》に倒れる間際《まぎわ》に後ろを見るが、いつもの窓際最後尾《まどぎわさいこうび》。そこに、弟の姿《すがた》が無い。

何処に行った。

○

・**ホラ子**：『あの男、女を引っかけたりフラフラしたりでいい加減《かげん》な……』
・**銀　狼**：『ホライゾン！　ホライゾン！　武器《ぶき》は駄目《だめ》ですのよ⁉』
・**金マル**：『素手《すで》も駄目じゃないかな？』
・**あさま**：『ともあれ事態《じたい》は解決の手口が散らばり、混迷《こんめい》としながらも先の見える状態になってきました。さて、中等部《ちゅうとうぶ》の私達は、事件を読み解き、平和裏《へいわり》に解決出来るのでしょうか。平和裏は無理《むり》だと思うので、とりあえず解決出来ればな、と思いますが、次回〝狼《おおかみ》ワンワンやってくる〟、お楽しみに』

・銀狼：『勝手《かつて》に次回予告されてますし、まだ話の切れ目じゃありませんのよ⁉』

●

「時刻《じこく》が時刻だけに、あまり長居《ながい》は出来ませんわねえ……」

地上。地面は武蔵《むさし》の床面より硬くないが、それでも下から押し上げてくる感覚がある。

ミトツダイラがその場を訪れた時、既《すで》に日は夕の色を持ち始めていた。

桶狭間《おけはざま》の慰霊地《いれいち》。遠江《とおとうみ》の西側の丘に設けられた、大規模墓所《だいきぼぼしょ》だった。

戦地《せんち》自体はもっと西なのだが、そちらは今、不可侵《ふかしん》の土地として置かれている。だからここにあるのは、

「……とりあえず名前だけの墓碑《ぼひ》と、それらに意味を与える簡易社務《かんいしゃむ》ですわね」

墓碑に刻まれた死者の名前に、神社《じんじゃ》が言霊《ことだま》で存在を証明《しょうめい》すると言う訳《わけ》だ。

だから墓所は、入口の鳥居《とりい》を潜《くぐ》ると、まずは小さな林を背にした社務の建物がある。横には桶狭間の戦勝碑《せんしょうひ》として、大きめの倉庫《そうこ》を置いた石碑《せきひ》が一つ。

倉庫の中には、きっと、戦利品《せんりひん》が確保してあるのだろう。つまり、

……遠江も、P.A.Odaの麾下《きか》という事ですわね。

社務の方に挨拶《あいさつ》に伺《うかが》うと、やはり巫女《みこ》が対応してくれた。話が通っていたのか、遠江の生徒会へと連絡《れんらく》を取ってくれた。

そしてミトツダイラは、献花《けんか》のために改めて墓所《ぼしょ》に出た。まずは社務《しゃむ》の横にある鳥居《とりい》型インフォメーションと自分の表示枠《サインフレーム》を同期。墓所の解説情報を展開し、

『やあおはよう！　御来所《ごらいしょ》、有り難《あがと》う御座《ござ》います！　オケハザマンが案内するよ！』

全身タイツの案内が響《ひび》くのは海に面した丘上《おかうえ》。社務を頂上《ちょうじょう》とするように石の墓碑《ぼひ》が並ぶ。

遠く、西と、海側にまでそれは続いて広がり、やがて青黒く見える森によって遮《さえぎ》られる。

数は多い。何しろ桶狭間《おけはざま》では、

「今川《いまがわ》が五千程の被害《ひがい》を出しているんですものね」

呟《つぶや》きながら踏み込んだ慰霊地《いれいち》には特徴《とくちょう》があった。上が織田家《おだけ》、下が今川家。手前側が、それらに含められない行方《ゆくえ》不明者の碑石《ひせき》という、そんな区分が為《な》されているのだ。これは、

……戦勝《せんしょう》は織田家。滅《ほろ》びたのは今川家。生者《せいしゃ》かも知れない者達は保留《ほりゅう》とする……。

そんな勝敗と生死の構図《こうず》は、慰霊地という場で明確になる。

そして、並ぶ行方不明者の碑石の中に、ミトツダイラは一つ、場違いな形を見た。

十字架状《じゅうじか》の碑石があったのだ。

●

ミトツダイラは思い出す。ここ今川の土地は、聖連《せいれん》とP.A.Odaが狙《ねら》っていた場所なのだと。

今川滅亡後《めつぼうご》、結局ここは不可侵《ふかしん》となったが、そこに旧派《カトリック》を示す十字架の碑石があるのは、

「朝比奈《あさひな》・元智《もとども》……」

十字架に漢字という、そぐわぬ刻字《こくじ》に、ミトツダイラは表示枠を開いていた。

朝比奈氏は、ミトツダイラも知っている。二氏に分かれながら、今川から武田《たけだ》、そして最終的には松平《まつだいら》麾下《きか》となる家系《かけい》なのだ。だが、元智という者までは解《わか》らず、検索《けんさく》を掛ければ、

……朝比奈・元智、と。

《オケハザマンサーチ：今川・義元《よしもと》の重臣《じゅうしん》の一人。名前の〝元〟の字は、義元から与えられたものだよ！　桶狭間の戦いに参戦した後、行方不明となっているんだ！》

書かれていた経歴《けいれき》に、ミトツダイラは納得《なっとく》した。

「この方、……きっと私のように、聖連から派遣《はけん》された方なんですのね？」

今川家が滅びた後の布石《ふせき》。立場としては行方不明だが、それは桶狭間の戦いに関与《かんよ》した後、襲名《しゅうめい》を解除してもしなくてもいいという、そんな〝解釈《かいしゃく》〟の出来る状態だ。

……ですけど、この方が実際どうなったのか。結論は見えていますわ。

「この土地は、不可侵になったのですものね」

恐らく、もう、この世にいまい。

朝比奈・元智という人もまた、世の中の動きに振り回された人と言う事だ。

出来れば、何処《どこ》かで身を隠《かく》し、別の生活をしていて欲しいと、ミトツダイラはそう思う。

そして狼《おおかみ》は、同類に頭を下げ、墓所へと向かった。

表示枠《サインフレーム》から、解説の声が聞こえる。

『織田家《おだけ》の被害《ひがい》は軽微《けいび》と言われるけど、幾人《いくにん》かの武将級《ぶしょう》襲名者《しゅうめいしゃ》は命を落としているんだ！　彼らの墓碑《ぼひ》は社務《しゃむ》に近い位置、西側に並んでいるよ！』

言われる通り、手近なところだけでも見ておこう、とミトツダイラは思った。酒井《さかい》に報告する際、何か見て来た物の話が出来ればと、そんな考えだ。

並んでいる墓石《ぼせき》を眺《なが》め、ミトツダイラは西へと歩いて行く。

桶狭間《おけはざま》の時代から、自分の襲名先が活躍《かつやく》する時代を考えると、大体百年が空《あ》いている。

今、武蔵《むさし》や各国《かっこく》の主力となっている襲名者と比較《ひかく》しても、五十年程はズレがある。
P.A.Odaが、織田家の歴史再現《さいげん》を渋っていたせいだろう。そのためか、桶狭間の戦いには、織田家として高齢《こうれい》な襲名者も多く出場したと聞く。
墓碑に並んでいる名前は、ほとんど解《わか》らない。ただ、姓《かばね》は知っているものが多い。彼らの子《し》孫《そん》か血縁《けつえん》となる襲名者が、自分達の代で既《すで》に活躍しているからだ。そして、

「あら？」

武将級の墓碑は少なくない。だが、その中でも一段上にある墓碑があった。恐らく、奮闘《ふんとう》したか、名のある者なのだろう。盛り土を囲むように、粗い石で組まれた石段は三段。その上にある墓碑は、

「千秋《ちあき》・四郎《しろう》……」

・**賢姉様**：『ター—イム！　タイムよ！　御洒落《おしゃれ》に英国弁《べん》で言うとショートベンタイムよ！　いい⁉　私が戻るまでに幽霊《ゆうれい》関係の話を終えておくのよ⁉』
・**あさま**：『いや、喜美《きみ》、まだ霊体《れいたい》出ないから大丈夫《だいじょうぶ》ですよコレ』
・**賢姉様**：『〝まだ〟って事は出るのね⁉　そうなのね⁉　いきなり出て来て私が可愛《かわい》らしくどっかの狼《おおかみ》みたいに漏《も》れションするのが見たいのね？』
・**あさま**：『いえ見たくありませんけど』
・**副会長**：『今のは真面目《まじめ》に返答しなくていいタイミングじゃないか？』
・**銀　狼**：『ともあれ私もそんな事しませんのよ——！』

○

今川《いまがわ》の土地は、松平《まつだいら》に縁《えん》のあるもの。
それゆえか、桶狭間の戦没者《せんぼつしゃ》として、千秋・四郎の名前には憶《おぼ》えがある。
当時、確かにニュースとして一報を飾った筈《はず》だ。何故《なぜ》なら、
……思い出しましたわ。——確か、寺社《じしゃ》関係の方でしたのよね。千秋家《け》は。
千秋・四郎。

検索《けんさく》するまでもない。戦没者《せんぼつしゃ》については、墓石《ぼせき》の横に経歴《けいれき》や由来《ゆらい》が記されている。

その内容は、ミトツダイラの記憶《きおく》と合うものだった。

「──熱田神宮《あつたじんぐう》の、大宮司《だいぐうじ》ですのね」

熱田は三河《みかわ》にある戦闘系《せんとうけい》の神を祀《まつ》った神社《じんじゃ》だ。刀剣《とうけん》関係に親しく、神器《じんぎ》たる草薙《くさなぎ》の剣《つるぎ》もここに奉《まつ》られ、由来《ゆらい》する。そして千秋《ちあき》・四郎《しろう》は、

「桶狭間《おけはざま》の戦いにて、事前の防衛線《ぼうえいせん》を構えていたが、後続となる信長《のぶなが》の接近に乗じて佐々《さっさ》・政次《まさつぐ》と共に今川本隊《いまがわほんたい》に先行攻撃《こうげき》を加える」

だが、

「……先急いだ事が不運となり、今川本隊の迎撃《げいげき》を受けて死亡《しぼう》」

歴史再現《さいげん》においてその通りの事が起きたのか、ミトツダイラに確かめる術《すべ》は無い。だが、

「酒井《さかい》学長が言っていた、全滅《ぜんめつ》した先行隊にて亡《な》くなった襲名者《しゅうめいしゃ》とは、この方ですのね。

桶狭間の戦いは、織田《おだ》側の圧勝ではなく、死者も出たという話で……」

先日、教室で酒井が話した通り、今川本隊が侵攻《しんこう》する際、織田家の持つ砦《とりで》などは相当な被害《ひがい》を受けている。佐久間《さくま》、飯尾《いいお》といった姓《かばね》の者達、そして織田の血縁《けつえん》もそれら前哨戦《ぜんしょうせん》で亡くなっているのだ。その中で、千秋・四郎がここのトップに上がっているのは、

「熱田神宮という、神社の立場ですのね」

桶狭間の記録によれば、信長は戦勝祈願《きがん》を三河の熱田神宮で行っている。

大宮司の身分であった彼がトップに奉られていれば、下の皆も落ち着くという事か。

自分が、千秋・四郎の名をぼんやりと憶《おぼ》えていたのは、三河ではメジャーな熱田神宮ゆえだろう。千秋氏は今も後代が熱田神宮の大宮司を任じており、戦闘系の神社となれば、術式《じゅつしき》や加護《かご》でたびたび見る事もあるのだ。

……神道《しんとう》、神の繋《つな》がりとかもいろいろありますしね……。

そして花を墓碑《ぼひ》の前に起き、視線を上げた時。ミトツダイラはある事に気付いた。

墓碑の頂上《ちょうじょう》が、欠けているのだ。

「……え？」

欠け跡《あと》は、爪《つめ》で抉《えぐ》ったような斜めの形。散った石は下に落ちている。

窺《うかが》い見れば、断面は新しく、苔《こけ》や黴《かび》の色も何も無い。ついさっき割れたような、そんな材質の色合いだ。ふと辺りを見回したのは、

……わ、私がやったんじゃありませんのよ⁉

誰《だれ》もいない。セーフ。いえ、元からセーフですの。ただ、

「――――」

ミトツダイラは、不意《ふい》の結論を得た。

このところの何もかも。霊体《れいたい》の船団《せんだん》や、戦士団《せんしだん》や、そして王の行状《ぎょうじょう》も何もかも。

解《わか》ったのだ。いきなり、今の一瞬《いっしゅん》で、何もかもが繋がったのだ。

「まさか――」

頭の中、急激《きゆうげき》に真実の図式《ずしき》が出来ていく。その事に震える右の手で、ミトツダイラは地面に落ちている石片《せつぺん》を拾った。

軽い石。それをゆっくりと持ち上げ、ミトツダイラは墓碑《ぼひ》の上に載《の》せる。

合致《がつち》する。当然だ。元々がその形だったのだから。だが、ミトツダイラは、右の手指を墓碑から離さなかった。僅《わず》かに指先をずらし、墓碑の傷跡《きずあと》に当て、

「まさか、じゃありませんわ……！」

ミトツダイラは息を吸い、墓碑に背を向けて走り出した。

途中《とちゆう》、行方《ゆくえ》不明者達の秘蹟《ひせき》の前、十字架《じゆうじか》を構えた朝比奈《あさひな》・元智《もととも》の名を確認《かくにん》して、

「……っ」

狼《おおかみ》は急いだ。

西、沈んでいく日に背を向けるようにしていくのは、墓所《ぼしよ》の入口の社務《しやむ》だ。夕刻も過ぎるので墓所を閉めようというのだろう。社務の入口を巫女《みこ》が片付けている。

軽い挨拶《あいさつ》をすると、向こうが眉《まゆ》を上げた。

「一体どうしたんです？　そんなに焦《あせ》って」

あの、と言ったところで一息《ひといき》だ。ミトツダイラは社務の軒《のき》に掲《かか》げてある社名票を見上げたまま、敢《あ》えて問い掛けた。

「この社務、何処《どこ》の系列《けいれつ》ですの？」

問うた先。巫女は小さく笑った。ええ、と頷《うなず》いた後で、

「浅間《あさま》神社《じんじゃ》ですよ」

ミトツダイラは、言葉を失った。

「ノリノリね」

ナルゼの幻聴《げんちょう》ちょっとうるさいですの。だけど、

……間違いありませんわ。

頭の中で繋《つな》がった事実関係が、今ので確定した。ここが浅間系列ならば、何もかもが文字通り〝繋がる〟のだ。

そして巫女が、茶屋《ちゃや》の旗《はた》を丸めながら言う。

「ここからだと地脈的《ちみゃく》に浅間の奥宮《おくみや》が望めますし、今川《いまがわ》さんも織田《おだ》さんも、浅間を神奏先《しんそう》に含めていますからね。特に今川さんは、義元《よしもと》様が元服《げんぷく》の儀《ぎ》を浅間で――」

うわあ長いですの。改めて〝巫女はよく喋《しゃべ》る〟という言葉を思うミトツダイラだが、事実は確認出来た。

い、い、当たりだ。だが、

……必要なものがありますわ。

ここから、持っていかねばならないものがある。そのためには、

「あのう、……自由に使える輸送艦《ゆそうかん》って、ありませんわよね？」

「流石《さすが》に……」

口を横に開いて言われ、しかし訳《わけ》を聞かれないのは、やはり酒井《さかい》の代理《だいり》として来ているからだろう。だが、

……どうしたものですの。

何もかもの解決が、出来ると思う。そのために輸送艦が必要だが、自分にはそのようなコネクションも何も無い。頼れる相手としては、

「我が王……」

いる筈《はず》も無い相手。それを呼んだ瞬間《しゅんかん》。

「ん？　呼んだ？　ネイト」

社務《しゃむ》の奥から、茶《ちゃ》と団子《だんご》を手にした彼が出て来た。

●

「ちょ、ちょっと、どうしているんですの!?」

「いや、ネイトが何か話あったのかな的な空気がちょっとあったじゃね？　だけどまあ何かオ

「メエ、怒ってるから俺《おれ》としては収まるまで待つか、って浅間《あさま》に通神文《メール》出して密航《みっこう》してさあ」

　密航……、と呟《つぶや》くが、確かに船が出る前、荷物が遅れてるとか、そういう話があった。

　だが、今はそんな事を構っている場合では無い。それに、

「お？　武蔵《むさし》が出港するか？」

　遠く、北西の方から大気《たいき》のざわめきが届いてきた。山側からだというのに、聞こえてくるのは波が寄せてくる響《ひび》きだ。

　武蔵が出港前に仮想海《かそうかい》を纏《まと》う音。出力を抑えた通常出港であるため、大面積の仮想海展開は時間を掛けてじっくりと行われる。

　そして響いてくるのは、寄せ続けて戻らない波の音だ。

　この状態から出港まで、一時間程。それまでに戻るとなると、今から遠江《とおとうみ》の港に行き、武蔵へ帰る輸送艦に乗り込まねばならない。しかし、

「我が王、こちらに来てくれる輸送艦って、ありませんわよね？」

「俺も流石に輸送艦は持ってねえしなあ。……帰りの輸送艦をこっちに呼ぶのは？」

「それは帰りの時間が短縮《たんしゆく》出来るので〝あり〟かと思いますけど、その輸送艦は生徒会や委員会、総長連合《そうちようれんごう》関係の貨物を満載《まんさい》してますわよね。──私としては、ここから、武蔵へと運びたいものがあるんですの」

　だったら、と彼が表示枠《サインフレーム》を開いた。

「浅間《あさま》、オメエの親父《おやじ》に頼んで、浅間神社《じんじゃ》の輸送艦《ゆそうかん》出して貰《もら》えね？　――駄目《だめ》？　こっちも交《こう》易《えき》で使ってる？　駄目なの？　マジで？　いや、ネイトが何か使いたいって。うん。仕方ないですね、って、うん、仕方ないかなあ。うん。今回だけ？　うん。代わりを当たれば何とか出来そう？　おお、浅間すげえな。うん。褒《ほ》めても何も出ない？　うん」

浅間、甘過ぎですわ……！　というか、どういう応答しているか一発で解《わか》るのがどうかしているというかどうしようもない。だが、王が表示枠《サインフレーム》を消して、

「――よっし、代わりを出すから安心だとよ。ネイトは案件纏《あんけんまと》めて、どういう指示《しじ》かを浅間に送ってくれ。でも――」

と、王がこちらの手を取った。

柔らかく、何かちょっと湿《しめ》った冷たさ。だが力は確かに込めて握られ、

「早めに港戻らねえと駄目だし、俺《おれ》も貨物に隠《かく》れないといけねえからな。――急ぐぞ」

引かれ、走り出す。こちらに案件を纏めろと言って片手を封じるのはどういうつもりか。だが、ミトツダイラは苦笑《くしょう》した。

……全く。

このところ、何度も心の中で呟《つぶや》くこの前置き。今は憤《いきどお》るものではない。

「Jud.《ジャッジ》、――急ぎましょう、我が王」

足の遅い二人だ。急いで、ようやく他の皆の歩みと同じになる気もする。

背後。社務《しゃむ》の明かりが消えているのに、頭を下げ、ミトツダイラは走った。

ミトツダイラの乗った輸送艦が武蔵《むさし》に向かっているとの報を受け、ナイトはナルゼと共にそれを向かえに出場した。


空だ。夕の色が終わり、夜に向かおうという空。

箒《ほうき》に乗った二人の姿《すがた》は、いつもより高く上がる。配送業に許された艦《かん》周辺範囲《はんい》を超え、武蔵全体を見下ろせるような高さまで上昇《じょうしょう》。その上で、

「――高度確保。武蔵の緩衝術式《かんしょうじゅつしき》と連動。航行《こうこう》術式確認《かくにん》。――オールクリア」

ナイトが告げる先。魔術陣《マギノフイグーア》には、武蔵側から〝許可〟の文字が来る。

同じ事を横で行っていたナルゼが、肩をすくめて小さく笑う。

「このくらいの高度なら、垂直《すいちょく》上昇レースでやってるのにね。初心者《しょしんしゃ》みたい」

「でも低速で上昇は結構面倒《けっこうめんどう》だってさっき解ったかなあ」

「緩衝術式をぶち抜かず、乗っていかないといけないものね。確かに面倒だわ。でも――」

眼下《がんか》の武蔵に、光が付いていく。艦上《かんじょう》はもう、夜の準備なのだ。ちらほらあった街の明かりが、回頭《かいとう》する武蔵の艦尾《かんび》側から灯《とも》り、

「いい風景ね」

配送業見習いは、武蔵《むさし》の艦間《かんかん》移動を限定的に許される身だ。普段はこんな光景《こうけい》を見る事など出来もしない。だが、

「まさか艦外《かんがい》の空、結界《けつかい》の通路誘導《ゆうどう》の水先案内出来るとはねー……。アサマチの推薦《すいせん》あってこそだと思うけど、提督《アルミランテ》も話解《わか》るもんだねえ」

「というか、浅間神社《あさまじんじゃ》にまで誘導するんだから、結構面倒《けっこうめんどう》よ。武蔵は浮上《ふじょう》しながら西向きから北向きに回頭《かいとう》するし、そこに南西から輸送艦《ゆそうかん》入って来るから。その上でミトツダイラの降下《こうか》まであるけど——、まあこれは降下術式《じゅつしき》があるからいいわね」

後は、とナルゼが言いかけた時だ。ナイトは、南西から来る輸送艦の光を見た。

「来たね」

「来たわよ、こっちも」

と言うナルゼの声は、こちらを向いていない。彼女が見ているのは南東の空。水平線にも見える空の水平。ある高度上にて、

「漁《いさ》り火《び》……、じゃないわよ、あれ。——おそらく、幽霊船団《ゆうれいせんだん》。武蔵が上昇《じょうしょう》したのに合わせて出て来たんだわ」

●

午後六時十七分。遠江《とおとうみ》から北側航路《こうろ》に向けて上昇と回頭を開始した武蔵に対し、南東方向

から霊体船団《れいたいせんだん》による砲撃《ほうげき》が開始された。

アデーレ達は、今回、砲撃の集中する武蔵右舷《うげん》三番艦・高尾《たかお》の艦尾《かんび》側に展開。防護障壁《ぼうごしょうへき》が砲撃を防ぎながらも砕《くだ》かれるのを見つつ、

「……さて、どうなりますかね!?」

至近《しきん》への砲撃が連続する。そして敵の形が、段々と密度《みつど》高くなって行った時だ。

武蔵が、低空からの北上を開始した。砲撃を避けるための動きと、そう見える挙動《きょどう》。だが、巨大艦《きょだいかん》の移動に、敵船団はついてくる。その上で、

「見ろ……!」

高等部《こうとうぶ》の学生戦士団《せんしだん》が、東の空を指さした。

アデーレが眼鏡《めがね》を上げ直し、確認《かくにん》する夜空の水平。そこに、

「別の漁り火です！　浅間さん！」

『やはり、そうなりましたか！』

追加となるような新しい霊体船団が、東から出現し、侵攻《しんこう》してくる。

南西と、東。二つの霊体船団は密度も高く武蔵へと接近を掛ける。そして、

「東に来た船団からも砲撃来るぞ……！」

言葉の通り、夜の深さを増していく東の空から、白の光条《こうじょう》が撃《う》ち込まれてきた。

だが、アデーレは二つの動きを見た。

まずは武蔵右舷《むさしうげん》の空、東の新船団《せんだん》から撃《う》ち込まれた砲撃《ほうげき》が、

「──浅間《あさま》さんの推測《すいそく》した通りです！」

それは、

「南東の艦隊《かんたい》に直撃《ちょくげき》します！」

当たった。

先に出現し、武蔵に南東から追撃《ついげき》を寄越《よこ》してきた霊体《れいたい》船団。それに対し、後から出現し、東から接近を仕掛けてきた霊体船団が、攻撃《こうげき》を加えたのだ。

勘違《かんちが》いではない。東からの霊体船団は、南東の船団を敵と見据《みす》えたのか、

「うわ……」

砲撃が連続し、応撃《おうげき》が始まった。

武蔵と南東船団と、船団同士と。二つ構えの構図《こうず》で砲撃の遣《や》り取《と》りと防御《ぼうぎょ》が展開する。

そして快音が空に響《ひび》き渡り、光の破砕《はさい》が連続する中で、アデーレはもう一つの動きを見た。

犬達が振り向き吠《ほ》える空。魔女《テクノヘクセン》や配送業の手練《てだ》れが、状況確認《かくにん》に飛翔《ひしょう》を開始した夜の空。

そこに南西から接近してくるものがある。それは、

「──ミトツダイラさんの乗った、輸送艦《ゆそうかん》ですね」

馬鹿《ばか》も密航《みっこう》している筈《はず》だが、着陸《ちゃくりく》前に通報しておくべきだろうか。

第十三章

『真実と実情』

出会いと別れは一直線
会ったが最後の夕の空
別れが夜に訪れるなら
線を回して手渡すのさ
配点（意味）

北へ向かう武蔵《むさし》に、光の槍《やり》が幾本《いくほん》も叩《たた》き込まれる。

防護障壁《ぼうごしょうへき》は砕《くだ》かれ、黒の光が音と散る。それは遠江《とおとうみ》から北に広がる山渓《さんけい》や森を照らし、武蔵の巨影《きょえい》を浮かび上がらせる。

武蔵は巨艦《きょかん》だ。遠江から低空状態で北上すれば、山渓を昇っていくように上昇《じょうしょう》しなければならない。そして巨体故《きょたいゆえ》、低空から移動しながらの上昇が難しい。どうしても艦尾《かんび》が下に落ち気味《ぎみ》になるため、艦底《かんてい》が地表に当たらずとも、大規模《だいきぼ》な大気緩衝《たいきかんしょう》が必要となる。

武蔵野艦橋《むさしのかんきょう》内では、自動《じどう》人形達が強引《ごういん》な運航《うんこう》を何とか無事《ぶじ》に処理《しょり》しようとフル稼働《かどう》していた。彼女達の働きと成果を、浅間《あさま》はレポートとして受け取りながら、

「間に合いましたね、ミト」

言った場所は、浅間神社《じんじゃ》の裏手。中央部を縦《たて》に長く更地《さらち》にされた自然区画《くかく》の中だ。

頭上《ずじょう》、輸送艦《ゆそうかん》が上昇し、去って行くのが艦尾側からの砲撃光《ほうげきこう》に照らされて見える。

警報《けいほう》は鳴り、砲火《ほうか》の音が耳に近い空に届いてくる。

だが、浅間は視線を正面に向けた。そこに狼《おおかみ》がいる。後ろ、王を置いた武蔵の騎士《きし》は、

「浅間、武蔵の移動が随分《ずいぶん》と強引なようですけど……」

「ええ、でも、もう少し北に行かないと、目的地に到着《とうちゃく》しませんので」

そうですの、と頷《うなず》きつつ、こちらに足早に近付いてくるミトツダイラの顔。彼女の表情には険も無く、

……随分と、落ち着きましたね。

後ろについてくる彼が、何かしたのか、何もしてないのか。解《わか》りはしないが、

「ミト、――状況、理解出来てますか？」

Ｊｕｄ．《ジャッジ》、と頷いたミトツダイラが、こちらの背後を見た。

己《おのれ》の後ろ。そこには、一つの人影《ひとかげ》がある。それは、

「昨日《きのう》、我が王と一緒《いっしょ》にいた女性ですわね？　三征葡萄牙《トレス・ポルトガル》の制服《せいふく》を着た姿《すがた》は」

振り向き見れば、立っているのは二十歳《はたち》過ぎくらいの女性。茶色《ちゃいろ》の髪《かみ》に、わずかに日に焼けた肌《はだ》が、白と赤の制服に似合《にあ》っていると浅間は思う。腰にある白の剣も、だ。

彼女に対し、ミトツダイラが言葉を送った。

「貴女《あなた》ですのね？　聖連《せいれん》から、今川《いまがわ》の地を聖連所領《しょりょう》にするため、派遣《はけん》されてきた学生は」

そして、

「今川重臣《じゅうしん》としての当地の襲名《しゅうめい》は、朝比奈《あさひな》・元智《もととも》。――行方不明《ゆくえふめい》ではなかったんですのね」

ミトツダイラの声が下に落ちた意味は、浅間にはよく解る。

彼女の足先は、揺らぎ、消えているのだ。

霊体《れいたい》。それも密度《みつど》高い残念の塊《かたまり》が、彼女だった。

ミトツダイラは、彼女が無言《むごん》で、眉尻《まゆじり》を下げた笑《え》みを作るのを見る。その仕草《しぐさ》から気付かされるのは、

「貴女《あなた》、声が出ませんの……？」

「ああ、俺《おれ》が見つけた時からそんな感じ」

うん、というように、彼女は頷《うなず》いた。己《おのれ》の首に右手を当て、横に引いた事から、どうしてそうなったかは解《わか》る。

欠けているのだ。

そして王が、言葉を続けた。

「ちょっと探し物あってさ。ベルさん連れて、この辺り漁《あさ》ってたら、不意《ふい》にベルさんが、〝あの人〟って言うから、見て見たらそこに誰《だれ》もいねえじゃん？　だけど鈴さん、そっちに近付いて空中ぺたぺたやるんで、俺も準じてぺたぺたしたら、――尻《しり》でな」

「鎮守《ちんじゅ》の森なんで、目に見えない密度《みつど》になって隠《かく》れてても、土地の加護《かご》が存在自体を浮かび上がらせたりしますからねー……。多分、温度差判定《はんてい》受けたのを、鈴さんが拾ったのかと」

彼女がスカートの後ろを押さえて赤面《せきめん》している辺り、そこで見つかったのだろう。

「先日、ネイトが追ってった連中《れんちゅう》な。――あいつらが追いかけてたのが、この姐《ねえ》ちゃんな」

彼女、朝比奈《あさひな》は頷く。そして応じるように、ミトツダイラも首を下に振った。

「私が追っていた相手も、その正体が解りましたわ」

彼らの事を口にすれば、あの忍者風《にんじゃふう》の霊体《れいたい》が呼ばれて出てくる。

だが、浅間《あさま》が促《うなが》しの視線を寄越《よこ》したので、全ては決まりだ。何もかも用意はある。

ミトツダイラは、はっきりと言った。

「遠江《とおとうみ》の墓所《ぼしょ》で見ましたもの。戦没《せんぼつ》した織田《おだ》麾下《きか》。熱田《あつた》神宮《じんぐう》の大宮司《だいぐうじ》たる千秋《ちあき》・四郎《しろう》の墓石《ぼせき》が、破損《はそん》していましたわ」

掲《かか》げるのは、右の手刀《しゅとう》だ。

「――破損の跡は、私の手刀と同じ形をしてましたの」

●

告げた内容。それに応じて浅間が一息《ひといき》を吐くのを、ミトツダイラは視界《しかい》に入れる。

彼女は、朝比奈が困ったように片頬《ほお》に手を当てる横で、口を開く。

「――解らない筈《はず》ですよね。あの霊体戦士団《せんしだん》も、この朝比奈さんも、浅間神社《じんじゃ》に繋《つな》がりがある織田《おだ》家《け》と今川《いまがわ》家の麾下《きか》。そして、慰霊地《いれいち》では浅間神社によって鎮《しず》められているそうで」

その場合、と浅間は前置きし、

「地脈《ちみゃく》にて神道《しんとう》ネットワークは繋がってますから、同じ浅間同士、うちの管理地に慰霊地の霊体がやってきてしまう訳《わけ》です。それでまあ、慰霊地《いれいち》では両陣営《じんえい》が同席しちゃってますけど」

浅間《あさま》が朝比奈《あさひな》に視線を向ける。

「こちらの方《かた》の残念が強く、鎮《しず》まってません。トーリ君の話や、私がいろいろ問うて見たところ、彼女が望んでいるのは、今川《いまがわ》陣営の仲間との合流です」

「……本国に戻りませんの？」

問うた先、朝比奈が眉尻《まゆじり》を下げた笑《え》みを作る。仕方ない、という表情に見えた。だがそれは、自分がそう言う境遇《きようぐう》になってしまったという事よりも、

……何だか、そう言う選択をしてしまう自分を、苦笑《くしよう》してるようですわね……。

上手《うま》くは感じ取れないが、だがミトツダイラには、朝比奈が幸せであるように見えた。

朝比奈という襲名《しゆうめい》は、死亡《しぼう》によってもう終わっている。ならば彼女の本国での名は、断絶し、どこにも無くなっていく。無論《むろん》、本国には遺族《いぞく》もいるだろうに。だけど、

「――本人にとって幸いであるならば、他人がそれを不幸せと言ったところで、他人と自分の区別がついてないだけの悦《えつ》ではありますわね」

「そうそう。『だったらオメエの時はそうすりゃいいじゃん』で終わりだな」

Ｊｕｄ．《ジヤツジ》、と頷《うなず》き、ミトツダイラは息を吸った。

自分もそうだ。

かつて、襲名者の身分を捨てようとして、しかし出来ず、己《おのれ》を貶《おとし》めて今に至る。

……ですけど――。

ミトツダイラは、今、ここで、不意《ふい》にこう思った。

……今はもう、我が王もいて、〝違う〟、んですのよね……。

ならば、とミトツダイラは息を吸い、思いを重ねた。

私は私の望むように私を貶めたのだから、私は私の望むように私を幸せにするべきだと。

貶めるしか出来ない生き方なんて、そんなものは無いだろう。ならば、

「――彼女の幸いを支持し、彼女を救いますわ。そのためには……」

「まずは武蔵《むさし》が北上する事です。桶狭間《おけはざま》の戦いで、今川陣営は北に逃げようとして討《う》たれ、散っていきましたから。そこが彼女の還《かえ》る場所となります」

だとしたら、とアデーレの表示枠《サインフレーム》が来た。彼女は砲撃《ほうげき》の被弾《ひだん》音の重なる現場から、

『先夜の霊体船団《れいたいせんだん》と、今、自分達が見てる二つの船団の戦闘《せんとう》って、やはり――』

『ええ、先夜、朝比奈さんは、北回りとなる武蔵の接近に気付き、浅間神社《じんじゃ》のリンクから、武蔵に乗って北の地にいる皆と合流《ごうりゅう》しようとしました。だが彼女の残念が強い事から、まだ今川勢との戦闘が続いていると判断《はんだん》した織田《おだ》の霊体戦士団《せんしだん》も、乗り込んできちゃったんです。

先夜、武蔵を砲撃した船団は、あれ、武蔵を砲撃していたんじゃないんです。

織田の戦士団に追われる朝比奈さんを救うために、援護《えんご》砲撃してたんです』

・●画：『何で霊体《れいたい》のくせにする事ハデなのよ』
・金マル：『まあ、浅間《あさま》神社《じんじゃ》の結界《けっかい》強くて、射撃《しゃげき》なんかじゃ届かないし？』
・貧従士：『確かに初め、射撃とか弓撃《ゆみう》っていて、それが通じないと解《わか》って段々とエスカレートしていったような……』
・銀　狼：『私、砲撃《ほうげき》食らい掛けたので、実はこの時、怒って良かったんですのよね……』
・あさま：『ま、まあ、結果重視で行きましょうよ!?　ですよね!?』

○

●

アデーレは、通神《つうしん》にて、浅間神社からの報告を見た。

それは先程《さきほど》自分が確認《かくにん》した事。二つの船団《せんだん》の、敵と味方の区分けと、その意味だ。

空では、魔女《テクノヘクセン》や配送業の者達が、強行偵察《ていさつ》から戻って来ている。彼女達の調査結果は、

「南東側！　資料として酒井《さかい》学長から来た織田《おだ》家の衣装《いしょう》です！　東の艦隊は今川《いまがわ》と確認《かくにん》！」

だからというように、総長連合《そうちょうれんごう》からの指示《しじ》が来た。

「これより武蔵《むさし》は、遠江鎮守《とおとうみちんじゅ》のため、怪異《かいい》の禊祓《みそぎ》を行う……！」

その判断《はんだん》は、

「南東側！　武蔵を砲撃する〝所属不明《しょぞく》〟船団を、東の船団の〝援護《えんご》〟として撃《う》て……！」

●

武蔵側からの応撃《おうげき》が、何やら気合《きあ》いの声や奇声《きせい》と共に開始されたのをミトツダイラは聞いた。

武蔵は砲門《ほうもん》を持たない艦《かん》だ。攻撃《こうげき》は術式《じゅつしき》や武神《ぶしん》、力技に頼るが後者はあまり見たくない気がする。何しろ、いずれ自分達にも要求されそうで。

だが、為《な》すべき事が見えたところで、一つ、言っておきたい事がある。

「我が王。……あの、私に会わせたい人とは」

「ああ、その姐《ねえ》ちゃんだよ。言葉喋《しゃべ》れねえし、身元も不確かだし、でも外人《がいじん》で騎士《きし》っぽい？　うちはだったらオメエじゃねえの、って。昨日《きのう》もオメエん家《ち》に連れてったけど留守《るす》じゃん？　うちは姉《ねえ》ちゃんがこの手の駄目《だめ》だし、だから結局、ベルさんとこの湯屋《ゆや》に泊《と》めて貰《もら》って」

ああ、とミトツダイラは内心《ないしん》で頷《うなず》いた。ここでもいろいろ繋《つな》がりましたわね、と。だが、

「つーか昨日、オメエ何処《どこ》行ってたのよ？」

「い、いえ、まあちょっと、外に出てましたのよ？　ええ」

浅間《あさま》が半目《はんめ》を向けてきているが気にしない。何はともあれ誤解《ごかい》。そしてあの時、必要以上に自分を落ち込ませなかったのは正解だ。が、今度は浅間が問うてきた。

「あの、何でうちに相談してくれなかったんですか？　そうすれば身元とかも——」

と言っている浅間《あさま》の横で、慌《あわ》てた朝比奈《あさひな》が手を左右に振る。

言いたい事は、何となく解《わか》る。

「喋《しゃべ》れないし、皆と合流《ごうりゅう》すると言う事は、浅間神社《じんじゃ》の管理外の土地に行きたいという事ですのよ？　今、浅間神社の慰霊地《いれいち》に縛《しば》られてる彼女にとって、浅間に会うというのは、望みを果たせない事にもなりかねませんわ」

「あー……、確かに、残念あってもそれごと禊祓《みそぎ》したり出来ますからねー……」

朝比奈が顔色を白くするが、彼女の懸念《けねん》は正解だったと言う事だろう。

「だからまあ、俺《おれ》の方で、いろいろ筆談《ひつだん》してさ。密航《みっこう》する前に浅間に通神文《メール》で預けたんだわ。だからネイト？　後はする事、解るだろ？」

「Ｊｕｄ．《ジャッジ》、――解っていますわ」

今、武蔵《むさし》は北の地に向かっている。だが、それだけでは彼女の安全は図れない。

「――出て来なさいな。千秋《ちあき》・四郎《しろう》」

呼ぶ。浅間が結界《けっかい》を組み替え、自然区画《くかく》を隔離《かくり》するのを見ながら、

「貴方《あなた》の戦争を、ここで終わりにして、桶狭間《おけはざま》における全ての決着《けっちゃく》に繋《つな》げますわ」

●

浅間は、深く息を吸った。

来ている。

ミトツダイラが向いた南の方向。

慰霊地がある方角の地面に、青白い姿《すがた》が立っている。

忍者様《にんじやよう》に改造《かいぞう》したジャージ制服《せいふく》。

中東系《ちゆうとうけい》、織田陣営《おだじんえい》ならば、ターバン型の帽子《ぼうし》だ。

そして手にしている剣は、今更《いまさら》ながらに解るが、

……熱田《あつた》の直剣。

反《そ》りを持った現代極東式《きよくとうしき》の刀ではない。草薙《くさなぎ》の剣《つるぎ》に由来《ゆらい》する、熱田神宮《じんぐう》の戦闘《せんとう》用武装《ぶそう》だ。

『――ネシンバラだよ。今回は外からモニタしようと思ったけど、何だこの濃い結界。入れて貰《もら》う事って出来ないかな』

野次馬《やじうま》は危険なので入れられません。だけど、

『戦神《いくさがみ》の加護《かご》あり、だから桶狭間の戦いにおいて、千秋・四郎は三百人の手勢《てぜい》で、佐々《さっさ》・政《まさ》次《つぐ》と共に二万の大軍《たいぐん》に突撃《とつげき》した。討《う》ち死《じ》にはしたけど、戦闘力《せんとうりよく》は本物だよ』

大丈夫《だいじようぶ》です、と言い切れないような事を言ってくれる。

だが、事実は事実だ。熱田神宮の大宮司《だいぐうじ》となれば、熱田の剣術《けんじゆつ》などは修めている。霊体《れいたい》として情報量が削《けず》られた今、使用出来る技は少ないだろうが、

「ミト、一応、外には番屋《ばんや》や戦士団《せんしだん》が待機《たいき》してます」

「――でも、私が解決すれば、浅間《あさま》神社《じんじゃ》は彼らに借りを作らず済みますのね？」

それも確かだが、大事《だいじ》な案件《あんけん》が別にある。今の自分達にとって意味のある事。その言葉は、

「貴女《あなた》は騎士《きし》です、ミト。武蔵《むさし》において、戦士《せんし》団《だん》でも、傭兵《ようへい》でも、総長連合《そうちょうれんごう》や番屋《ばんや》などでもない。彼らとは別の、一つの力としての騎士が貴女です」

ゆえに、

「その証明《しょうめい》を、御願《おねが》いします」

●

Ｊｕｄ．《ジャッジ》、と狼《おおかみ》が言って、前に出た。

応じる動きで、霊体《れいたい》の大宮司《だいぐうじ》が前に出た。

敵は直剣を抜き、狼は手刀《しゅとう》を構え、

「いざ」

激突《げきとつ》した。

第十四章

『誇りと礼と』

狼の攻撃は
爪や力によるものもあるが
そのとどめにおいては
何を用いるか
配点（牙）

●

鈴《すず》は、その響《ひび》きを聞いていた。

浅間《あさま》から状況を聞いていたため、湯屋《ゆや》は夕方から閉めている。今はいつもよりしっかりした掃除《そうじ》の時間だ。そして、

「ミトツダイラさん……」

武蔵《むさし》の大気《たいき》の中を、硬音《こうおん》が響いて通る。

先夜の戦闘《せんとう》よりも、音の間隔《かんかく》がコンパクトだと鈴は感じた。それは、ミトツダイラが可能な限り高速で立ち回っていると言う事だろう。そして、

「喜美《きみ》ちゃん？」

湯屋に来たものの、霊体船団《れいたいせんだん》が出現したため、脱衣場《だついじょう》でぐったり寝ている喜美がいる。毛布《もうふ》を被《かぶ》って餃子《ギョーザ》状態な辺り、怖《こわ》い物嫌《ぎら》いも相当だなあ、と鈴は感想するが、

……あの毛布、昨夜、霊体の人が使ってたって、言わない方がいいよ、ね……。

○

・**あさま：**『喜美！　喜美！　今更《いまさら》にぐったりしなくていいですから！』

・**賢姉様：**『あ――！　聞こえな――い！　道理《どうり》で愚弟《ぐてい》も浅間も私には話せないって言ってた

も出来ないものよね⁉』

訳《わけ》よねえ――！　大体気付いてたけど私賢《かしこ》いから――！　でも賢くてもこういう時にはどうと

●

浅間は、ミトツダイラの立ち回りを見ていた。

以前の戦闘状況から、今回は自然区画《くかく》に工夫《くふう》を入れている。ミトツダイラが動きやすいように、まだ土や木々を設置していないのだ。

自然物を載《の》せる地殻《ちかく》ブロックは、内部に上下浸透《しんとう》式の自然濾過《ろか》システムを組み込んだ人工の大地《だいち》だ。表面は地盤《じばん》を載せるために、波目のようなパターンが彫《ほ》り込まれている。

以前のような段差蹴《げ》りの移動も可能だが、表面においては、刻まれたパターンを滑り止めやフックとして、逆スパイクのような使用方法が可能だ。

対する相手は霊体。霊体の多くは足先を持たず、己《おのれ》の位置を地表面の〝型〟に基準《きじゅん》している。彼らに地面の質は関係なく、〝面〟に彫《ほ》られたパターンも無関係だ。

ゆえに今回の工夫はミトツダイラに有利に働く。そして、

「ミト！　流石《さすが》に水面などは〝型〟が地表面のそれと変わるので、多くの霊体は水を渡れません！　いざとなったら中央側に小川があるので退避《たいひ》して下さい！」

返答はない。こちらとしても、今のは万《まん》が一《いち》の対処《たいしょ》の用意だ。

……ミトの気質から言って、そこに敵を誘うとも思えませんしね。

それ程に、ミトツダイラが戦闘《せんとう》に集中している。

風のように荒《すさ》む霧《きり》の中、狼《おおかみ》が見えていた。

彼女は足を踏み込み、少しでも速度を得られるように身を常に低くする。

沈み込んで力を溜《た》め込み、前に己《おのれ》を押し上げる。

踏み込みは硬音《こうおん》の高鳴り。

押し上げは重音の軋《きし》み。

うねるような動きで、狼が敵を追った。

対する敵も、剣先でミトツダイラの全身を咎《とが》め、彼女が速度を落としたところに攻撃《こうげき》を叩《たた》き込んで来る。

攻撃は、ミトツダイラが曲線で、敵が直線。幾《いく》つもの手刀《しゅとう》と直剣の軌道《きどう》が交わされては宙《ちゅう》を貫《つらぬ》き、風音を連発する。すると、

「……なあ、何でネイトが狙《ねら》われるんだ？　こっちの姐《ねえ》ちゃんじゃねえの？」

「ミトが、松平《まつだいら》の継承権《けいしょうけん》を持っているからだと思います。――桶狭間《おけはざま》の歴史再現《さいげん》では、松平勢《ぜい》は今川《いまがわ》の麾下《きか》でしたし、実際、彼らは織田《おだ》勢の砦《とりで》を攻め落としてますから」

つまり、と浅間《あさま》は前置きした。霊体《れいたい》が恨《うら》みとして今川勢を狙うものならば、

「先夜、朝比奈《あさひな》さんを砲撃《ほうげき》で見失った敵は、そこでミトに狙いをシフトしたんだと思います」

「ネイトが水戸《みと》松平だっけ？　って、解《わか》るの？」

「記憶《きおく》、人格、そういった物も含めての〝型〟ですよ？　体格や姿形《すがたかたち》だけじゃありません」

つまり、

「ミトは、自分で否定しても、――否《いな》、否定を経て今に至ったからこそ、己の家名《かめい》の〝型〟を強く得ているのかも知れませんね」

じゃあ、という彼に、浅間は頷《うなず》いた。

「――ミトの〝型〟は、極東《きょくとう》の未来に密接《みっせつ》ですよ。百年近く前に該当《がいとう》する歴史再現に負けていたら駄目《だめ》ですし、本人だって、そんなつもりはないでしょう」

だから、

「ミトが、――前に出ますよ」

●

ミトツダイラは、敵の動きを読みつつあった。
やはり、敵の攻撃パターンが少ない。恐らくは、熱田《あつた》神宮由来《じんぐうゆらい》の剣術《けんじゅつ》として存在する型の内、代表的なものしかこの霊体の中には残っていないのだ。だが、
……見事ですわ！
死して、記憶も定かではない霊体になってなお、これだけの剣技を使える。

もはや、剣技そのものが、人の形となっているようなものだろう。

ミトツダイラは思う。生前、この人は、どれだけの訓練《くんれん》と鍛錬《たんれん》を繰り返し、身に憶《おぼ》え込ませたのか、と。それが今、己《おのれ》の眼前で〝型〟として動き、攻撃《こうげき》を仕掛けてくる。

解《わか》る。

熱田神宮《あつたじんぐう》。草薙《くさなぎ》の剣《つるぎ》に由来《ゆらい》した剣術《けんじゅつ》は、直剣の技だ。

対する己《おのれ》は騎士《きし》であり、授業や鍛錬《たんれん》では、主として剣技を好んで学ぶ。

騎士が使用する剣とは、直剣だ。

それは王に授《さず》けられる力であり、騎士の正義を示すもの。

彼我《ひが》の剣技を比べた時、洗練《せんれん》のレベルは遙かに違うが、敵の動作は解《わか》り、刃《やいば》の持つ空気も読める。

以前は意識《いしき》出来ていなかったが、今はもう、知っている。

自分はこの相手が、熱田神宮大宮司《だいぐうじ》、千秋《ちあき》・四郎《しろう》と知っている。

だから解る。

何故《なぜ》なら、武蔵《むさし》上で教える剣技とは、欧州《おうしゅう》式のものもあるが、基本は極東《きょくとう》式だ。

極東の直剣の技術が、熱田の技を通らぬ筈《はず》が無い。

極東の長《ちょう》に捧《ささ》げる剣の技は、王の技だ。

基本に忠実であり、まっすぐな技術。

この相手が好むのは刺突《しとつ》中心。正面から吹く剣風《けんぷう》を、ミトツダイラは涼しく感じた。

草薙か、叢雲《むらくも》か。

かわし、時に削《けず》られながら、ミトツダイラは前に出た。何故なら、

「私とて……」。

力足りず、助力を受けてばかりだ。王にくっついてばかりで、一人では何も出来ない。だが、
それでもいずれは、

「王の剣になりますのよ……！」

●

ミトツダイラは前に出た。

敵が、刃を左手に握る。

突いて来た。

左に首を傾けてかわせば、剣風が右頬《ほお》に来た。怖《こわ》くは無い。何故ならかわした後だからだ。

不意《ふい》に来たものでは無く、そこに来ると解っていたもの。ならば、刃が引かれるのを見据《みす》え、
共に踏み込むだけの余裕《よゆう》はある。

行った。

ミトツダイラは踏み込みと同時に、刃の下から右手を放った。

刃《やいば》を死角《しかく》にして、手刀《しゅとう》を敵の胴《どう》に打ち込む。

当たるか当たらないかの距離《きょり》だ。だが敵は足首だけでバックステップ。こちらの手刀を見切ったのではなく、元より前進するこっちから間を空《あ》けようという動きだった。

足裏があれば、常に地面についているような、低いステップで敵が半歩下がる。

気付けば、敵の引いた刃が、また突き込める位置に戻っていた。

対し、ミトツダイラは足裏を地面に噛《か》ませた。地殻《ちかく》ブロック表面、刻まれた滑り止めのパターンに靴裏《くつうら》を挟ませ、

……前！

身体《からだ》を、前に倒す。

伏すようなイメージで行きつつ、しかし足は滑らない。

足裏が床のパターンを噛んでいるからだ。

滑る事なく、己《おのれ》を倒す。すると、再度放たれた敵の刃が頭上《ずじょう》を抜けた。

かわした。

刃を引く動きに合わせて立ち上がり、前に行けば敵の懐《ふところ》だ。

だからミトツダイラは、先程《さきほど》前に叩《たた》き込んだ手刀の右手で、床を叩いた。

足だけで立ち上がるには、自分は遅い。床に手を着き、這《は》うようにしてでも、

「行きますのよ！」

ダッシュを掛ける。

その瞬間《しゅんかん》だった。敵が、こちらの頭上に突き込んだ刃を動かした。引く動きですわね、とミトツダイラはそう思った。だが、

……え？

ミトツダイラの視界《しかい》の中、敵の挙動《きょどう》が見えていた。

敵は、刃を手で引かなかったのだ。

●

浅間《あさま》は敵の挙動を見ていた。

とはいえ、戦況《せんきょう》が解《わか》るほど、自分は、戦闘系《せんとうけい》ではない。

「嘘《うそ》……」

ナルゼの幻聴《げんちょう》、呆然《ほうぜん》と言うのやめて下さい。

ともあれ自分は戦闘系ではない。だから正直、ミトツダイラの動きはよく他の人からも〝遅い〟と言われているが、自分にとっては、

……ほとんど見えないですよ!?

だが、今の狼《おおかみ》の挙動は、確かに見えていた。

敵だ。

ミトツダイラに伏せられ、中段の左片手《かたて》突きをすかされた相手がいる。

彼の左腕《うで》の下。狼《おおかみ》が、身体《からだ》を前に投げ出すようにしている。

このままミトツダイラが、前に身体を放つつもりなのは解《わか》る。その位置からならば、左手を突き込めば相手の身体を貫通《かんつう》出来るからだ。

敵にとっては、致命《ちめい》の構図《こうず》だ。

相手は、もし下がろうとしても、剣を持っている。刃《やいば》の重さが霊体《れいたい》としてどれだけ適用されるかは解らないが、剣の重さと、それを引く挙動《きょどう》は、素直に後ろに下がるよりも身体の動きを遅くするだろう。

大体、背後側に移動する動きとは、速度が乗りにくいものだ。

だが、敵は、それらの思案《しあん》を解除した。

霊体の剣士《けんし》は、手指《てゆび》を柄《つか》から剥《は》がして直剣の鍔元《つばもと》を引っかけるなり、

『――――』

刃が、手指のスナップで宙《ちゅう》に弾《はじ》かれた。

持って引くのではない。手放した手で、胸元の空中に放ったのだ。

直剣に与えられた動きは、バックトスではなかった。水平状態での回転だ。

動きは高速だが丁寧《ていねい》で淀《よど》みなく。それゆえに浅間《あさま》にも挙動が理解出来た。

ミトツダイラの頭上《ずじょう》で直剣が回る。その直後。ミトツダイラが前に出て、対する相手は、

「ミト！　横です！」

敵は、ミトツダイラを下がってかわさず、横に避けた。

ミトツダイラから見て右。摺《す》り足の移動は瞬間《しゅんかん》的で、

『……っ！』

横を通り過ぎ、立ち上がろうとしていた狼に、敵が右の手を振った。バックハンド気味《ぎみ》の右手は、空中で回っていた直剣の柄を引っかけるようにホールド。

そのまま高速のスナップで、刃が、横を通り過ぎるミトツダイラの姿《すがた》を後ろから襲《おそ》った。

当たる。

●

背後からの水平打ち。それに対し、ミトツダイラは一つの判断《はんだん》を下した。

……格好《かっこ》つけてる場合じゃありませんわ！

ゆえに、転んだ。

起き上がり掛けていた身体を、もう一度倒している余裕《よゆう》はない。

床に噛《か》んでいる靴《くつ》の裏。それを強引《ごういん》に外して、ミトツダイラは夜の床に転ぶ。

両足は同時に床から剝がれず、姿勢は横倒《よこだお》し。左の腰を下にして、床に身体が激突《げきとつ》した。

直後。右の頰《ほお》を撫《な》でるように刃が通過した。

前髪《まえがみ》が数本断ち切られ、しかし、

「ネイト」

声が聞こえた。王の言葉だ。その内容は、

「――そろそろ勝つ時間？」

●

ミトツダイラは、両の手を床に叩《たた》きつけた。

……我が王……！

跳ね上がるように、右へと身を立てた。

起こしたのではない。手から人狼《ルウガルウ》の力を打ちつけ、全身を立てるまでに浮かせたのだ。

起きた正面。敵がいる。

勝たねばならない。王が期待をしてくれている。それも、信じる、という最大の期待だ。

支持されている。

そしてミトツダイラは敵を見た。霊体《れいたい》の剣士の手元、右のスナップで振った刃《やいば》が、光の軌跡《きせき》を流しながら引かれている。その返る剣先が、突き戻す軌道《きどう》で見ているのは、

……私の首！

故《ゆえ》にミトツダイラは、息を吐いた。身体《からだ》の力を抜き、

「……！」

突き込まれる刃に対し、首を振ったのだ。

瞬間《しゅんかん》。閃光《せんこう》のような一発が来た。だがそれは、見えている。

この相手は、正確だ。

死して尚《なお》、記憶《きおく》を超えてすら残った剣技の型を、彼は繰り返し再生している。

狙《ねら》いは過《あやま》つ事もなければ、違《たが》える事もない。ならばこの一撃《いちげき》は確実に首の中央狙い。

「——」

首半分、という単位《たんい》を数えるのに、ミトツダイラは口を使った。吐いた息の熱。それが右に振った頰《ほお》を通り過ぎたら、首半分だ、と。

その通りだった。

破砕音《はさいおん》が響《ひび》き、首に衝撃《しょうげき》が来た。

左の首元。ハードポイントパーツが貫通撃《かんつうげき》を食らったのだ。

左首に鉄や加工《かこう》木材の破片《はへん》が当たり、しかし、

……かわしましたわ……！

思った時、既《すで》に敵は刃を引いている。

速い。敵の回転速度が上がっていた。それはつまり、

……この挙動《きよどう》。一連の型なんですのね……!?

高速の連続攻撃《こうげき》。ならば剣を引く際、相手が何をするか、ミトツダイラは知っている。

こちらの視界《しかい》の中央。相手が挙動《きよどう》した。彼は右手で柄《つか》を引き、しかし、

『……！』

剣士は、右に肘《ひじ》を引きながら、柄を空中に放ったのだ。

武器《ぶき》を手放す。

その行き先は左手側。そこに、既《すで》に振りかぶり姿勢を終えた左手があった。

先夜と同じだ。だからミトツダイラは今こそ動いた。右の腕を外に振り、

「……っ！」

空中にある刃《やいば》を、右手の爪先《つまさき》で何とか外に打ち放ったのだ。

●

浅間《あさま》の視界《しかい》の中、動きの繋《つな》がりが進行した。

相手の無力化を狙《ねら》ってか、ミトツダイラが敵の刃を右外に払った。

だが、既《すで》に敵が身体《からだ》を動かしていた。まるで左手で円盤《えんばん》を投げるように、全身を大きく、こちらから見て右へと振り、

「ミト！」

ミトツダイラが右に打ち放った直剣を、敵の左指が拾った。全開まで伸ばした腕と、指の先《せん》

端《たん》だ。かろうじて引っかけ、取ったように見えたが、

『────』

強引《ごういん》な引き戻しと、瞬発《しゅんぱつ》的な身体の振りは、直剣の全力水平打ちに繋がった。

光のラインを描き、高速の一撃《いちげき》がミトツダイラに飛んだ。

●

ミトツダイラは、相手の攻撃を捉《とら》えた。
高速だ。このタイミングではもはや回避《かいひ》は不能。そして狙いは、
……やはり首！
思うなり、風音が消えた。
敵の刃が大気《たいき》を切り抜け、こちらに届いたのだ。

●

浅間は、水平打ちの直撃《ちょくげき》を視認した。

ミトツダイラの右首。そこに流体光《りゅうたいこう》の刃が叩《たた》き込まれたのだ。

「ミト……！」

声をあげた先。浅間はしかし、その目に確認《かくにん》した。

砕《くだ》かれたものがある。

それは、ミトツダイラの命などではなく、

「直剣が――」

ミトツダイラの右首筋《くびすじ》。そこで動きを止めた敵の刃《やいば》が、一瞬《いっしゅん》で全壊《ぜんかい》したのだ。

●

ミトツダイラは、両腕《うで》を構えた状態で、一息《ひといき》を吐いた。

正面。敵が水平打ちを振り抜けぬまま、動きを止めている。

「――残念ですが、私の勝ちですわね」

敵の刃が、こちらの首元から柄《つか》の方へと割れて行き、亀裂《きれつ》に散っていく。

対するように、己《おのれ》の首元ではハードポイントパーツが砕けていた。そして、

「装甲《そうこう》性能のある制服《せいふく》。浅間《あさま》が加護《かご》を追加してくれてもいますわ。先に髪《かみ》を切られたり、逆のハードポイントパーツを割らせて、切れ味や位置も確認してますの。だから――」

袂《たもと》を両の腕に絡めて手甲《てっこう》とし、首元のハードポイントパーツも重ねて受けた。前に出した右手は、敵の刃の根元《ねもと》を押さえるようにして、速度を消させてもいる。

後は制服を裁《た》ち切られようが何をされようが、

「……力には、自信がありますのよ」

散っていく袂の切片《せっぺん》の中から、自分の手指《てゆび》が露《あら》わになっていく。

五指《ごし》は、今、血にまみれていた。だが、

「人狼《ルウガルウ》の握力《あくりょく》。確かに届きましたわ」

両の手指が、刃の側面、鎬《しのぎ》を上下からバイスし、押さえ込んでいた。

水平式の無刀《むとう》取り。

直剣とは言え、切れるのは刃のみ。剣の側面部分を、上下から摑《つか》めば安全だ。

後は、刃を力任《まか》せに摑み、握り砕けばいいだけの事。

速度が乗っていたため、手の平を少々割られたが、

「どうですの？」

剣神《けんしん》の神社《じんじゃ》の大宮司《だいぐうじ》。記憶《きおく》を超えてなお残る剣術《けんじゅつ》は、しかし、

「剣を失った貴方《あなた》に、戦う矜持《きょうじ》はありますの？」

問うた先。敵が動いた。

「ミト！」

浅間の声がする。が、構わず、ミトツダイラは相手を見据《みす》えた。すると、

『――――』

相手が剣を引く。

刃を失った柄。しかし剣士は、その形状をただ引き戻し、己の左腰のハードポイントパーツ

らしい位置に押さえる。

そして敵は、ゆっくりとこちらに身を向けた。

頭を、ただ下げた。

直後。その姿《すがた》が散り始めた。

不意《ふい》だ。何の前置きもなく、いきなり、砂《すな》のように敵が散った。

勝ったのだ。

●

は、とミトツダイラは息をついた。

肩を落とす。すると、両の手を、左右から取られた。

右は浅間《あさま》で、こちらの手の平の負傷《ふしょう》を確認《かくにん》する。だが、

「あれ？　……傷は」

「皮《かわ》一枚程度なら、すぐに治りますわよ？　流石《さすが》に骨にまで行かせてませんし」

この辺り、浅間には感謝だ。何しろ当て身に近い無刀《むとう》取りをしたのだ。彼女の加護《かご》など、防《ぼう》護《ご》能力の追加がなければ、今の負傷で済まなかった事は確かだろう。そして、

「ネイト」

と、左から声がした。振り向けば、彼がこちらの左手を取って安堵《あんど》の息をついている。

心配させてしまったかと、そんな事を反省する自分だが。

「――ここにあった傷は、俺達《おれ》のもんだな」

言われた意味が、一瞬《いっしゅん》、ミトツダイラには解《わか》らなかった。しかし、

……あ。

支持されていたのだ。そして騎士《きし》とは、王の剣でもある。

ならば、傷は得ても、残らない方がいい。

人狼《ルウガルウ》で良かったですわ、とミトツダイラは今更《いまさら》ながらにそう思う。その上で、

「まだ終わりじゃありませんわ、我が王。だって――」

『おい！　奥多摩《おくたま》はどうなっておる!?　拙僧《せっそう》が、金の亡者《もうじゃ》を連れて来たというのに、何の出迎えもなしか！　浅間、貴様《きさま》の手配だろう、一体どうなっておるのだ！』

ウルキアガだ。通神《つうしん》で声が上がっている通り、南の方から戦火《せんか》を避けながら、高速型の輸送《ゆそう》艦《かん》がこちらに向かってきている。

艦体《かんたい》、横には〝〇べ屋〟の文字がある。

シロジロとハイディの商家《しょうか》。その持ち船だ。

●

ハイディは、シロジロと共に甲板《かんぱん》に出ていた。夜の空は戦闘《せんとう》中で、迂回路《うかいろ》を取っていても万《まん》

が一《いち》がある。ハイディは、船員達に降下《こうか》術式《じゅつしき》の所持を義務づけながら、自分達も
「何だか損な場所だったね、遠江《とおとうみ》！」

「Ｊｕｄ．《ジャッジ》、まさか上の連中《れんちゅう》が、本気《ほんき》で市場《いちば》を枯渇《こかつ》させているとは思わなかった。それだけ、ここから先の天山回廊《てんざんかいろう》などは、物資に飢《う》えた土地だという事なのだろう。だが――」

シロジロが、風の中で、甲板《かんぱん》の後部へと振り向く。

自分達にとっては、長大に見える輸送艦《ゆそうかん》の上。そこには小型の木箱類《コンテナ》が並んでいる。今、急いで輸送艦付属の小型船に積み替えられていく木箱を見て、シロジロが微笑した。

「――これで遠江の鎮守《ちんじゅ》が出来るとなれば、恩《おん》が売れる。

来年以降《いこう》は、遠江で私達もちゃんと商売が出来るようになるぞ、ハイディ。来年、金が入ったら、全部十円玉に両替《りょうがえ》して、私とお前で小銭風呂《こぜにぶろ》だ。肩まで浸《つ》かって酒でも飲むか」

「高い御酒《おさけ》？」

「もらい物に決まっているだろう。何を言っているんだハイディ。そして翌年には銀貨《ぎんか》、次は金貨《きんか》と、金にまみれる愉《たの》しみを充実だ。今回、浅間神社《あさまじんじゃ》には無料で感謝だなハイディ」

Ｊｕｄ．、と笑《え》みを得る頭上《ずじょう》。加速《かそく》の音が一度跳ねた。ウルキアガだ。彼は高度を上げ、

「――おい金キチガイども。拙僧《せっそう》はこれから点蔵《てんぞう》達の方に向かう。貴様《きさま》らは奥多摩《おくたま》艦尾《かんび》側で荷物の搬出《はんしゅつ》が出来るよう、急げ。……現場はすぐそこだぞ！」

第十五章

『狼と魂』

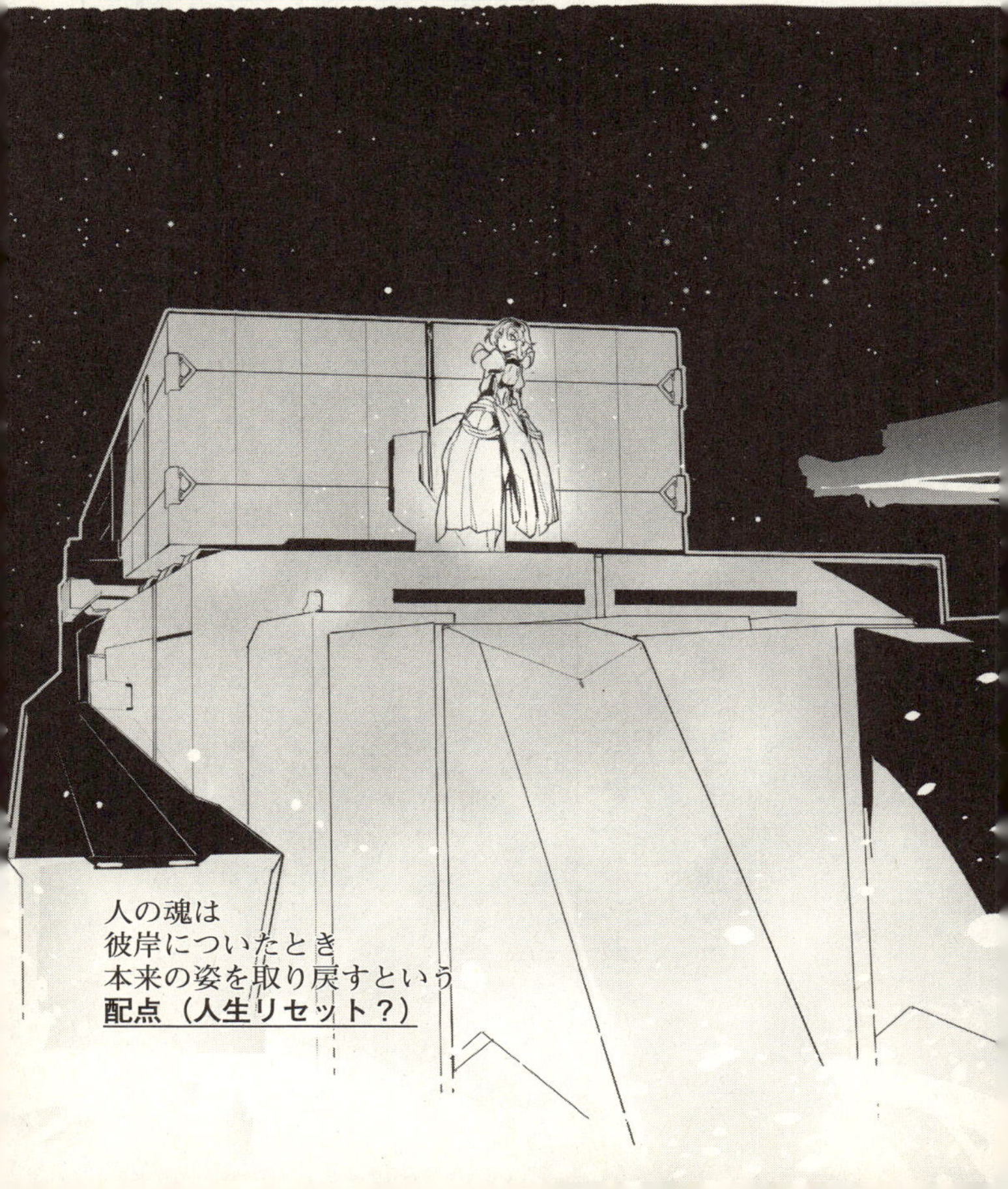

人の魂は
彼岸についたとき
本来の姿を取り戻すという
配点（人生リセット？）

湯屋《ゆや》の脱衣場《だついじょう》。ロッカーの奥を雑巾《ぞうきん》で拭《ふ》いていた鈴《すず》は、二つの音の変化に気付いた。

一つは、先程《さきほど》まで強く鳴っていた警報《けいほう》が、ゆっくりと各艦《かくかん》ごとに静まって行った事。

もう一つは、

「砲撃《ほうげき》、終わっ、た……？」

その通りだ。耳だけではなく、身体《からだ》や肌《はだ》、足の裏に響《ひび》いていた震動《しんどう》や音が、消えている。

「フフ、愚弟《ぐてい》達が、何かやってやったって事ね」

脱衣場に寝転《ねころ》がっていた毛布《もうふ》から、喜美《きみ》が這《は》い出してきた。

彼女は一息《ひといき》を入れ、毛布を折り畳《たた》んで籠《かご》に入れる。そして、

「どうせ皆、ここか浅間《あさま》神社《じんじゃ》で打ち上げよ。鈴、浅間神社だったら一緒《いっしょ》に行く？」

「あ、う、うん、でも、皆……」

「決まってる事よ。霊体《れいたい》なんて、残念があるなら、鎮《しず》める手段の最良《さいりょう》はそれを晴らしてやるという事。ただ、あの霊体……」

喜美が、小さく笑って頷《うなず》いた。

「愚弟がミトツダイラに会わせようとする訳《わけ》ね。——ちょっと、上に出る？　遠くからだと、多分、綺麗《きれい》なものを全身で感じ取れるわよ。私、その後で倒れるけど」

砲撃と応撃《おうげき》が不意《ふい》に終わったのを、奥多摩《おくたま》の艦尾《かんび》、搬出港《はんしゅっこう》にいたアデーレは見ていた。

港の甲板上《かんぱんじょう》にいる誰《だれ》もが、いきなりの状況の変化に息を止め、動かない。

……何か、攻撃《こうげき》を止める理由が、生じたんですかね。

浅間神社の方で、先夜の戦闘《せんとう》の解決事案《じあん》を進めるとは聞いていた。それは皆にも通じている筈《はず》で、集団の中、ちらほらと周囲を窺《うかが》っている者達もいる。すると、

『──何だか、全体がいきなり静かになったね』

通神《つうしん》で届いてきた声は、背後の頭上《ずじょう》からだ。教導院《きょうどういん》の校舎裏を囲む防護壁《ぼうごへき》の上で、配送業の人達と待機《たいき》しているナイトとナルゼが、周囲の状況を教えてくれる。

『現在、新規《しんき》の船団《せんだん》も生じないし、流体《りゅうたい》の乱れみたいな光もないね。停《と》まってる』

『だったら──、来たわね。左舷《さげん》周り、見て見なさい』

言われる通りに傾けた視線。もはや暗いだけの空が見えるかと思えば、

「輸送艦《ゆそうかん》……？」

艦間《かんかん》輸送用に使われる小型の輸送艦だ。三十メートル未満。放棄《ほうき》してもいいような古びた輸送艦が四隻《せき》、別の新しい船に押されてゆっくりと東に向かうのがアデーレには見えた。

……行き先は、今川陣営《いまがわじんえい》の船団ですね。

そちらに舳先《へさき》を向けていく輸送艦《ゆそうかん》には、幾《いく》つもの木箱《コンテナ》が搭載《とうさい》されていた。

最後尾《さいこうび》の一隻《いっせき》には、しかし木箱ではなく、二つの人影《ひとかげ》が乗っている。そのうちの一つは、

「ミトツダイラさん……」

そしてもう一人。これは見知らぬ女性だ。

夜の中、全体が光って見えると言う事は、霊体《れいたい》だろうか。

二人と荷物を載《の》せた輸送艦は、東の空に向かい、しかしやがて、

『停《と》まっ、た……、ね？』

ナイトの言葉通り。空の一点で、五隻の船が停止したのだ。

●

ミトツダイラは、表示枠《サインフレーム》で浅間《あさま》に問うていた。

「浅間、この地点で大丈夫《だいじょうぶ》ですの？」

『はい、記録によると、その一帯が彼らの散っていった場所となります。……まあ、そうは言っても十数キロに渡っているんですけど。その入口という感じで』

だから、と浅間が言葉を繋《つな》げた。

『そちら、慰霊地《いれいち》から回収《かいしゅう》してきた〝戦利品《せんりひん》〟、それを彼らに戻してあげて下さいね』

Ｊｕｄ．《ジャッジ》、とミトツダイラは頷《うなず》いた。

遠江《とおとうみ》の慰霊地。併設《へいせつ》されていた戦利品倉庫《そうこ》の中身《なかみ》が、前に並ぶ輸送艦に載せたものだ。

「元は今川《いまがわ》の土地。そこに織田《おだ》を奉《まつ》るだけならばともかく、戦勝として遺品《いひん》をも奪《うば》われたならば、霊は穏《おだ》やかじゃいられませんわね」

『本来の持ち主に戻す事で、この世への残念は無くなると思います。――遠江周辺における、今川勢の鎮守《ちんじゅ》を一気に出来る事になるので、戦勝品《せんしょうひん》の持ち出しは公的な利益《りえき》。ただ、政治的な部分は、ちょっとうちや生徒会が頑張《がんば》る事になりそうですね』

手間《てま》を掛けさせますわ、と頷き、ミトツダイラは、船の舳先に立つ人影を見た。

朝比奈《あさひな》・元智《もとども》。

正直、言葉を交わした訳《わけ》でもなければ、付き合いを得た訳でもない。だが、

……同じですのよね。

己《おのれ》の意思《いし》とは別のものに振り回された身だ。もしも彼女が生きていれば、数年後、何処《どこ》かで知り合っていたかもしれない。そんな立場ではある。

だが、それだからこそ、ミトツダイラは呼び掛けた。

「朝比奈・元智」

●

呼びかけたミトツダイラの視線の先。彼女が振り向いた。

日に焼けた肌《はだ》。茶色《ちゃいろ》の髪《かみ》。目元などは柔らかに見えるが、任務の自覚をもって派遣《はけん》されたのだ。芯《しん》の強い人だろう。

何も解《わか》らぬ子供時代に武蔵《むさし》に派遣された自分とは、覚悟《かくご》が違う。

そんな彼女が、今、今川《いまがわ》の仲間達と共に去る事を選んだ。

どうなのだろう。

……私は——。

貴女《あなた》のように、なるのだろうか。なれるのだろうか。それとも、なってしまうのだろうか。

解らない。そしてこの答えは、自分が作り上げていくしかないのだ。ゆえに、

「我が王」

『お？　何だよ。ちゃんと見てるぜ？』

それは解っている。だが、今、問うておく事は、

「彼女に、何か言う事はありませんの？」

問うた内容。対する答えは、いずれ自分が彼から聞く事になるものだろうか。

これもまた、解らない事だ。

何もかも、不明で、どうしようもない。そう思う中、ただ、彼の言葉が来た。

『——おめでとさん。って、それだけでいいだろ』

聞こえた台詞《せりふ》よりも、意味に、ミトツダイラは頷《うなず》いた。

……そうですわね。

行くべき処《ところ》に行こうとしていた者が、行けるようになったのだ。

いつか自分も、明確に、王や皆の処に行くとしたら、そういう風《ふう》に祝って貰《もら》えるのだろう。

息を吸い、ミトツダイラは周囲を見渡した。

夜の全天と全地を見据《みす》え、今、ここに、これからの行き場を決める者がいる。

己《おのれ》はそれを送る者として、自分だけが果たせる義務を果たさねばならない。

「朝比奈《あさひな》・元智《もととも》。――我が王から、貴女の行《ゆ》く末《すえ》に祝いの言葉を」

対する朝比奈が、僅《わず》かに表情を変えた。

ここが区切りだと気付いたのだろう。彼女は、その場に片膝《かたひざ》をついた。

騎士《きし》だ。はっきりと明言《めいげん》はなかったが、聖連《せいれん》の派遣者《はけんしゃ》であり、何よりも腰の大剣《たいけん》が目立つ。

彼女は、こちらの背後に〝王〟がいると、そう知った。

後は、己のする事はただ一つだ。王の代理人《だいりにん》として、また、

「極東《きょくとう》代表。武蔵の騎士一位として、遠江《とおとうみ》の騎士に告げますわ」

言った。

「貴女の騎士の身分をここで解除。自由の身とします」

告げると、朝比奈が動いた。両の手で、腰の大剣を摑《つか》み、

『――』

こちらに掲《かか》げられた白の剣を、ミトツダイラは受け取った。すると、

……あ。

剣が、緩やかに散っていく。光の破片《はへん》は、やはり砂《すな》のようでいて。そして、

『……！』

立ち上がった朝比奈《あさひな》の姿《すがた》も、また、ゆっくりと散り始めていた。

『ミト、――束縛《そくばく》の理由も何もかも消えました。彼女を、送ってあげて下さい』

ええ、と頷《うなず》き、ミトツダイラは朝比奈の手を取る。導くのは、前にある四隻《せき》の輸送艦《ゆそうかん》だ。彼女の仲間達への遺品《いひん》を積んだ船に、朝比奈は確かに乗り、

『――！』

こちらに、笑《え》みで何かを告げた。

同時。船の接合が外れ、先の四隻が東に向かい始めた。

初めは遅く。しかし段々と、風に乗るように船が行く。

顔も、表情も見えていた朝比奈が、形も定かではなくなっていき、

……あ。

仲間達の船団《せんだん》に入る時。小さく見えた人影《ひとかげ》が、こちらに頭を下げた。そんな風《ふう》に見えた。

直後。東の空に、莫大《ばくだい》な光が生じた。

『お……！』

最後の仲間と合流《ごうりゅう》した霊体《れいたい》の船団が、自分達の遺品を身に戻し、散っていくのだ。

全ては空に昇り、大気《たいき》に破片となる。

それだけではない。

『うっわ、南東の方も……！』

ナイトの声が驚きを含んでいるのも宜《むべ》なるかな。南東に展開し、状況を見ていた織田《おだ》の霊体船団も、その甲板上《かんぱんじょう》に立つ者達全てが両腕《うで》を振り上げ、身体《からだ》文字で、

『VI・C・TO・RY――』

ああ、と浅間《あさま》の声が聞こえた。

『戦っている相手がいなくなった事で、彼らもまた、ようやく自分達の戦争を終えたんです。――遠江《とおとうみ》、敵も味方《みかた》も禊祓《みそぎ》されて、神道《しんとう》としてはあるべき姿ですね』

言っている間に、織田の船団も散っていく。

東と、南東。夜の空に、莫大な量の流体光《りゅうたいこう》が舞った。それはまるで、夜空に広がる波のようにも見えたが、その中から、ミトツダイラはあるものを聞いた。

『――――』

女性の声。歌声だ。

ハミングの抑揚《よくよう》は、誰《だれ》のものだろうか。

欧州《おうしゅう》の西の地方の歌に聞こえたが、気のせいだったろうか。

その夜は結局、浅間《あさま》神社《じんじゃ》に皆が集まり、身内の打ち上げとなった。

ナイトが憶《おぼ》えている限り、ミトツダイラは王様の近くで大人《おとな》しくしていて、何も誇るような事はなく。ただ時折《ときおり》、歴史関係の資料を検索《けんさく》し、調べているようだった。

だが、皆が一息《ひといき》を吐き、落ち着いた後で、王様が思い出したように腰後ろのハードポイントパーツから、あるものを外して狼《おおかみ》に差し出した。

紙袋《かみぶくろ》。それを彼女が受け取ると、浅間が、あらあら、という顔で微笑した。

そして狼が袋の中を見れば、

「袖《そで》……？」

制服《せいふく》の右袖だ。ミトツダイラのものとして、刺繍《ししゅう》も入った作りになっている。

「前の戦闘《せんとう》でボロボロになったの捨てたろ？　俺《おれ》の指示《しじ》だったのもあって、流石《さすが》に気まずいじやね？　だからベルさんに仕立てて貰《もら》ったんだけど――」

「……まさか、朝比奈《あさひな》・元智《もととも》と会った時、現場で私の袖を探してましたの？」

「あんまし訊《き》くなよ」

苦笑《くしょう》で言われて、狼が袖を抱いて笑《え》みを作った。そして彼女は、

「逆袖も、ボロボロになってしまいましたのよ？」

「割《わ》り勘《かん》になんね？　オメエの仕様《しよう》、すげえ高価なんだもんよ」

「わ、私、仕立てて、て、面白かった、かな」

鈴《すず》が笑《え》みで言うなら、それで決着《けっちゃく》だ。何だ何だと視線を向けたり膝《ひざ》で寄ってくる皆に、王様は食事をしつつ、ここ数日の事や、遠江《とおとうみ》で何があったかなど、話をしてくれた。

だが、話途中《とちゅう》で、不意《ふい》に浅間《あさま》が首を傾《かし》げた。

「あの、トーリ君？　ミト？」

「え？　何ですの？」

ええ、と浅間が首を傾げて言う。

「遠江というか、今川《いまがわ》の土地は、確かに浅間神社《じんじゃ》の神奏《しんそう》が強いですから、慰霊地《いれいち》もその範囲として含まれているのは解《わか》るんですよね。でも——」

「でも？」

「ええ。……ミトとトーリ君が行った、遠江の慰霊地にあったという浅間神社の社務《しゃむ》。ちょっと事件の御礼《おれい》を送ろうかと調べてみたんですけど、——無いですよ？」

は？　と首を前に傾げた二人に、浅間がダメ押しでこう言った。

「——二人とも、何処《どこ》で誰《だれ》と会って何を見て来たんです？　遠江で」

話を耳にしていた喜美《きみ》が、唐揚《からあ》げを箸《はし》でつまみながら横倒《よこだお》しになるまでが1ターン。

最終章

『銀狼と目覚め』

何処まで本当か
何処まで本気か
其処まで本当か
其処まで本気か
配点（私もなあ）

〝空の上で吹く風は、本物だろうか。〟

「どうだろう」

黒の髪《かみ》を揺らしながら、正純《まさずみ》は教室の窓際《まどぎわ》で、その一文で締《し》めた本を閉じた。

昼休みだ。

窓は開いており、カーテンが風に大きく揺れている。正純は前髪《まえがみ》を掻《か》き上げながら、教室の後ろ側に視線を向ける。

浅間《あさま》とホライゾン、そして馬鹿《ばか》姉弟のいる位置。そこでミトツダイラが組んだ腕に横顔を乗せて寝ている。

熟睡《じゅくすい》なのか、馬鹿姉《あね》が髪の毛を勝手《かつて》に編んだり、リボンをつけていても目覚めない。

正純は、カーテンに掛けた手を止め、

「――昨夜は活躍《かつやく》の上で、結構《けつこう》話し込んでたからな。致《いた》し方《かた》ないか」

でも、

「お前ら、……人生派手《はで》でいいなあ」

「何がさね？」

「いや、昨夜の話からするに、中等部《ちゆうとうぶ》でそういう派手な現場に関われるとかなあ……。何か話聞いてると頻度《ひんど》高そうだし、私なんかそういうのほとんど無いぞ」

「そのたびごとに大騒《おおさわ》ぎですって」

と、吐息《といき》をつけて言う浅間に、正純は手招きした。

私？　と言いながら、浅間がやってくる。その足音が目の前で停《と》まるのに合わせ、正純は小さな声で問うてみた。

「昨夜の話、最後は浅間がちょっとオカルト系《けい》で締めたよな？

——でも、実はアレ、嘘《うそ》だろう？」

問い掛けに、浅間は眉《まゆ》を上げ、ややあってからこちらの肩を笑《え》みで叩《たた》く。

「本当ですよ、本当。そういう事です」

言って、浅間が元の位置に戻る。馬鹿の問い掛けに手を左右に振って返す彼女を見ていると、実際コレ、嘘だと気付いている連中《れんちゅう》は多そうだな、と正純は思った。

……ああやって、遠江《とおとうみ》での調査が〝いい加減《かげん》〟であった事にしないと、水戸《みと》松平《まつだいら》の襲名者《しゅうめいしゃ》が織田《おだ》家に楯突《たてつ》くような構図《こうず》になったりするもんな。

何ともまあ、後先を考えない連中だが、だからこそ、皆で持ちつ持たれつ、かもしれない。

そしてその予想は、きっと真実なのだろう。

人の数だけ訳《わけ》があり、過去はあるが、訳があるだけまた過去は増える。

訳あり、多そうだなあ、うちのクラス。

自分もそうだ、とは流石《さすが》に言う気にならない。だが、

「ん……」

ミトツダイラが、身を揺らした。起きるらしい。

●

短い時間だったが、随分《ずいぶん》と充実した眠りだったように思える。

ミトツダイラは、まず、身を起こしてから辺りを見回した。

教室内。

皆がいる。王やホライゾン、浅間《あさま》達はこちらを見ていて、

「お目覚めですか、ミトツダイラ様」

「Ｊｕｄ《ジャッジ》．、昨夜というか、今朝方《けさがた》まで盛り上がっていたせいか、ようやく今のでテンションのリセットが出来ましたわ」

昨夜の話。もう三年以上も昔の事だ。それなのに憶《おぼ》えているのは、

……私と、似た人の事。

彼女が去る時、遠くで一礼《いちれい》したのは、未《いま》だに記憶《きおく》にある。

おめでとさん、と王は言った。

今の自分は彼女から見て、どうだろうか。あの頃《ころ》から見て、ちゃんと出来ているだろうか。

それとも、このような事を思うのは、単なる感傷《かんしょう》だろうか。ただ、

「――――」

周りを見れば、皆がいる。

当時もいたのだが、あの頃は気付かず、今は、この空気と場が大事《だいじ》だという事がよく解《わか》っている。

だからだろうか。当時を思い返してみても、

「やはり、自分がいろいろと変わって行く時期や、その契機《けいき》の事は、憶えてますわね」

「ほほう、一丁揉《いっちょうも》んで貰《もら》っての変化と、そういう事ですか」

ホライゾンの言葉に、ミトツダイラは目を細めた。

「Ｊｕｄ．、そうですわね」

自分の身体《からだ》を軽く抱き、自然と笑《え》みが浮かぶのに任せて、ミトツダイラはこう言った。

「日々、揉んで貰ってますわよ。――大きく育て、と、そんな感じで」

母からツッコミの表示枠《サインフレーム》が来たので、手刀《しゅとう》で割っておく。

Horizon on the Middle of Nowhere

——何か言う事はありませんの？

あとがき

そんな訳《わけ》で『境界線上《きょうかいせんじょう》のホライゾン』、過去編《へん》というか、回想編《かいそう》というか、『ガールズトーク』皆様にお届けいたします。

一応、コレから手に取った人でも、ノリで読めるよう、本編《ほんぺん》のちょっと外側。皆の中等部《ちゅうとうぶ》時代を回想でぎゃあぎゃあ弄《いじ》り合う感じになってます。

なお、元は、本編をある程度余裕《よゆう》もって書けるようになってきたとき「〝一巻完結《かんけつ》もの〟としてのホライゾンがあれば」みたいな要望がありまして。また、BDの特典《とくてん》小説「きみとあさまで」で「こーいうのがまた欲しい」みたいな意見が読者の方々から結構《けっこう》あったりで。だったら、とキャラの個人年表《ねんぴょう》からプロット起こしてみたのが今作です。

本編書きつつ作業という感じなので、スケジュールの都合《つごう》もあるんですが、まあ何とかなるものですねー……。

主人公《しゅじんこう》がミト子なのは、外の情報がえらく多いので、メイン張りやすいという感じで。中等部辺りの彼女周辺はいろいろありますが、とりあえず今回、こんな感じです。

とはいえ作中で出てる桶狭間《おけはざま》の戦い。コレは織田家《おだけ》史上最大の無謀戦《むぼうせん》って感じですが、その勝利部分がクローズアップされて、前哨戦《ぜんしょうせん》では麾下《きか》が見捨てられたような状態で奮戦《ふんせん》したり、松平勢《まつだいらぜい》が敵になってヒャッハーしてたりというのはあまり知られてない気がします。これでよく松平は信長《のぶなが》に赦《ゆる》されたな……、という感じで。そこら辺、ウマが合ったんですかねー……。

ともあれ恒例《こうれい》の友人チャット。

「ぶっちゃけ中等部とか何してた？」

『あー、俺《おれ》、テニス部だったんだけどさ』

「おー、ウインブルドン（違う）。やっぱ格好《かっこ》良くキメまくってたりした訳？」

『いや、それが何か、俺をはじめとしてヤンキー集まっちゃってさ』

「〝キメてる〟で、そっち来ちゃったかあ──」

『いやもうマジで。皆、部室の中に改造制服《かいぞうせいふく》置いてたから見本市《みほんいち》状態でさ。だから皆、ジャージで朝練《あされん》来て、それ終えたら髪《かみ》ディップでドカア＋改造制服で教室行く、みたいな。でも帰宅《きたく》はシャワー浴びてジャージで帰るから親全く気付かなくてな。成績《せいせき》もよかったから先生何も言えねえし。──あ、一応、関東《かんとう》大会出たよ』

何を変な二重生活して文武《ぶんぶ》の成績残してるんだ。という事で今回、執筆中《しっぴつちゅう》BGMはINFINITYで「ニブンノイチ」。いや、勇気の出るいい歌詞《かし》です。しかしまあ、

「誰《だれ》が一番、出遅れているのかなあ」

と。ではまた、本編など別の共食《ともぐ》い談義《だんぎ》で宜しく御願《おねが》いいたします。

平成二十六年七月　台風《たいふう》が来た朝っぱら

川上《かわかみ》　稔《みのる》

◉川上　稔著作リスト

都市シリーズ

「パンツァーポリス1935」(電撃文庫)
「エアリアルシティ」(同)
「風水街都　香港〈上〉」(同)
「風水街都　香港〈下〉」(同)
「〓楽都市　OSAKA〈上〉」(同)
「〓楽都市　OSAKA〈下〉」(同)
「閉鎖都市　巴里〈上〉」(同)
「閉鎖都市　巴里〈下〉」(同)
「機甲都市　伯林　パンツァーポリス1937」(同)
「機甲都市　伯林2　パンツァーポリス1939」(同)
「機甲都市　伯林3　パンツァーポリス1942」(同)
「機甲都市　伯林4　パンツァーポリス1943」(同)
「機甲都市　伯林5　パンツァーポリス1943　Erste-Ende」(同)
「電詞都市　DT〈上〉」(同)
「電詞都市　DT〈下〉」(同)

AHEADシリーズ

「終わりのクロニクル①〈上〉」(同)
「終わりのクロニクル①〈下〉」(同)

「終わりのクロニクル②〈上〉」(同)

「終わりのクロニクル②〈下〉」(同)

「終わりのクロニクル③〈上〉」(同)

「終わりのクロニクル③〈中〉」(同)

「終わりのクロニクル③〈下〉」(同)

「終わりのクロニクル④〈上〉」(同)

「終わりのクロニクル④〈下〉」(同)

「終わりのクロニクル⑤〈上〉」(同)

「終わりのクロニクル⑤〈下〉」(同)

「終わりのクロニクル⑥〈上〉」(同)

「終わりのクロニクル⑥〈下〉」(同)

「終わりのクロニクル⑦」(同)

GENESISシリーズ

「境界線上のホライゾンⅠ〈上〉」(同)

「境界線上のホライゾンⅠ〈下〉」(同)

「境界線上のホライゾンⅡ〈上〉」(同)

「境界線上のホライゾンⅡ〈下〉」(同)

「境界線上のホライゾンⅢ〈上〉」(同)

「境界線上のホライゾンⅢ〈中〉」(同)

「境界線上のホライゾンⅢ〈下〉」（同）
「境界線上のホライゾンⅣ〈上〉」（同）
「境界線上のホライゾンⅣ〈中〉」（同）
「境界線上のホライゾンⅣ〈下〉」（同）
「境界線上のホライゾンⅤ〈上〉」（同）
「境界線上のホライゾンⅤ〈下〉」（同）
「境界線上のホライゾンⅥ〈上〉」（同）
「境界線上のホライゾンⅥ〈中〉」（同）
「境界線上のホライゾンⅥ〈下〉」（同）
「境界線上のホライゾンⅦ〈上〉」（同）
「境界線上のホライゾンⅦ〈中〉」（同）
「境界線上のホライゾンⅦ〈下〉」（同）
「境界線上のホライゾン　ガールズトーク　狼と魂」（同）

ＦＯＲＴＨシリーズ
「連射王〈上〉」（同）
「連射王〈下〉」（同）
「連射王〈上〉」（単行本アスキー・メディアワークス刊）
「連射王〈下〉」（同）

本書に対するご意見、ご感想をお寄せください。

電撃文庫公式ホームページ 読者アンケートフォーム
http://dengekibunko.dengeki.com/
※メニューの「読者アンケート」よりお進みください。

ファンレターあて先
〒102-8584　東京都千代田区富士見1-8-19
アスキー・メディアワークス電撃文庫編集部
「川上 稔先生」係
「さとやす先生」係

本書は書き下ろしです。

電撃文庫

GENESIS《ジェネシス》シリーズ 境界線上《きょうかいせんじょう》のホライゾン
ガールズトーク 狼《おおかみ》と魂《たましい》

川上《かわかみ》 稔《みのる》

発 行 2014年11月8日 初版発行

発行者 塚田正晃
発行所 株式会社KADOKAWA
〒102-8177 東京都千代田区富士見2-13-3
プロデュース アスキー・メディアワークス
〒102-8584 東京都千代田区富士見1-8-19
03-5216-8399（編集）
03-3238-1854（営業）
装丁者 荻窪裕司(META＋MANIERA)
印刷・製本 旭印刷株式会社

※本書の無断複製（コピー、スキャン、デジタル化等）並びに無断複製物の譲渡及び配信は、著作権法上での例外を除き禁じられています。また、本書を代行業者などの第三者に依頼して複製する行為は、たとえ個人や家庭内での利用であっても一切認められておりません。
※落丁・乱丁本はお取り替えいたします。購入された書店名を明記して、アスキー・メディアワークスお問い合わせ窓口あてにお送りください。
送料小社負担にてお取り替えいたします。
但し、古書店で本書を購入されている場合はお取り替えできません。
※定価はカバーに表示してあります。

©2014 MINORU KAWAKAMI
ISBN978-4-04-869039-3 C0193 Printed in Japan

電撃文庫 http://dengekibunko.dengeki.com/
株式会社 KADOKAWA http://www.kadokawa.co.jp/

電撃文庫創刊に際して

文庫は、我が国にとどまらず、世界の書籍の流れのなかで〝小さな巨人〟としての地位を築いてきた。古今東西の名著を、廉価で手に入りやすい形で提供してきたからこそ、人は文庫を自分の師として、また青春の想い出として、語りついできたのである。

その源を、文化的にはドイツのレクラム文庫に求めるにせよ、規模の上でイギリスのペンギンブックスに求めるにせよ、いま文庫は知識人の層の多様化に従って、ますますその意義を大きくしていると言ってよい。

文庫出版の意味するものは、激動の現代のみならず将来にわたって、大きくなることはあっても、小さくなることはないだろう。

「電撃文庫」は、そのように多様化した対象に応え、歴史に耐えうる作品を収録するのはもちろん、新しい世紀を迎えるにあたって、既成の枠をこえる新鮮で強烈なアイ・オープナーたりたい。

その特異さ故に、この存在は、かつて文庫がはじめて出版世界に登場したときと、同じ戸惑いを読書人に与えるかもしれない。

しかし、〈Changing Times,Changing Publishing〉時代は変わって、出版も変わる。時を重ねるなかで、精神の糧として、心の一隅を占めるものとして、次なる文化の担い手の若者たちに確かな評価を得られると信じて、ここに「電撃文庫」を出版する。

1993年6月10日
角川歴彦